D1295346

Chick Lit

Catalogage avant publication de Bibliothèque et Archives nationales du Québec et Bibliothèque et Archives Canada

Dubois, Amélie, 1981-
Chick lit
Sommaire : t. 3. 104, avenue de la Consœurie
Texte en français seulement.
ISBN 978-2-89585-117-2 (v. 3)
I. Titre. II. Titre: 104, avenue de la Consœurie
PS8607.U262C44 2011 C843'.6 C2010-942154-X
PS9607.U262C44 2011

Illustration de la couverture : Niloufer Wadia

Les Éditeurs réunis bénéficient du soutien financier de la SODEC et du Programme de crédits d'impôt du gouvernement du Québec.

Nous remercions le Conseil des Arts du Canada de l'aide accordée à notre programme de publication.

Nous reconnaissons l'aide financière du gouvernement du Canada par l'entremise du Fonds du livre du Canada pour nos activités d'édition.

Édition :
LES ÉDITEURS RÉUNIS
www.lesediteursreunis.com

Distribution au Canada :
PROLOGUE
www.prologue.ca

Distribution en Europe :
DNM
www.librairieduquebec.fr

Suivez Les Éditeurs réunis sur Facebook.

Imprimé au Canada

Dépôt légal : 2011
Bibliothèque et Archives nationales du Québec
Bibliothèque nationale du Canada

Amélie Dubois

3

104, avenue de la Consœurie

LES ÉDITEURS RÉUNIS

Autres titres d'Amélie Dubois

Dans la série « Chick Lit »

À paraître au printemps 2014 :
Chick Lit, tome 6.

 www.facebook.com/pages/Amélie-Dubois

 ame_dubois

Le verbe aimer est difficile à conjuguer :
son passé n'est pas simple,
son présent n'est qu'indicatif
et son futur est toujours conditionnel.

Jean Cocteau

Bordel !

— Merde ! C'est à qui cette boîte-là ?

— C'est à Coriande, je pense, répond Sacha, distraite.

— Non, ce n'est pas à moi ! C'est à Ge ! rectifie celle-ci.

— Peu importe, elle est en plein milieu de la place ! Pas très pratique la course à obstacles avec des meubles dans les bras, hein ? que j'affirme fort en commençant à m'impatienter.

— Pourquoi criez-vous comme ça ? demande Ge en entrant dans le *condo*.

— Parce que ton immense boîte trône au milieu de la pièce…

— C'est pas à moi, ça, s'offusque Ge en passant droit devant nous.

— C'est à qui, alors ?

Je m'approche de la boîte en question. Je l'observe… Voyons voir, sur le côté droit, c'est inscrit :

Vaisselle – Ustensiles – Mali

Merde, c'est la mienne ! Toute une scène de ma part pour MA boîte. Je la pousse discrètement contre le mur, dans le fond de la pièce, gênée. Une chance, les filles semblent trop occupées pour se rendre compte de ma découverte.

Ce déménagement s'avère un vrai bordel ! Mauvaise idée de le coordonner toutes les quatre ensemble, le même jour…, voire le même avant-midi. Environ vingt personnes participent à cette activité du 1er juillet. C'est un peu trop de monde ! On aurait dû faire preuve de stratégie et diviser au moins la journée en deux. Mais bon, trop tard ! Faisons avec…

— C'est à qui la Jetta bleue en face ? demande mon père, qui entre dans le *condo*.

— À mon oncle, pourquoi ? l'interroge Sacha.

— Parce qu'il faut la déplacer. Des voisins viennent d'arriver avec leur camion de déménagement…

— Quoi ? Merde…

— Ah ! c'est quand l'étape de la pizza et de la bière ? s'informe Ge, découragée, en s'appuyant la tête sur mon épaule.

— Quand on aura rentré le contenu des trois *pick-ups*, des deux remorques et des six voitures ! Donc, disons dans trois jours, que je réponds en lui tapotant l'épaule.

— Je suis tannée ! Je veux aller me coucher, pleurniche Ge.

— Parfait, va faire une sieste ! Mais non, c'est vrai, ton lit est en arrière de ta laveuse-sécheuse, dans la dernière remorque qu'on va décharger, donc ça ira dans quelques jours ça aussi ! Bouge tes fesses, on va dehors : il faut aider les gars à transporter les divans de Sacha…

Nous avons pris la décision d'aller habiter ensemble en mars dernier. Depuis ce temps, la vie de mes chères consœurs adorées et moi a passé vite comme l'éclair. Dans le temps de le dire, le printemps avait filé à vive allure. Nous nous sommes alors retrouvées à faire chacune nos boîtes pour emménager dans ce fameux *condo*. LE *condo* de la consœurie ! Qui l'eût cru ?

« La consœurie des célibat-stars qui chassent en buvant le champagne » a été créée il y a presque deux ans de cela. L'organisation avait pour but premier de nous apporter un équilibre affectif tout en restant célibataire. Nous devions entretenir un « harem » de gars sympas sans jamais nous engager en couple afin de s'éduquer en groupe à faire de meilleurs choix amoureux. Vous vous souvenez des quatre membres du conseil exécutif de notre organisation secrète ? Coriande, Sacha, Geneviève et moi, Mali. L'évolution positive (positive ? ça reste à voir...) de cette consœurie nous amène maintenant à avoir un repaire secret à son effigie. Secret ? Pfft ! Sûrement pas pour longtemps !

Cependant, bientôt, l'objectif premier de la consœurie sera modifié et ne sera plus ce qu'il a été depuis sa création. Il paraît que nous sommes maintenant prêtes à vivre en couple sainement... Ouf ! nous n'avons pas encore discuté de façon officielle de cette « réforme consœuriale ». Une chose reste certaine, l'union entre les consœurs devra demeurer aussi nourrissante que durant les deux dernières années. Beaucoup de soirées bien arrosées en perspective ! Mais, tout d'abord, ce déménagement de malheur...

— Où est Coriande ? Son père l'attend dehors pour savoir ce qu'elle veut monter en premier, questionne ma mère.

— Je ne sais pas, je vais aller voir, fais-je, les bras en l'air en montant les escaliers extérieurs menant à l'étage principal du *condo*.

En entrant dans le salon, j'aperçois Cori et mon frère qui rient aux éclats en semblant faire une visite touristique du propriétaire.

— Heu... excusez-moi de vous déranger les amis, mais Cori, ton père te cherche pour faire un « déménagement » ! que je leur envoie sur un ton arrogant.

— Ouais c'est bon, je descends ! s'esclaffe Cori, de bonne humeur, en se dirigeant vers la sortie tout en lorgnant mon frère par-dessus son épaule.

— Attends au moins que sa chambre soit prête avant de tenter de coucher encore avec elle…, que je commente en observant mon frère d'un air mesquin.

— Bon, bon, bon… On monte ton lit à toi plutôt ? change-t-il de sujet en s'éloignant vers l'escalier menant dehors sans trop me regarder.

Vous vous souvenez que Coriande a couché avec mon frère l'hiver passé ? Drôle de situation. Je sais qu'ils ne se sont pas revus depuis, que c'était seulement une histoire d'un soir, mais bon… Chaque fois qu'ils se retrouvent dans un même lieu, on sent qu'il y a bel et bien eu entre eux cette partie de jambes en l'air. Je sais, je sais ! Ce n'est pas de mes affaires…

— AH NON ! les gars, merde…, hurle Sacha dans les escaliers menant au *condo*.

En l'entendant crier, je me dirige rapidement vers les escaliers. Accroupie à quatre pattes, Sacha scrute le côté d'un meuble qui semble être la commode de sa chambre.

— Vous auriez pu faire plus attention ! Vous avez fait une grosse égratignure. Cibole !

— Ben là, on fait de notre mieux. Les gars s'en venaient derrière avec le frigo. On a voulu se dépêcher, répond son oncle, l'air désolé.

— Dépêchez-vous, justement ! C'est lourd ! disent les deux gars en question, qui sont restés figés avec le frigo dans les mains dès que Sacha a commencé sa crise.

— OK ! Là, tout le monde m'écoute ! Dorénavant, je vais gérer les entrées et sorties de ce déménagement. C'est le chaos total et plus rien ne fonctionne. Donc, les gars, vous montez le meuble de Sacha dans sa chambre. Ça en prend un autre pour aider à emmener le frigo. Je vais aller identifier les prochains gros meubles à transporter. On va mettre un peu d'ordre dans cette journée de bonheur. Allez hop ! que je proclame en descendant les escaliers tout en me faufilant entre le mur et le réfrigérateur.

Une fois dehors pour annoncer mon rôle de contremaître des opérations, je constate que les gens se tiennent tous un peu pêle-mêle autour des camions et des remorques, ne sachant pas trop par quoi commencer. Je visualise une marche à suivre logique et stratégique des différents véhicules qui devront être déchargés selon leur emplacement. N'oubliez pas qu'on se trouve au centre-ville de Montréal, le 1er juillet. Je donne des ordres à tout le monde. Mon frère roule des yeux en regardant mon père. Une chance que je traverse une période de manies causées par ma maladie mentale non diagnostiquée. Je serai doublement efficace !

— Première remorque, tout le monde la vide en même temps. Ce sont les choses de Sacha. Ensuite, on s'occupera de mon camion qui est derrière et, par la suite, de celui de Cori, au fond. Allez, et que ça saute !

Ah non ! Un autre camion de déménagement se pointe en face de notre entrée, ce doit être le deuxième voisin par la gauche. Bordel ! Il n'y a vraiment plus de place pour lui… Ggggrrrrrr ! Au secours !

Comment se porte le conseil exécutif…

Mission accomplie ! À vingt et une heures, nous nous retrouvons toutes les quatre à boire une bière au milieu des boîtes dans le salon. Une chance, nous avons tout le week-end pour nous installer. C'est jeudi et tout le monde a congé demain. Le déménagement s'est terminé vers les dix-huit heures trente. Nos familles et amis viennent de nous quitter, il y a quelques minutes à peine. Quatre cents dollars de bière, de pizza, de liqueur et autres cochonneries essentielles à la tradition du 1er juillet. Imaginez ! Toutes les équipes ont bien travaillé et nous sommes très contentes. Notre nouvelle vie commence officiellement à cet instant même…

— *Wow !* On est vraiment là ! remarque Cori en regardant autour d'elle dans le salon.

— C'est difficile à croire après cette journée de merde, hein les filles ? souligne Sacha en souriant.

— Mais au moins, il n'y a pas eu trop de dommages collatéraux, précise Cori.

— Mis à part l'entorse lombaire de mon cousin, mon meuble amoché, la brèche sur le lave-vaisselle et l'égratignure de deux mètres de long sur le mur de l'entrée…, c'est super ! rectifie Sacha en levant sa bouteille.

— Des détails, ma belle, des détails ! Vraiment, j'imaginais le pire…, que j'avoue en resservant une bière à chacune.

— Ah ! c'est fait ! J'ai une migraine… mais la bière est bonne ! confesse Ge en se prenant la tête à deux mains.

— Je propose le toast officiel annonçant notre cohabitation définitive, dit Cori en se levant debout.

Toutes les filles l'imitent.

— Santé à toutes ! Nous allons vraiment vivre une belle année, j'en suis certaine, prédit Sacha, émotive.

— C'est sûr ! J'ai hâte à notre premier vrai souper pour mettre en place les règles de ce *condo* du bonheur ! s'excite Ge.

— Demain, selon moi, on va être bien installées pour discuter, de façon rationnelle, dans une ambiance ressemblant moins à un entrepôt IKEA ! que j'estime en faisant un balayage visuel de la place.

— Ouais, c'est vrai…

— *Wow !* Une nouvelle consœurie de femmes affectivement matures, spécule Sacha en observant le plafond.

— Où ça, des femmes matures ? que je réponds à la blague en regardant de gauche à droite.

Il faut dire que, ces derniers temps, nous nous sommes toutes un peu isolées socialement pour des raisons différentes. Disons que les parties de chasse dans les clubs et les 5 à 7 n'ont pas été prioritaires dans notre vie depuis le retour du beau temps. Depuis le début du printemps, nous avons toutes des situations « météo-matrimoniales » relativement variables.

Premièrement, Sacha (sous le soleil), semble toujours en amour avec Thierry, et ce, pour le meilleur et pour le pire. Vous vous souvenez qu'elle a rencontré ce gars dans un bar, l'hiver dernier ? Depuis, le couple file supposément le parfait bonheur. En fait, c'est elle qui nous a convaincues de changer les règles de la consœurie pour enfin nous ouvrir à l'amour. Le fait de la voir si épanouie nous a fait comprendre que nos cœurs étaient « peut-être » prêts pour une vraie relation de couple.

Deuxièmement, Cori et Ge (nuageux), se morfondent ensemble dans la catégorie des « peu choyées » en activité affective et sexuelle. Elles n'ont personne dans leur vie. Cori ressemble à une vraie bonne sœur depuis un certain temps. Elle a commencé un nouvel emploi qui la tient très occupée. Ge accumule les aventures insipides sans lendemain depuis le printemps. Rien de concluant pour un simple candidat, donc imaginez pour un potentiel conjoint de fait ! À mon grand bonheur, elle a pris un temps d'arrêt de son travail afin de se refaire une santé psychologique.

Pour ma part (dégagement après la tempête), je me suis rendu compte vers la fin de l'hiver que j'étais en amour dingue avec Bobby, mon inaccessible chanteur… Vous avez hâte de savoir ce qui s'est passé avec lui le soir de la signature du bail avec les filles, hein ? Vous vous souvenez, j'étais allée le rejoindre pour lui balancer en plein visage une déclaration amoureuse surprise. Je vous raconte ce qui s'est passé ce soir-là…

Pour vous remettre dans le contexte, depuis que je fréquentais ce gars, je m'improvisais « dure de dure » en me répétant : « Pfft ! je ne suis pas amoureuse de lui… », et ce, depuis plus de deux ans. À chacune de nos rencontres, il y avait trois composantes toujours présentes : lui, naturellement, moi et… monsieur Déni extrême ! En tant que psy, je suis très douée pour faire des prises de conscience, mais le problème reste que je n'applique pas mes constatations à bon escient. Aucune évolution ! Rien ! *Niet !* J'ai finalement envoyé promener monsieur Déni extrême à la fin de l'hiver en déclarant à la consœurie (et à moi-même du même coup) que j'étais complètement amoureuse de ce gars. J'ai donc empoigné mon courage entre mon index et mon pouce (j'en ai peu…) pour me décider à tout lui avouer. Il faut préciser que certains indices (venant de sa part) m'avaient amené à supposer qu'il avait peut-être lui aussi des sentiments pour moi. Par exemple, une attitude plus attentionnée et plus douce, une chanson composée qui semblait parler de moi, des discussions plus intenses… Bref, je m'étais dit : « Ça y est ! Tu peux foncer ! »

Cela étant dit, après la signature du bail avec les filles, j'avais médité dans ma voiture pendant au moins quatre minutes et demie avant de me diriger vers sa maison en tremblotant comme une feuille au grand vent.

Ma performance fut, heu… comment dire…, pitoyable ! Mon discours, répété à plusieurs reprises devant le miroir de ma pharmacie, s'était avéré malhabile, voire décousu : « …donc je t'apprécie bien et… je veux que ça continue, mais… on se connaît depuis longtemps… je ne respecte plus les clauses du contrat… ». Faisant semblant de ne pas m'avoir bien comprise, il avait habilement détourné le sujet. Mon attitude peu convaincue conjuguée à son malaise habituel face aux discussions trop sérieuses avaient modifié la trajectoire de la conversation vers sa supposée « satisfaction actuelle » par rapport à notre relation. Une relation qui s'avérait, selon ses dires, si simple et si enrichissante.

Il s'était finalement sauvé au beau milieu de mes déclarations maladroites, soi-disant pour aller acheter du lait au dépanneur… J'en avais alors déduit tristement que mes espoirs resteraient vains. Bobby ne désirait pas s'engager sérieusement avec moi. Sa « satisfaction actuelle » lui suffisait. À son retour du dépanneur, il avait rangé le litre de lait à côté des deux autres qui se trouvaient déjà dans son frigo. Un, presque vide, et un autre qui était plein… Pendant son absence, je n'avais pu m'empêcher d'ouvrir son frigo afin de valider la véracité de cette supposée urgence laitière. J'avais quitté son appartement tôt dans la soirée en prétextant une urgence chez une amie. J'avais franchi le seuil de la porte la tête basse et le cœur en miettes…

Ensuite, en grande fille intègre et responsable que je suis, j'ai cessé de le voir étant donné que cela ne pouvait que susciter de la souffrance et des émotions négatives dans ma vie... Vous ne me croyez pas ? Vous me pensez vraiment si peu respectueuse de moi-même ? Eh bien, vous avez absolument raison... Je dis n'importe quoi ! Je n'ai pas rappelé Bobby durant à peine deux semaines, sous prétexte que j'étais occupée. Ensuite, je n'ai refusé aucune de ses invitations. Je suis vraiment masochiste ! Et comédienne en plus ! Imaginez ? Je me joue, ENCORE, la *game* de la fille indépendante qui ne veut plus de relations sérieuses finalement. La fille qui a changé d'idée ! Je ne lui demande rien. Il fait de même. Nous avons passé des moments... comment dire... « satisfaisants ». Moi, comme une nouille peu évoluée, je me fais accroire que j'adhère à tout ça, consciemment en plus. Vraiment, vous voyez que la consœurie m'a fait cheminer depuis le temps !

Mais ce n'est pas tout... Afin de tenter de calmer mes élans d'amour pour Bobby, j'ai revu David (mon ex parfait) à son retour de voyage au printemps. Par pur hasard, celui-ci a transité au Québec au lieu de retourner immédiatement dans l'Ouest canadien. Je me suis alors convaincue que je me rendrais compte que Bobby ne pouvait rien m'apporter de bien en batifolant avec un gars qui m'aime vraiment et qui veut m'avoir dans sa vie... Erreur ! J'ai fréquenté les deux gars en alternance pendant quelques semaines pour comprendre que David et moi, c'était voué à l'échec... Je lui ai donc brisé le cœur pour la troisième fois... Bravo, Mali !

Voilà le topo rapide de la situation des membres du conseil exécutif en ce jour de déménagement. Pas mal, hein ? Encore beaucoup de fluctuations au chapitre de notre météo émotive ! À quoi doit-on s'attendre pour la suite, Colette ? Canicule pour Sacha, possibilité d'éclaircies pour Ge et Cori, et ciel variable pour

Mali ? Gardez toujours votre parapluie à proximité, car on ne sait jamais ! Une averse peut survenir à tout moment…

Installation de consœurs en cours…

— C'est le *fun* de se lever toutes ensemble, hein ? s'exclame Sacha lorsque je descends à la cuisine au petit matin.

— Oui, on se croit en vacances ou en congrès ! Mais non ! On est chez nous ! commente Cori, assise en indien sur un tabouret près de l'îlot.

— On a une grosse journée aujourd'hui ! Faudrait placer tous les meubles pour qu'on soit bien installées pour le reste du week-end, que je propose en regardant vers le salon.

— À quatre, ça va aller vite…

Nous nous affairons à la tâche rapidement en tentant d'organiser le salon et la cuisine.

— On met la table ici ? demande Cori.

— Non, plus par là, suggère Sacha.

— Mais non, on devrait la placer en angle du mur, ici, conseille Ge.

— Ce n'est pas « feng shui » une table de cuisine en angle, voyons ! explique Sacha.

— Ben là, on ne va pas s'obstiner pour chaque meuble ! On n'a pas fini…

Les négociations concernant la disposition des aires communes durent tout l'avant-midi. Ensuite suivent les propositions pour la déco, les cadres, l'emplacement des choses dans les armoires… Ouf ! décidément, prendre des décisions à quatre pour l'aménagement du *condo* semble plus difficile que de choisir où aller chasser le samedi soir !

Finalement, vers quinze heures, chacune se retrouve dans sa chambre à ranger ses effets personnels. Les chambres de Sacha et de Cori sont à l'étage principal, adjacentes à la cuisine et au salon, et celles de Ge et moi au deuxième. Il y a une salle de bain sur chaque niveau. Heureusement, car Cori et Sacha ne voulaient absolument pas partager la salle d'eau avec Ge et moi. Nous sommes trop bordéliques, à ce qu'il paraît. Pfft ! Même pas vrai !

Ma chambre me plaît beaucoup. La pièce est vaste, avec deux fenêtres parallèles à chaque bout du mur donnant sur la minuscule cour extérieure du bloc. Les teintes du décor ? Blanc et noir. Comme avant ! Mon lit paraît si moelleux recouvert d'une immense couette de plume toute blanche. On dirait une grosse ouate géante avec d'énormes coussins qui la recouvrent. Mais attention, j'ai deux coussins gris, un jeté (tout aussi gris) ainsi que trois encadrements modernes représentant diverses fleurs (rouge vif) suspendus en haut de mon lit. Voilà mon évolution « décorationale » des derniers mois ! Sinon, on retrouve ma table de travail dans un coin et, dans l'autre, mon fameux récamier en cuir noir, ainsi qu'une commode à vêtement où trône fièrement mon bouddha dodu acheté en Inde. Les rideaux blancs vaporeux cachent en dessous un épais tissu très foncé servant à assurer une noirceur totale lors de mes futures grasses matinées. Un grand miroir de plain-pied est accroché au mur, près de la porte. Ma chambre respire…

Ge y entre :

— J'ai terminé mon rangement. Veux-tu que je te donne un coup de main ?

— T'es fine ! J'en suis à mettre mes vêtements dans la garde-robe…

Ge commence à m'aider à mettre mes effets en place.

— Ma chambre est vraiment à mon goût, je suis contente. Ce renouveau dans ma vie va m'apporter un bel équilibre, explique Ge, très positive.

— Tant mieux, Ge, car lorsqu'on t'a acculée au mur durant les vacances cet hiver, une démarche vitale s'imposait pour ta santé mentale, hein ? que je souligne en accrochant un chandail sur un cintre.

Vous vous souvenez de l'implication de Ge dans un gros procès intenté contre une compagnie d'expérimentation pharmaceutique accusée d'avoir empoisonné des patients dans le cadre d'une recherche ? Ge, choisie comme témoin expert par la Couronne, a comparu tout au long du procès, que la défense (commanditaire important du parti politique au pouvoir) a remporté au bout du compte. Ah ! les belles enveloppes brunes ! Elle a commencé à prendre des somnifères pour dormir et elle a perdu beaucoup de poids. Nous l'avons un peu remuée durant nos vacances en février pour lui faire comprendre qu'elle était dans un état d'épuisement avancé. Par la suite, elle a pris un congé de maladie accompagné d'antidépresseurs. Les rencontres avec son médecin psychiatre (et mon acharnement thérapeutique insistant !) lui ont fait prendre conscience qu'elle faisait un « burnout ». Depuis ce temps, elle est en repos. Et je vous jure, « repos », c'est le cas de le dire. Durant presque trois mois, sa position fétiche fut « l'horizontale-nonchalante-sans-motivation » sur le canapé. Cependant, depuis un mois, elle prend des forces et son état de léthargie chronique semble s'estomper de plus en plus. Selon mon analyse, c'était un épuisement situationnel dû avant tout à un affaiblissement physiologique récursif, accompagné d'un désastreux sentiment d'échec. Son acceptation de la réalité et sa vision positive de la vie font qu'elle reprend tranquillement le contrôle…

— Une chance que vous m'avez fait comprendre ça, oui. Je ne sais pas dans quel état je serais aujourd'hui…, réfléchit Ge, songeuse, en regardant dehors par une des fenêtres de ma chambre. J'ai parlé à mes patrons la semaine dernière. Mon retour au travail s'effectuera progressivement à partir du mois d'août. Ils ont supposément un super projet pour moi.

— Accorde-toi le droit de choisir tes dossiers en recommençant…

— Promis, pas de drame planétaire pour un bout de temps…

Pendant ce temps, au premier étage, Cori s'affaire à aider Sacha à l'organisation de sa chambre également.

— Tu peux placer mes gros chandails dans le tiroir ici, propose Sacha.

— Comment ça va dans ta nouvelle *job* ? demande Cori.

Sacha a aussi un nouvel emploi depuis le mois de juin. Elle a habité chez Ge le temps que nous déménagions ici. Elle travaille maintenant dans un hôpital de la métropole comme inhalothérapeute au département des chirurgies, comme auparavant.

— Ça va super bien, toute l'équipe est géniale. Les gens ont été gentils avec moi dès le départ. Je suis vraiment contente.

— Tant mieux. C'est le *fun*, le renouveau ! Moi aussi, ma *job* me valorise beaucoup. C'est important, explique Cori.

Comme nous avons terminé de ranger mes vêtements, je visite la chambre de Ge.

— C'est beau ! que je commente en entrant.

Sa chambre, presque identique à celle qu'elle avait dans son *condo*, est très colorée. Les rideaux rouge, orange et bleu marine donnent un *look* énergisant au décor. Son grand lit recouvert d'une couette rappelant les teintes de l'habillage de fenêtre occupe le milieu de la pièce comme point de focalisation central. Elle possède peu de meubles : une commode et une bibliothèque seulement. Quelques agrandissements de photos souvenirs et un immense cadre, représentant une ville la nuit, ornent les murs.

Nous rejoignons les filles dans la chambre de Sacha.

— *Wow !* Ta chambre est belle, Sacha ! que je m'exclame en balayant la pièce des yeux.

Notre « zen » Sacha a donné des airs de détente et de relaxation à sa chambre. Ses meubles en bois foncé sont recouverts de divers tissus orientaux aux couleurs vives. Des chandelles de toutes les tailles reposent fièrement sur sa tête de lit, qui se termine à chaque extrémité en table de chevet sans pieds. Son couvre-lit brun foncé accentue l'effet contrastant de son mobilier avec la couleur crème unie de la pièce. Un lustre brillant en faux cristal surplombe son lit, ce qui rend sa chambre sophistiquée et féminine.

— Avez-vous fini ? demande Cori en nous regardant.

— Ouais ! Allons voir ta chambre ! annonce Ge.

La chambre de Cori lui ressemble beaucoup. Sobre, sans trop de meubles non plus. Un gros coffre de bois trône au bout de son lit, lequel est drapé d'une couverture arborant des formes symétriques de couleur kaki et beige. Ses rideaux transparents laissent abondamment entrer la lumière dans la pièce. Rien n'est accroché au mur. Un gros vase de fleurs en plastique orangées placé sur son unique table de chevet (réflexe de célibat-star !) semble être le seul élément décoratif dans la pièce. Un fauteuil de cuir brun placé en angle, à l'opposé de son lit, rend sa chambre accueillante pour y faire la lecture d'un bon roman.

— Nous terminons bientôt... Vous devriez aller à l'épicerie pour acheter le souper de ce soir, propose Sacha lorsque nous repassons devant la porte de sa chambre.

— Bonne idée ! On se fait une bonne fondue chinoise ? demande Ge.

— Super ! Et achetez deux bouteilles de vin avec ça, précise Cori.

— Deux ? Pour l'apéro, tu veux dire... On doit établir les nouvelles règles de la consœurie, spécifie Sacha.

— Achetez trois bouteilles alors, rectifie Cori.

— Il faut aussi instaurer les règles du *condo*..., que je souligne.

— Ouf ! c'est vrai ! Achetez quatre bouteilles dans ce cas-là ! conclut Cori.

— On prend ta voiture ? que je demande.

— Pas besoin, l'épicerie se trouve à deux coins de rue et la SAQ aussi, explique Ge.

— Quoi ? Y a pas une SAQ à côté..., que je pleurniche en feignant un air découragé.

Les nouvelles règles...

À notre retour, Cori et Sacha griffonnent sur un carton, assises à la table de la cuisine.

— On a fait l'ordre du jour de la rencontre de ce soir ! explique Sacha.

— Puis ? On se couchera à trois heures du matin ? demande Ge.

— Non, on ne dormira pas de la nuit ! annonce Sacha en riant.

Voici l'ordre du jour des filles :

Volet 1 : la nouvelle consœurie

- *Accueil des membres*
- *Nouveaux objectifs de la consœurie*
- *Fonctionnement de la nouvelle consœurie*
- *Règles de la nouvelle consœurie*
- *Nom de la nouvelle consœurie*

Volet 2 : les règles du condo

- *Attentes et exigences de chacune des locataires*
- *Règles du condo*
- *Tâches ménagères*
- *Budget*

- *Sanction en cas de manquement aux règlements*

— Effectivement, nous avons du pain sur la planche ! que je constate, amusée par le travail des filles.

Nous attaquons le premier volet en préparant le festin.

Volet un

— « Accueil des membres »… Heu… bienvenue à toutes ! proclame Cori en riant tout en coupant les brocolis.

— Bienvenue ! Bienvenue ! répète Sacha en levant son verre.

Toutes les filles l'imitent.

— On avance bien ! Le point deux alors : « Nouveaux objectifs de la consœurie »…

— Premièrement, on s'entend que la consœurie opère un changement de cap majeur au chapitre de son objectif principal, commence Sacha.

— Objectif étant jadis de tenter de guérir nos *patterns* amoureux débiles en travaillant sur nous-mêmes tout en restant célibataires, se remémore Cori.

— Oui… Maintenant, c'est quoi ? demande Ge.

— C'est de s'ouvrir à l'amour, s'exclame Sacha en battant des cils.

— L'objectif est maintenant d'être en couple alors, rectifie Cori.

— Vous pensez qu'on est prêtes ? que je questionne, sceptique.

— Oui, on est prêtes ! Mais avec un seul gars, Mali..., précise Sacha en me regardant, l'air sévère.

— Eille ! Je ne vois plus David, je te signale. Il est reparti dans l'Ouest, que je m'insurge.

— Le H n'existe plus, résume Ge, semblant déçue.

— Le H peut encore exister pour un certain temps, mais chaque consœur doit garder en tête que le but ultime est dorénavant de trouver l'amour, concède Sacha.

— Le H est donc temporaire et il doit être dissous au moment où la fille pense avoir un bon candidat pour une union sérieuse, ajoute Sacha.

— Pour résumer, plus question de se présenter à un potentiel aspirant comme une fille désirant juste une relation superficielle, amène Cori.

— Non ! On se présente comme des filles normales, cherchant l'amour de leur vie, confirme Sacha.

— Ouf ! ça change la dynamique de chasse du tout au tout ! réfléchit Ge.

— Et ça change le choix des candidats aussi..., que je fais valoir.

— Ouais, ceux-ci doivent posséder tout ce qu'on veut. Il va falloir être plus sélectives, raisonne Cori.

— Tout à fait ! Donc, tout le monde est d'accord avec le nouvel objectif ? demande Sacha.

— Oui..., que je fais, peu convaincante.

— Ce ne sera pas évident, conçoit Ge, tout aussi peu convaincue.

— Il faut évoluer les filles, mais vous allez pouvoir quand même entretenir des relations frivoles le temps de trouver LA bête rare, explique Sacha.

— Ah bon ! Au moins, il reste tout de même un peu de plaisir dans ce changement, considère Ge en riant.

Nous nous attablons pour commencer à manger.

— Le point trois, c'est quoi ?

— « Fonctionnement de la nouvelle consœurie », lit Cori.

— Comme convenu, on peut fréquenter des gars potentiellement intéressants pour le sexe, mais la chasse au *big buck* doit rester au premier plan...

— *Yes* ! Le BB ! Fait-on encore la présentation des candidats ? que je demande.

— Juste ceux intéressants pour une relation de couple. Les autres n'ont plus d'importance, propose Sacha.

— On fait la présentation comme avant ? questionne Cori.

— Je ne sais pas..., songe Sacha.

— Non, en ayant un appart ensemble, on devrait faire une présentation officielle lors d'un souper ici ! propose Ge, emballée.

— Bonne idée ! De toute façon, si le gars semble intéressant, il doit rencontrer les amies de la fille à un moment donné, explique Cori.

— C'est vrai ! Donc, présentation officielle en personne.

— Les autres consœurs donnent ensuite leur opinion sur le candidat. Les critères devront être sévères. Pas question qu'une fille s'engage avec un tata ! que je précise.

— C'est sûr : pas de demi-mesure, affirme Ge.

— C'est bon ! Pas de demie ! Juste des BB ! renchérit Cori.

— La « demie » sera un gars potentiellement intéressant, mais pas encore assez top pour la fille. Faudra être très honnêtes les unes envers les autres, les filles.

— C'est clair !

— Puis une fille pensant avoir rencontré quelqu'un de sérieux laissera tomber les demi-candidats qu'elle voyait dans le mois suivant la présentation au conseil exécutif.

— Maximum, quatre semaines. Débutons nos relations sur des bases solides. Pas de mensonges et de manque d'honnêteté.

— Les règles, maintenant.

— On doit se concentrer sur juste un homme quand on pense avoir trouvé un bon candidat ; on doit le présenter aux filles ici de façon officielle ; pas de cohabitation avec le gars avant un an, donc à la fin du présent bail, résume Sacha.

— C'est sûr. On doit ajouter un sous-objectif : tenter de vivre nos relations de couple de façon saine, sans dépendance affective et sans précipiter les choses. C'est important…, que je rappelle.

— Et les candidats doivent faire l'unanimité, ajoute Sacha.

— Naturellement…

— Je propose une autre règle : un gars n'a pas le droit de passer plus de deux nuits consécutives dans le *condo*, évoque Cori.

— Non, pas consécutives… pas plus de deux nuits par semaine tout court ! Consécutives ou pas, ajoute Ge.

— C'est vrai, ça, faut mettre une limite pour éviter de vivre à cinq ou à six ici à temps plein, dis-je.

— Deux nuits, c'est accepté…

— Pas d'effets personnels de gars qui traînent dans les aires communes du *condo*, émet Sacha.

— Ah oui ! pas de brosse à dents dans la pharmacie ni de savon dans la douche, ajoute Cori.

— Quoi d'autre ?

— Pas un mot sur l'ancienne consœurie… On aurait l'air de vraies folles ! spécule Cori.

— Pas un mot sur la consœurie tout court ! renchérit Ge.

— Parfait ! C'est une organisation secrète de toute façon, que je conclus.

— Je pense qu'on a fait le tour…

Nous déblatérons un instant sur l'importance de ne pas transformer le *condo* en appartement de vie de couples. Par respect pour les autres et surtout pour préserver notre objectif : ne pas s'engager trop vite avec les gars.

— Dernier point : comment appelle-t-on la consœurie ? demande Cori.

— Heu… j'sais pas : « La consœurie des célibat-stars qui chassent en buvant le champagne », ça fait *party girls* qui ne sont pas sérieuses, caricature Sacha.

— « La consœurie des femmes accomplies dorénavant en couple ? » suggère Sacha.

— Non, parce qu'on n'est pas toutes en couple encore, dis-je.

— On est en quête d'un couple, réfléchit Cori.

— « En quête », c'est bon !

— La consœurie des femmes en quête d'amour ? proclame Ge.

— Non, ça fait désespéré…

— « En quête » tout court, c'est bon, non ? que je fais, enthousiaste.

— Il nous manque un qualificatif pour les femmes, insiste Ge.

— Accomplies !

— Oui, « La consœurie des femmes accomplies en quête ».

— C'est bon, ça ! La CFAQ !

— Tout le monde est d'accord !

— Oui, la CFAQ !

— *Wow !* On dirait un département du FBI.

— Bonjour, je travaille au département de la CFAQ aux enquêtes contre les crimes nationaux ! prononce Cori en prenant un air mystérieux sur un ton professionnel.

— Ou plutôt : Bonjour, je travaille pour le CFAQ à l'analyse des suspects pour un couple parfait ! que je précise en imitant le ton sérieux de Cori.

— Ha ! ha ! Donc, on a fait le tour du volet un... Moi je suis bourrée, affirme Cori. On débarrasse la table avant d'attaquer le volet deux ?

Volet deux

Après une pause de trente minutes bien méritée, les filles reviennent à table avec un vin de glace délicieux pour accompagner les millefeuilles achetés dans une boulangerie sur la rue en face, en biais.

— Volet deux : « Attentes et exigences de chacune des locataires », commence Sacha en lisant l'ordre du jour.

— Moi, je vais vous avouer que ça fait longtemps que je n'ai pas cohabité en groupe..., que je partage.

— Moi aussi, renchérit Ge.

— En fait, c'est une réalité pour tout le monde... je pense, raisonne Cori.

— On va toutes devoir mettre de l'eau dans notre vin, que je prophétise.

— Surtout, ne pas boire du vin tout le temps ! rigole Cori.

— Et toutes mettre la main à la pâte pour garder la place propre, précise Sacha.

— Notre expérience de commune durant le cégep fut un désastre au niveau de la salubrité des lieux… Tu te souviens ? gamberge Cori en regardant Sacha.

Lors de leurs études collégiales, les deux filles ont résidé ensemble dans une maison où cohabitaient cinq personnes. Pour y être allée quelques fois à l'époque, je me souviens que le gigantesque appartement de trois étages avait toujours l'air d'un lendemain de tsunami. Il y avait de la vaisselle partout, des vêtements de tout le monde qui traînaient çà et là, des caisses de bière vides en guise de meubles… Bref, l'horreur, et personne ne faisait jamais le ménage, alléguant que c'était le bordel des autres.

— Il ne faut surtout pas devenir victime de « la division de la responsabilité », que j'explique.

— C'est quoi, ça ?

— Ça, c'est le phénomène expliquant pourquoi c'est mieux de faire une crise de cœur dans une ruelle où se trouve un seul passant qu'en plein centre-ville de New York bondé de monde. L'appartenance à une foule provoque une dissolution du sentiment de responsabilité de l'individu. Cela provient à la fois de l'anonymat apporté par la foule et du sentiment d'impunité dû au grand nombre.

— OK, donc le gars dans la ruelle ira assurément aider la personne dans le besoin parce qu'il sait qu'il est le seul à pouvoir le faire tandis que, dans le centre-ville de New York, les gens se diront : « Ah ! quelqu'un d'autre s'en chargera… » et personne ne fera rien, réfléchit Ge.

— Personne ne fera de crise de cœur ici ! raisonne Sacha, l'air niais.

— Et il n'y aura pas de « foule » non plus, ajoute Cori en imitant exagérément la mimique de Sacha.

— Pour la foule, c'est encore drôle..., sous-entend Ge en levant les sourcils.

— Le phénomène peut être transposé allégoriquement pour le ménage, que je rectifie.

— Je pense qu'il faut se dire que tout le monde va faire sa part et qu'on ne cherchera pas à savoir à qui est l'assiette sale, dit Ge en guise d'image.

— Justement, on fait un ménage collectif et on ne ramasse pas juste ses affaires, propose Cori.

— Si tout le monde participe, l'harmonie régnera et on ne se fera pas suer. En plus, on a un lave-vaisselle ! Y a pas de raison d'accumuler de la vaisselle sale ici, précise Ge.

— Mais, il ne faut pas qu'on pète de coches pour un verre oublié un matin avant de partir, que j'établis, en me sachant un peu plus traîneuse que les autres.

— Ouin, faut pas capoter non plus, renchérit Ge, qui fait partie comme moi de la clique de gens un peu plus « étendus » dans leur milieu de vie.

— Non, mais vous deux, vous êtes traîneuses et pas nous ! Il va falloir faire un équilibre dans tout ça..., souligne Sacha, les bras croisés.

— Et avec les gars aussi... Moi, je ne veux pas revenir au *condo* et te trouver en train de « frencher » sur le divan tout le temps, répond Ge directement à Sacha.

— Ben non ! Mais, on est « ensemble » ! C'est sûr que vous allez nous voir « ensemble », clarifie Sacha, un peu insultée.

— Non, mais c'est valable pour nous toutes. Faut respecter les aires communes. Proposition : on pourrait considérer le deuxième petit salon en bas comme le salon de l'amour ! que je suggère pour détendre l'atmosphère.

— Bonne idée ! Mais ça sera difficile de prévoir si le salon est déjà utilisé, dit Sacha, prévoyante.

— C'est vrai...

— J'ai une super idée ! que je clame, en me dirigeant vers l'escalier menant à ma chambre.

Je reviens quelques minutes plus tard avec une grande ardoise, mon tournevis et quelques vis avec ancrage.

— C'est quoi le rapport avec ton tableau noir ? demande Ge, sceptique.

— Je vous présente officiellement le tableau de communication, que j'annonce solennellement. On le met où ?

— Heu... par là, sur le mur à côté du frigo ?

— C'est bon, que j'acquiesce en m'affairant avec mon tournevis, les vis entre mes lèvres.

— *Wow !* L'endroit est parfait. On écrit quoi là-dessus : les réservations pour le salon de l'amour ?

— Entre autres, oui ; les réservations pour le SA et des informations à communiquer, que je spécifie en divisant le tableau en trois parties.

Attentives, les filles me regardent écrire au tableau.

SA :

Date :

Message :

Ne pas oublier :

« De la discussion jaillit la lumière ! »

— En haut, on réserve le SA avec la date. Ensuite, la partie du milieu sert pour des renseignements pratiques : « il y a des vêtements dans la sécheuse » ou encore « il faut acheter du lait… » En bas, on inscrit la pensée du jour.

— Bonne idée ! Vu nos horaires variables, on pourra communiquer par ce moyen au lieu de retrouver des mémos partout, approuve Ge.

— Génial ! Et là, tu nous dis aujourd'hui : « De la discussion jaillit la lumière », c'est beau ! exprime Sacha.

— C'est un proverbe indien, que je leur enseigne.

— Parfait pour ça, alors…

— Et pour l'épicerie et tout ?

— Bien, on ne se complique pas la vie : chacune a ses goûts alimentaires, donc on n'achète que certains produits de base en commun. On met, disons une fois par mois, un montant dans un pot pour les aliments essentiels, propose Cori.

— C'est bon…

— Et pour le ménage ? demande Sacha, inquiète.

Nous discutons un bon moment de la façon dont nous pourrions diviser le ménage en équipes de deux chaque semaine… Bla bla bla… Bref, toutes les filles semblent s'entendre sur l'importance de la propreté des lieux en tout temps. Nous faisons ensuite le tour de la question relative au budget, en inscrivant les dépenses et le fonctionnement sur une feuille lignée.

En déposant la feuille de prévisions budgétaires sur la table, Ge pousse un soupir de fatigue. Il est maintenant presque deux heures du matin et toutes les consœurs semblent un peu amorphes à la suite de cette soirée de planification de vie commune.

— Tout est bien qui finit bien, on a fait le tour de tous les volets de l'ordre du jour !

— Il reste les sanctions ? souligne Ge, les yeux fatigués.

— On les gérera au fur et à mesure si des infractions se produisent. Mais cela ne devrait pas arriver, que je spécifie en bâillant.

— En effet, je vais me coucher. Je suis claquée et il faut être en forme pour demain, car on sort chasser ! annonce Cori.

— Ah oui ? on n'a même pas encore eu le temps de mettre nos bottes dans notre nouveau bain, blague Sacha.

— Justement, on doit commencer ça du bon pied en visitant notre nouveau quartier !

— Super ! Bonne nuit à toutes, que je souhaite en me dirigeant vers l'escalier.

— Mali, t'as oublié ton chandail sur le divan et ta veste n'est pas dans la garde-robe, me cartonne Sacha au même moment.

— Ma veste est sur la patère ! que je réponds, en lui adressant un regard torve tout en prenant mon chandail sur le divan.

— On ne laisse pas de veste sur la patère ! répond Sacha.

— Ah oui ! c'est vrai. J'oubliais que l'objet en question n'a pas d'utilité pour toi, que je fais en allant enlever mon manteau pour le mettre dans le placard.

En repassant devant les filles, je soupire, les yeux en l'air, en voulant dire : « Ça commence bien… ».

Les filles rient.

Nos nouveaux amis

Le lendemain soir, après avoir constaté que deux salles de bain c'est vraiment le bonheur pour se préparer à sortir, nous discutons du plan de match de la soirée :

— J'ai vu un petit resto asiatique qui semble vraiment sympathique au coin de la rue, nous apprend Ge.

— Ah oui ! du thaï, ça me tente, dis-je.

— Oui ! Du chinois « Apportez votre vin » ? demande Sacha, emballée.

— C'est toujours « Apportez votre vin » ces restos-là, statue Cori.

— OK, on passera par la SAQ au coin de l'autre rue pour acheter quelques bouteilles en passant, propose Cori.

— Ah oui ! c'est vrai ! La SAQ au coin de la rue…, se souvient Sacha.

— Merde, on va devenir alcoolique à vivre ici, que je blague.

— C'est ce que je me dis, mais je pense que notre IB ne peut pas être pire ! ajoute Sacha.

— Notre quoi ? questionne Ge.

— Notre IB ! « L'indice boissonal », voyons ! explique Sacha.

— Ah ! d'accord !

Lorsque nous arrivons au resto, un homme d'une trentaine d'années vient nous accueillir avec un sourire digne d'une annonce de prothèse dentaire.

— Bonjour, madame ! Vous voulez une table, madame ? Par ici. C'est bien, madame ? commence-t-il.

— Oui, parfait. Merci !

Nous nous assoyons et l'homme nous regarde sortir les trois bouteilles de vin de notre sac réutilisable de la SAQ.

— Vous avez grosse réunion d'affaires, madame ? spécule-t-il tout sourire en ouvrant pour nous la première bouteille.

— Oui, justement ! Un gros *meeting* ce soir, répond Cori.

— Yé drôle, lui ! commente Sacha pendant que notre nouvel ami de cinq pieds deux s'éloigne de la table.

Durant tout le repas, Jy Hong nous fait vraiment rire. Nous offrons même un verre de vin à lui et à sa femme, Suzy Kha, lorsque le restaurant devient tranquille en fin de soirée. Il est vietnamien ; elle, thaïlandaise. Ils habitent à Montréal depuis à peine cinq ans avec leur jeune fils de trois ans, Sam Lee, qui dort dans une petite pièce adjacente à la cuisine. Dans un élan de passion d'ivrogne, nous leur expliquons de long en large la consœurie : ses débuts, son évolution, le *condo*, etc. Ils sont très amusés de nos histoires et nous écoutent avec attention. Jy Hong y va même d'une phrase-choc durant la discussion : « L'amour ne se trouve pas, il se construit, mais il faut d'abord apprendre à travailler de ses mains… ». *Wow !* Il a compris le truc, lui ! Nous restons avec eux jusqu'à minuit avant de quitter les lieux pour aller lancer quelques carottes urbaines ici et là.

Nous trouvons une discothèque au coin de deux artères principales du centre-ville. À environ vingt minutes de marche du *condo*. La soirée est correcte et quelques flirts ont lieu, mais sans plus. Disons que le « *hunting-cruising* » est un peu ennuyeux. Les gars les plus séduisants semblent tous en couple…

Le retour au bercail est amusant ! On marche dans la rue un peu « *cocktail* » en faisant des blagues.

— C'est génial de revenir à pied du bar, souligne Cori.

— Vraiment, en économisant sur le « kaxi »…, on peut investir plus dans les *shooters* ! dis-je en déparlant.

— « Kaxi » ? Voyons Mali, tu « dysphases » ! se moque Cori.

— Taxi ! J'ai bien dit « taxi » ! Et le mot « dysphasie » ne se conjugue pas, en passant, que je fais, les bras en l'air.

— Tout se conjugue, ma chère, certifie Sacha.

Les filles rigolent.

T'es mon amour, t'es juste ma maîtresse...

Le lendemain matin, je me lève seule, car les filles sont toutes déjà parties. Le tableau de communication indique :

SA : Sacha
Date : lundi soir

Message : Sacha partie magasiner...
Yahoo !
Je suis allée me dénicher un gym ! Bonne journée – Cori

Ne pas oublier :
« L'amour ne se trouve pas, il se construit, mais il faut d'abord apprendre à travailler de ses mains... »

Vraiment une bonne idée, ce tableau. On peut savoir ce que les autres font. Je réfléchis à la phrase qui y est inscrite en buvant mon thé vert. « L'amour se construit... savoir travailler de ses mains... ». Mais il faut tout de même qu'il y ait quelque chose au départ. Je décide donc de me pratiquer à « travailler » et j'appelle Bobby :

— Salut, belles fesses, dis-je lorsqu'il répond.

— C'est vrai qu'elles sont belles, hein ? T'as le goût de les prendre dans tes mains ?

Voilà justement une belle proposition de travail manuel !

— Vantard ! Mais oui, je les flatterais bien aujourd'hui. Qu'est-ce que tu fais ?

— Rien, j'arrive d'un week-end de show dans les Laurentides. Toi ?

— Rien non plus. Veux-tu venir dîner avec moi ? Tu verras le *condo* du même coup.

— Oui, je veux bien ! Je défais mes bagages et je te rejoins. Le numéro de porte déjà ?

— Dix, quatre ! que je réponds.

— Oui, oui ! 10-4, *Roger* ! Mais le numéro de porte ? redemande-t-il.

— C'est ça ! Dix, quatre !

— OK ! Je croyais que tu niaisais…

Je lui explique le chemin avant de raccrocher puis je saute dans la douche.

Tout paraît impeccable lorsque Bobby arrive vers onze heures. Je lui fais visiter les lieux. Il semble impressionné que nous soyons si bien organisées. Je prends bien soin de visiter ma chambre en dernier.

— C'est donc ici que princesse Mali s'endormira tous les soirs…, remarque Bobby en me faisant doucement tomber sur mon lit.

— Eille, je ne suis pas princesse du tout ! que je réplique en lui faisant des yeux courroucés.

— Mais non, c'est ça ! Pas du tout ! s'exclame mon chanteur tout en me bécotant.

Qu'est-ce qu'il veut dire ? Bah… je clos le sujet en l'embrassant langoureusement. Je sens que ma sensualité spontanée le rend même un peu fébrile. Au moment où je sens qu'il commence à vouloir intensifier le rapprochement en glissant sa main sous mon chandail, je me lève d'un bond en disant :

— Bon, j'ai faim ! On doit aller à l'épicerie, je n'ai rien pour dîner…

— Viens ici, j'ai quelque chose à manger pour toi..., fait-il, l'air coquin, en faisant un signe de tête vers le bas de son corps.

— Franchement ! Joke de Gino Camaro ! T'es vraiment un pauvre macho de bas niveau, Bobby ! Disons que, pour dîner, je mangerais bien plus qu'une petite saucisse *cocktail*..., dis-je sans terminer ma phrase et en m'enfuyant en courant dans les escaliers.

— QUOI ? répète ça ! crie-t-il en me pourchassant jusqu'en bas d'un pas vif.

Il me rattrape rapidement au salon et il me fait la prise du bras-derrière-le-dos jusqu'à ce que je le supplie d'arrêter :

— Pardon, mon beau Bobby !

Il maintient légèrement son étreinte avant de me dire :

— Bon ! Gentille fille ! Viens ici, maintenant.

Il me rend finalement ma liberté et m'agrippe afin de m'embrasser de plus belle. Il y a longtemps que j'avais vu Bobby et il semble s'être vraiment ennuyé. Ça me fait évidemment très plaisir.

— Bon, allons à l'épicerie, Don Juan, et je te ferai les meilleurs bagels au saumon fumé de ta vie !

— *Wow !* Allons-y !

À notre retour, nous mangeons notre dîner assez rapidement afin de retourner à ma chambre pour une sieste de début d'après-midi. Une sieste sans sieste... si vous voyez ce que je veux dire. Nous faisons l'amour deux fois au cours de l'après-midi. Une fois vite vite vite (monsieur me confie ne pas s'être masturbé depuis la dernière fois que nous avons fait l'amour), et une autre fois un peu plus longtemps. À peine quelques minutes après la prise deux de la « sieste pas de sieste », il se lève et commence à se rhabiller.

— Qu'est-ce que tu fais ? que je demande, surprise.

— Je dois partir, Mali…

— Ben là, tu me fais l'amour et tu pars ? que je réplique avec ma spontanéité légendaire.

— Un instant, j'ai passé la moitié de la journée avec toi et là, je dois partir, c'est différent, corrige Bobby un peu susceptible.

Je me tourne sur le lit pour bouder un peu. Eh oui ! Je boude ! Comme toute fille digne de ce nom.

— Bon, tu boudes ?

— Hein ? Non, je ne boude pas…

Et en plus, je le nie ! Je suis probablement la seule à faire ça, hein ? Non mais, c'est une règle non écrite pour les filles : « Ne jamais avouer une séance de boudage. » Sinon, on perd toute notre crédibilité de boudeuse.

— Oui, tu boudes, je te vois, dit-il en s'approchant de moi.

— Non, mais c'est que je croyais qu'on passerait toute la journée ensemble…

Vous voyez ? Ici, je fais diversion en lui balançant un reproche indirect.

— Non, désolé. Je ne peux pas, mais on se voit plus tard cette semaine, si tu veux…

— Ouais… Bye !

— Bye ! Bonne journée, ma puce, prononce-t-il avant de s'avancer vers moi.

Il m'embrasse avant de partir. Il m'embrasse trop vite… Il part trop vite… Ah ! je ne suis pas contente.

Je reste un moment à fixer le plafond de ma chambre en entendant la porte en bas se refermer derrière mon beau Bobby toujours si occupé. Je suis quoi, moi ? Une simple maîtresse ? Ah oui ! notre relation satisfaisante… j'avais oublié. Je prends une note dans mon livre de suivi psychologique personnel :

Mme Allison a envie de pleurer dans son lit à la suite du départ hâtif d'un homme. L'émotion est non justifiée étant donné que la patiente n'avait même pas au préalable convenu d'une entente concernant la durée de ladite visite. Ses attentes étaient spéculatives, donc sa déception actuelle me semble démesurée. Tant que la patiente ne sera pas complètement intègre dans sa démarche de relation sérieuse, elle vivra des contrariétés face à cet homme.

Notre premier dimanche

Je regarde n'importe quoi à la télévision au moment où Cori et Ge reviennent en fin d'après-midi.

— Tu n'es pas restée devant la télévision toute la journée ? me demande Cori avec un air dégoûté.

— Ben non ! J'ai été une maîtresse, aujourd'hui ! C'est mon activité du dimanche, me faire sauter en vitesse, que je précise, l'air choqué.

— Quoi ? T'es allée chez Bobby ? questionne Ge.

— Non, il est venu ici, que je maugrée sans les regarder.

— Raconte…

Je leur explique le déroulement de l'après-midi jusqu'à ce que Ge me coupe la parole :

— T'es bébé gâté, Mali Allison !

— Pourquoi ? que je réplique, le ton bête.

— Sautée en vitesse ! T'exagères ! Il arrive à onze heures, vous dînez, vous passez du bon temps, vous rigolez dans le lit pendant deux heures de temps… Il quitte le *condo* à quinze heures, car il a des choses à faire, et t'es pas contente. Le bel après-midi n'a plus de valeur parce qu'il est parti trop tôt selon tes attentes, parce que TOI, tu voulais qu'il reste ici toute la soirée. C'était à toi de lui demander s'il était disponible ce soir à la place de te faire des attentes imaginaires dans ta tête, ma belle…

— Quoi ? Tu prends sa défense maintenant ?

Cori, qui écoute la conversation de la cuisine, semble constater que l'ambiance se détériore un peu, mais elle reste concentrée sur sa tâche.

— Je ne prends pas sa défense, mais tu veux continuer à le voir parce que t'as supposément du plaisir avec lui, mais là, tu le vois et t'as de la peine qu'il parte. T'es donc jamais contente dans cette relation, finalement. Pas contente quand tu ne le vois pas et pas contente non plus quand tu le vois…

— C'est ça, je suis jamais contente. Je dois être une folle, hein ? que je réponds en augmentant le volume de la télévision pour signifier que je veux mettre un terme à la discussion.

Ge range ses trucs dans le frigo avant de monter à sa chambre. Je regarde Cori en ne comprenant pas très bien la discussion que je viens d'avoir avec Ge. Cori me fixe en faisant un haussement d'épaules, m'indiquant qu'elle ne saisit pas très bien elle non plus pourquoi Ge a été irritée lorsque j'ai fait un commentaire au sujet de Bobby. Elle vient s'asseoir avec moi et me chuchote à l'oreille :

— Ge m'a confié dans les escaliers tout à l'heure avoir eu une journée de merde aujourd'hui…

— J'ai le droit d'être déçue qu'il soit parti, non ?

— Ben oui, Mali, tu n'as rien à voir dans son état de frustration, je pense.

Je regarde la boîte à images de façon robotique sans entendre ce qui s'y dit en réfléchissant tout de même aux propos soulevés par Ge. Je prends mon livre sur la table d'appoint :

La patiente se voit confrontée de façon abrupte à une opinion divergente de la sienne. Sa réaction première est de se braquer et d'attribuer l'intervention verbale à la fragilité émotive de l'amie l'ayant proclamée. Cependant, en y songeant bien, Mme Allison devrait tenter d'évaluer si elle s'approprie les déclarations sans tenter de chercher une explication externe à celles-ci. Je consens que la façon un peu maladroite d'amener les propos semblait teintée d'une certaine irritabilité chez ladite amie, mais il n'en reste pas moins que le contenu en soi semble porteur de vérité.

— Je vais à l'épicerie, tu viens marcher avec moi ? me demande Cori.

— Pourquoi pas ?

À notre retour, Ge se trouve encore dans sa chambre. Nous cuisinons un macaroni au fromage et nous le mangeons ensuite devant le téléviseur. Sacha arrive presque au même moment, avec deux films dans les mains. Elle nous résume son après-midi :

— Thierry m'a amenée dîner dans un méga resto ce midi !

— Toujours aussi *jet set*, lui ! commente Cori en souriant.

— Mets-en, j'adore ça ! On a magasiné tout l'après-midi, exprime Sacha en se laissant tomber sur le divan avec des sacs de vêtements.

Elle nous montre ses emplettes avant de demander :

— Où est Ge ?

— Dans sa chambre. Elle a le goût d'être toute seule, je pense, dit Cori en se levant pour ranger la cuisine.

— Ah bon ? répond Sacha, en nous regardant sans poser de questions.

Elle se rend à sa chambre et revient au salon quelques minutes plus tard. Elle se plante en plein devant le téléviseur pour nous dire, le ton enjoué :

— Je vais prendre ma douche !

— Ah oui ? félicitations ! répond Cori en roulant des yeux.

En fait, Sacha est venue parader devant nous, contente de son bonnet de douche modèle rétro couleur crème avec bordure de dentelle. Horrible ! Quelqu'un a-t-il déjà réussi à avoir l'air crédible avec ce truc sur la tête ? Sacha utilise cette « chose » depuis toujours et elle en est beaucoup trop fière.

— Ark ! Sacha ! T'as un portobello géant sur la tête, fait Cori, l'air innocent, en la regardant à peine.

Je me lève d'un bond pour faire rire les filles.

— Fermons les rideaux ! Si quelqu'un te voit avec ça sur la tête, on va perdre toute notre crédibilité dans le quartier.

Les filles rient. Ce *running gag* de Sacha, sorti directement du vestiaire d'éducation physique à la polyvalente, tient solidement le coup malgré les années qui passent. Sacha, qui vit un peu dans le passé, n'a jamais décroché !

De la discussion jaillit la lumière...

Lorsque je me prépare dans ma chambre le lendemain matin, Geneviève cogne doucement à ma porte de chambre.

— Tu peux entrer...

— Salut. Excuse-moi, Mali, pour hier. Je n'avais pas de raison de te faire la morale face à ce que tu ressens envers Bobby.

— C'est correct, Ge. En fait, tu as peut-être soulevé un point intéressant finalement..., que je réponds en continuant de me peigner devant le miroir.

— J'ai des sautes d'humeur intenses depuis un moment et je suis impatiente, mais vous n'avez pas à les subir. Je comprends que tu sois déçue d'avoir passé si peu de temps avec Bobby. Je me sens mal.

— Ben non, arrête. Tu m'as fait réfléchir et on le sait que tu te remets sur tes pattes présentement... on comprend, que je reconnais en la regardant, sincère.

— C'est bon. Bonne journée !

— Salut.

Ge quitte ma chambre. Je saisis alors à quel point elle est à fleur de peau. L'épuisement qu'elle a subi, la prise de médication, l'arrêt de travail… Ge semble un peu perdue. Il faut l'aider et ne pas jeter d'huile sur le feu. Il suffit juste d'être patiente et de tenter d'apporter une présence positive dans sa vie.

Lorsque je descends à la cuisine, Cori sourit en me voyant.

— Quoi ?

— Ge t'a fait un clin d'œil sur le tableau.

SA : Sacha

Date : lundi soir

Message : Je prône le respect du bonnet de douche ! Sacha

Réponse de Coriande : Sacha, t'as beaucoup trop de temps libre !

Ne pas oublier : (pour Bobby, de Ge)

« On ne rassasie pas un chameau en le nourrissant à la petite cuillère... »

Je souris en me tournant vers Cori.

— Ge est venue me voir ce matin. Finalement, je pense qu'il y avait pas mal de vérité dans ce qu'elle m'a dit...

— Ouin... Peut-être juste exprimé un peu brusquement, par contre ! L'important, c'est que ce genre d'accrochage ne dégénère pas quand ça arrive.

— Que se passe-t-il dans ta vie aujourd'hui ? que je demande à Cori.

— Gros *meetings* ce matin et en fin d'après-midi, ensuite je soupe avec des amis et je vais dormir là..., répond-elle en regardant sa montre.

— Ah ouais ? chez qui ? que je demande, curieuse, en prenant mon pain dans le congélateur.

— Déjà huit heures, je dois filer. Bonne journée !

Je la regarde courir vers la porte sans avoir le temps d'ajouter quoi que ce soit.

— Bonne journée ! dis-je dans le vide, en sachant très bien qu'elle est sortie et qu'elle ne m'entendra pas.

Professeure Allison à mi-temps

Je me rends au cégep pour rencontrer ma chère patronne ce matin. Elle veut qu'on discute des tâches d'enseignement à venir pour l'automne. J'enseigne présentement trois cours, en plus d'avoir quelques stagiaires. J'enseigne dans des programmes conçus pour une clientèle adulte qui fait un retour aux études. Les sessions se donnent sans pause estivale (sauf deux semaines) afin de permettre à ces personnes de regagner le milieu du travail le plus vite possible. Nous ne jouissons donc pas des vacances de deux mois du réseau collégial régulier.

En toute complicité, nous discutons longuement de sujets en dehors du motif principal de la rencontre. J'adore cette femme aux allures un peu extravagantes, mais si attentive à son personnel enseignant. Après plusieurs minutes, elle consulte sa montre avant de nous ramener à l'ordre :

— Oh là là ! Il est déjà onze heures trente ! J'ai un dîner-conférence à midi…

— Donc, quels sont les cours disponibles pour l'automne ?

— Attends, laisse-moi voir…, commence-t-elle en fouillant dans la tonne de papiers pêle-mêle qui jonchent son bureau. Bon, j'ai deux cours pour toi à l'automne, car les profs ayant plus d'ancienneté ont pris les autres.

— Deux… rien d'autre ? que je demande en la regardant, déçue.

Deux cours, ce n'est pas assez pour vivre ! Je vais frôler la faillite !

— En fait, peut-être des stagiaires, mais juste à la mi-novembre…

— Je vais accepter les deux.

— Parfait ! Je t'envoie les plans de cours cette semaine. Je me sauve ! Prends soin de toi !

— Bye ! dis-je, en tentant de masquer ma déception.

Sur le chemin du retour, je réfléchis… Bon, je dois me trouver un autre emploi, mais quoi ? Aucune idée. Chose certaine, ce doit être à temps partiel.

En entrant dans l'appartement, je me rue sur mon ordinateur. Psychologue pour les écoles ou les services sociaux, ce sont toujours des emplois à temps plein. En bureau privé à temps partiel, est-ce possible ? Je cherche où ? Ne sachant pas exactement ce que je veux, ma démarche s'avère peu fructueuse.

Lorsque Sacha entre dans l'appartement avec Thierry, je suis devant l'écran, les yeux écarquillés devant des paysages montagneux en Irlande.

— Allô, qu'est-ce que tu fais ? demande-t-elle en s'approchant.

— Je me cherche une *job* sur Internet. Salut Thierry !

— Ah ! ben oui ! Une *job* en Europe ! C'est pas trop loin, ça !

— Je prenais une pause santé mentale avant de poursuivre, que je spécifie.

— Pourquoi une *job*, au juste ? demande Sacha.

— J'ai juste une demi-tâche pour la session à venir…

Avant de monter à l'étage avec son amoureux, elle me lance :

— Pourquoi tu ne regardes pas dans les centres de prévention du suicide ? T'avais aimé travailler dans ce domaine, il me semble…

Elle disparaît dans les escaliers afin de continuer sa visite touristique des lieux.

Dans le mille, Sacha ! Génial ! J'avais adoré travailler là et, en plus, il y a assurément des emplois à temps partiel sur le territoire de Montréal. Je compose le numéro de la ligne d'urgence sur-le-champ. En discutant avec l'intervenante qui reçoit les appels, celle-ci m'explique qu'aucun emploi n'est disponible pour l'instant, mais elle me conseille de tenter le coup à l'urgence psychosociale de l'île de Montréal. Ce centre de crise a pour but de déjudiciariser les gens qui ont un problème de santé mentale en leur apportant une aide spécifique lors de périodes de crise, au lieu de les diriger immédiatement dans l'engrenage du système judiciaire. Je n'ai pas fait de l'intervention de crise depuis longtemps, mais j'avoue avoir envie d'y revenir. J'enverrai mon CV dès demain matin.

Sacha et Thierry reviennent au salon quelques minutes plus tard. Thierry s'assoit sur le divan en biais du mien. Sacha s'installe près de lui en me regardant, non sûre d'elle. Un reportage sur les changements climatiques passe à Canal D. Sacha se penche pour parler dans le creux de l'oreille de Thierry. Celui-ci répond à haute voix :

— Ben non, on peut rester ici. On va tenir compagnie à Mali, proclame-t-il, en me souriant.

« Tenir compagnie à Mali ? » J'ai l'air de ne pas avoir d'amis à ce point ?

Ge, qui revient de sa promenade, se faufile comme une souris dans sa chambre une seconde après son entrée dans le *condo*.

Sacha et Thierry écoutent finalement la télévision dans le salon principal pendant toute la soirée afin de « tenir compagnie » à une fille trouillarde qui s'est retenue au moins dix fois d'écrire un message texte à son cher amant…

Soirée de confession et de création

Après une première semaine de cohabitation sporadique, nous nous retrouvons toutes les quatre en même temps autour de l'îlot vendredi soir.

— Grosse semaine ? On dirait qu'on ne s'est presque pas croisées, souligne Sacha.

— C'est la vie ! On travaille toutes très fort.

— Parle-nous de ton beau Thierry, Sacha, toi qui est la seule à avoir trouvé LE *big buck*, demande Cori.

— Bah…, répond-elle en regardant par terre.

— QUOI ? T'es plus en amour avec lui ? Il y a deux semaines, vous alliez faire beaucoup d'enfants en étant heureux pour l'éternité…, que je claironne, très surprise de son « Bah… » peu convaincant.

— On se calme « les enfants » là ! Mais, sans blague, je l'aime bien… On s'aime bien plutôt, mais je ne sais plus…, hésite Sacha.

— Quoi, tu sais plus ? demande Ge, tout aussi expressive que moi.

— C'est un peu gênant, révèle Sacha.

— Voyons, il n'y a pas de gêne entre consœurs, précise Cori.

— Depuis quelques semaines, c'est bizarre. Disons que le *big buck* n'est pas très en rut… On dirait qu'il n'a plus le goût de moi.

— Justement, je me demandais pourquoi vous étiez ici lundi soir et non dans ta chambre ou dans le SA ? s'interroge Ge.

— Faudrait le lui demander ! Je lui ai proposé d'aller se coller dans le SA et il a préféré rester en haut. Et mercredi aussi… On dirait qu'il évite les moments de rapprochements, analyse Sacha.

— C'est récent ? questionne Cori.

— Ben, honnêtement, ç'a été explosif les premières semaines et la chute libre a dangereusement commencé après. Je ne vous en ai jamais parlé avant, on dirait que ça me gênait.

— Vous faites au moins l'amour chaque fois que vous vous voyez ? présume Ge avec un ton interrogatif.

— Heu non… même pas.

— Ça ne fait même pas six mois que vous êtes ensemble ! que je commente.

— Je sais bien. On dirait que j'ai un peu compris tout ça quand tu m'as raconté la visite de Bobby au cours de laquelle vous avez fait l'amour tout l'après-midi, avoue Sacha, le regard triste.

— Oui, oui, la fois où il a franchi la porte quarante-quatre secondes après être sorti de mon lit… je m'en souviens, que je réponds en feignant que je ne m'en souvenais plus.

— T'es encore en colère contre lui ? demande Sacha.

— Non, pas en colère, mais déçue. C'est vrai : on fait l'amour chaque fois qu'on se voit, mais on se voit tellement pas souvent, que je rectifie.

— C'est sûr, mais au moins, tu te sens belle et désirable. On s'entend que si Bobby voulait du sexe pour du sexe, il n'aurait pas de problème à se trouver une « nunuche » volontaire quelque part ! spécifie Cori, convaincante.

— Je sais bien. C'est une question d'attente irréaliste, je suppose, que je dis en faisant un clin d'œil à Ge, qui me sourit amicalement.

— Qu'est-ce que tu vas faire ? que je questionne.

— Je ne sais pas. Je vais laisser le temps passer. C'est un peu délicat de parler de ça, non ? soulève Sacha.

— C'est peut-être juste une « passe » ! l'encourage Ge.

— Justement, en parlant de « passe »… T'as eu une semaine difficile toi, je pense ? enchaîne délicatement Cori en s'adressant à Ge.

— De la merde ! Je suis irritable, impatiente, triste… Mais là, c'est terminé, je dois me ressaisir.

— T'es en épuisement, Ge, c'est normal, que je précise.

— J'ai trois objectifs au programme : me remettre en forme, bien manger et rencontrer des hommes.

— C'est bon ! T'as un plan de match ? interroge Sacha.

— Non, pas encore, mais j'ai des idées… entre autres pour l'objectif « rencontrer des hommes »…

— Ah oui ? c'est quoi ?

— Vous allez rire de moi ! spécule-t-elle, anxieuse.

— Sûrement pas, allez !

— Je veux m'inscrire à un site de rencontre sur le Net…

Nos trois paires d'yeux respectives la dévisagent drôlement.

— Ben quoi ?

— Heu… c'est juste que t'es tellement… toute ! Belle, intelligente, drôle…, se surprend Cori. Il me semble que tu vas rencontrer du gibier pas dans ta ligue !

— Je suis tannée des scientifiques prétentieux, des gars pas sérieux dans les bars et de tous les cons qui me « cruisent » après m'avoir « zieuté » le décolleté. De cette façon, je vais pouvoir parler avec le gars avant de le rencontrer. Je n'ai rien à perdre.

— C'est vrai ! approuve Sacha, enthousiaste.

— Voulez-vous m'aider à faire mon profil ? demande-t-elle, l'air gêné.

— Oui, c'est assez simple, mais il y a tout de même des règles à respecter ! lance Cori, motivée face au projet.

— Quelles règles ? demande Ge.

— Pas trop de photos, de détails sur ta vie et, surtout, pas de coordonnées, annonce Cori.

— J'avais compris ça quand même, précise Ge en se connectant au site en question.

— Finalement, tu dois faire un genre de profil qui ne dévoile presque rien. Tu jugeras toi-même des gars qui tenteront de te contacter, continue Coriande.

— Bon, « Description de la relation recherchée » ? lit Ge sur l'écran.

— « Femme mature cherchant relation de couple à long terme », propose Sacha.

— Ben là, ils vont tous avoir peur…, s'inquiète Ge.

— Si tu écris quelque chose qui sous-entend un désir de relation superficielle, la totalité des vingt mille membres masculins débarqueront dans ta boîte de réception en moins de vingt-quatre heures ! présage Cori.

— Pourquoi ? Tout le monde recherche ça là-dessus ? que j'interroge.

— Pas nécessairement, mais c'est comme « *caller* une femelle » dans une forêt contenant vingt mille *bucks* en rut !

— J'écris quoi pour « Loisirs et activités » ? demande Ge.

— Encore là, pas trop de détails : « Aime le bon vin, les soupers entre amis, etc. ». Des trucs généraux, conseille Cori.

— La photo ? Celle-là est bien ? interroge Ge, en nous montrant une image de son album virtuel.

— Ben non ! On voit beaucoup trop ton décolleté ! s'insurge Cori.

— Quoi ! Je ne vais pas mettre une photo de moi en manteau d'hiver, quand même !

— Oui, justement ! Ça serait bon ! Comme ça, ils ne vont pas te choisir pour la lettre de bonnet de ton soutien-gorge, l'encourage Cori.

— Est-ce qu'elle doit inscrire son âge ? demande Sacha en regardant Coriande.

— Oui. Elle évitera ainsi les trop jeunes et les trop vieux, répond Cori.

— Coudonc, toi ! T'es une vraie pro ! que je suppose, l'air suspicieux.

— J'ai aidé deux de mes tantes à faire leur profil. Elles m'en ont beaucoup parlé..., explique-t-elle, évasive.

Moi et les filles on se jette un regard entendu qui laisse supposer qu'on ne la croit qu'à moitié !

Une surprise pour moi ?

Samedi, en fin d'avant-midi, mon cellulaire m'annonce la réception d'un texto :

(Bonjour, belle dame ! J'ai un *show* ce soir à Montréal. Veux-tu venir dormir chez moi après ?)

Il s'ennuie déjà lui ? Ou il a envie de baiser...

Je lui réponds :

(Tu veux que je te rejoigne chez toi après ?)

Il propose :

(Oui, ou tu peux venir avec moi au *show* si tu veux. Ce n'est pas loin de chez toi, au Théâtre St-Denis.)

Je suis stupide de toujours lui attribuer des arrière-pensées négatives. Il veut passer la soirée avec moi...

(Parfait ! Je vais aller te retrouver là-bas vers 19 h…)

Il réécrit :

(Super ! Le show est juste à 20 h 30. J'aurai le temps de te battre aux cartes avant. Je vais avertir le portier. Rends-toi à la porte latérale à droite et suis les indications pour te rendre aux loges. XXX)

Mon livre, et vite :

La patiente doit vraiment tenter de contrôler ses cognitions négatives face à la relation avec cet homme. Chaque fois qu'il propose un contact, elle lui attribue des intentions négatives pour se complaire dans une position de non-contrôle. Elle tente de se victimiser pour faire taire sa culpabilité de ne pas mettre un terme à cette relation. Vraisemblablement, la patiente progresse peu dans sa façon de gérer ses émotions.

Mon cellulaire m'annonce la réception d'un autre texto.

(Et j'oubliais : j'ai une surprise pour toi, ma puce. Tu vas être contente ! XXX)

Une surprise ? De quoi parle-t-il ? Je n'en ai vraiment aucune idée. J'y réfléchis tout le reste de la journée.

Sous la douche, je songe à toutes les possibilités :

— Il m'a acheté quelque chose… Mais quoi? Et pour quelle occasion ?

— Il veut m'emmener quelque part… Peut-être, mais où ?

À moins que ce soit une nouvelle le concernant :

— Il déménage… Mais non, en quoi ce serait une surprise pour moi ?

— Il est en nomination pour être le chanteur de l'année… Ouin, en quoi j'en serais si contente ?

… ou quelque chose NOUS concernant…

— Il m'aime… Mais non, il ne me le dirait pas de cette manière.

— Il va finalement se décider à me faire un deuxième compliment en carrière… Possible ! Et, en effet, je serais contente !

… ou peut-être une surprise face à la soirée…

— Un invité que j'aime bien participera au spectacle… Ah ! ça, c'est envisageable !

— Il va m'offrir à déjeuner et ne me foutra pas dehors demain matin cinq minutes après m'avoir baisée… Aaaahhh ! Mali la victime, ARRÊTE !

Après cette douche spéculative interminable, je me prépare. De toute façon, je vais le savoir bientôt. J'opte pour un *look* très *sexy*. J'ai le goût de lui faire tourner la tête un peu ce soir. De cette façon, si la surprise est de me faire un super compliment, je lui faciliterai la tâche ! Et si c'est de me dire qu'il m'aime aussi…

Après m'être géographiquement orientée sur le Net pour trouver mon chemin dans les rues de Montréal, je dirige mes souliers à talons (beaucoup trop hauts) dans cette jungle métropolitaine.

Il avait raison, ce n'est vraiment pas loin. Le portier m'accueille en nommant mon nom.

— Mali Allison ?

— Oui, c'est moi.

— Veuillez me suivre, c'est par ici.

— Merci.

Je m'élance derrière lui dans les couloirs de ce lieu si impressionnant. Lorsque j'arrive aux loges, le portier me souhaite bonne soirée et me quitte. J'entre d'un pas non décidé dans l'endroit qu'il m'a désigné. Une sorte de pièce centrale, entourée de plus d'une dizaine de petites loges pour permettre aux artistes de se préparer. Chacune possède le fameux miroir orné de lumières, comme dans les films. Il n'y a personne. J'entends le ronflement d'une télévision et je vois le chandail de Bobby dans une des petites salles. Un immense bouquet de fleurs trône au milieu de la table. Mon dieu ! Des fleurs pour moi ! Peut-être que j'ai mis le doigt dessus finalement en prophétisant qu'il me ferait une déclaration d'amour surprise. Fébrile, je m'approche du bouquet afin de lire la carte mise bien en évidence sur un lys majestueux.

Merci Bobby pour ta générosité et bon spectacle !
De toute l'équipe de direction.

Ah ! ça ne m'est pas du tout destiné ! Je n'y croyais même pas pour vrai… Pfft ! Je me sens ridicule avec cette bande-annonce de film d'amour quétaine qui joue en boucle dans ma tête.

Tout compte fait, il ne se trouve pas ici. Je longe les corridors sombres en suivant les indications murales qui mènent à la scène. Mes oreilles distinguent finalement une ritournelle douce de guitare sèche. En m'approchant du rideau des coulisses, j'aperçois Bobby de dos, assis sur un banc rustique, face à la salle encore vide. Il fredonne mélodieusement une chanson de son répertoire avec, pour tout spectateur, un homme qui arpente les rangées de sièges vides et qui semble vérifier les derniers aspects techniques concernant l'éclairage. Je reste postée près du rideau. Quelle sensation étrange d'espionner quelqu'un qui ne se doute pas de notre présence ! Ce qu'il paraît doux et vulnérable sur cette scène, seul au monde ! À la fin de la chanson, je m'avance doucement en chantonnant les dernières paroles avec lui.

— « Si tu savais… »

Il se retourne en entendant ma voix. Il termine tout de même le refrain.

— « Si tu saaaavais… »

Je me trouve maintenant près de lui, souriant de bonheur. Il répète en me regardant droit dans les yeux :

— « Si tu saaaavais… »

Il a ajouté un « Si tu savais » de plus par rapport à la chanson originale. Pendant environ quatre secondes, nous nous observons, silencieux. C'est long quatre secondes dans une telle situation. Plus de trois secondes, sans rien dire, les yeux dans les yeux avec quelqu'un, c'est un genre de « moment » ça ! Il brise ce « moment » en donnant un petit coup de doigt sec sur le bois de sa guitare. Probablement pour me réveiller de mon rêve afin que je revienne sur terre.

— Ça fait longtemps que t'es là ?

— Heu… non, je viens juste d'arriver, que je réponds en m'approchant de la limite de la scène tout en fixant la salle vide.

Il me regarde.

— C'est spécial, hein ?

— Mets-en…

Drôle de sensation que de se retrouver dans ce genre de décor. Pour lui, cela représente son lieu de travail, son quotidien. Pour moi…

— Disons que mes classes contiennent un petit peu moins d'étudiants !

— Bon ! Allons à la loge, j'ai fini de répéter.

Je le suis docilement jusque-là. En entrant, il me dit :

— T'as vu les belles fleurs que je t'ai achetées ?

— Pfft… Sûrement, oui ! que je réponds, l'air désintéressé comme si je savais d'emblée que c'était impossible.

Pour qui me prend-il, Bobby-la-guitare ? Une folle qui pourrait avoir le potentiel de croire à cette connerie de fleurs ! Il s'approche du bouquet.

— J'aurais dû enlever la carte et te les offrir. Ça t'aurait fait craquer, hein ?

— Malicieux !

— Hé ! Tu veux te battre ? me dit-il, en levant les poings devant son visage.

— Que oui ! que je prononce en brandissant aussi mes poings.

— Ha ! ha ! Puce, tes bras sont bien trop petits et trop longs. Je vais en casser un. Je vais te battre aux cartes à la place !

— La surprise avant ! Je suis trop curieuse !

— Ah oui ! j'oubliais !

— C'est quoi ?

— Ça ne te concerne pas, mais tu vas être fière de moi.

Bon, ça ne me concerne plus, maintenant ! Est-ce qu'il m'avait dit que ça me concernait ?

— Je pars faire un spectacle outre-mer. Je ne suis jamais sorti plus loin que la Floride et, à l'âge que j'ai, il est temps que je me déniaise.

— Où c'est ?

— Le voyage est en deux parties. La première est en Afghanistan. Je ferai un spectacle pour les troupes de l'armée canadienne là-bas. Ensuite, on va aller tâter le terrain à Paris. Mon gérant tente depuis un moment de débloquer des contrats avec la France.

— *Wow !*

Dans ma tête, une question (que je ne formule pas en mots) résonne : « Pour combien de temps ? »

— Je suis comme un enfant de deux ans qui se décide à découvrir une nouvelle pièce de la maison. C'est vraiment excitant…

— Quand pars-tu ?

— Dans deux semaines…

— Super, j'irai te visiter durant mes vacances, que je blague.

— Tu n'auras pas le temps, je ne serai parti que pour un peu plus d'un mois…

Ouf ! mon cœur recommence à battre.

Profil de candidats et profil des consœurs

Après le beau spectacle écouté de l'arrière-scène et une nuit « satisfaisante » chez Bobby (maintenant, je déteste ce mot !), je me rends au *condo* en début d'après-midi (après qu'il m'eut fait à déjeuner, bien sûr !). Je trouve Ge assise à l'îlot, encore en pyjama, les yeux rivés sur son écran d'ordinateur portable.

— Bon, enfin, quelqu'un à ma rescousse ! crie-t-elle lorsque j'entre dans la pièce.

— Mon dieu ! Qu'est-ce qui se passe ?

— Il se passe que j'ai environ trente gars qui me lancent des carottes sur mon profil du site de rencontre et que j'ai besoin d'aide pour faire une première sélection.

— Hein ! C'est donc bien efficace, cette affaire-là ! que je m'exclame en approchant d'elle. Présente-moi les candidats !

Elle clique sur les profils de chacun à tour de rôle pour qu'on voie tout d'abord la photo.

— Ben voyons ! Pourquoi il est tout nu, lui ? que je demande, stupéfaite.

— Il n'est pas tout nu, Mali ! Il est juste en bedaine.

— Pourquoi ? que je réitère, traumatisée.

— Il se trouve *sexy*... Je sais pas trop.

— « *Flush* » ça ! que je hurle en gesticulant exagérément.

Sacha arrive au même moment, des sacs d'épicerie réutilisables plein les bras.

— Qu'est-ce que vous faites ?

— On analyse les candidats sur le site de rencontre de Ge, que j'explique en restant concentrée sur l'ordinateur.

— Ah ! OK. Vous faites le premier tri en « flushant » les gars en bedaine et ceux pris en photo avec leur char…

— Ben oui ! On vient justement de supprimer un gars posé avec sa Mustang et deux en bedaine. T'es une voyante ! Comment tu savais ça, Sacha ?

— Chère Mali, quand tu vas te décider à t'intéresser aux réseaux sociaux virtuels, tu vas en voir de toutes les couleurs, toi aussi.

Elle commence à ranger son épicerie.

— N'oublie pas, Ge : ceux qui n'inscrivent pas leur emploi sur leur fiche, c'est qu'ils n'en ont pas ou qu'ils en ont honte ; ceux qui ne précisent pas leur âge son *over age* ; ceux qui disent « cherche une amie ou une compagne » veulent juste baiser ; et ceux qui demandent à te rencontrer avant d'avoir eu une conversation téléphonique sont des dépendants affectifs chroniques et désespérés !

— T'es vraiment une pro toi aussi ! dit Ge en souriant.

Cori, qui revient de son entraînement, nous rejoint autour de l'îlot.

— Ah ! de l'analyse de candidats ! Super !

— Je lui parlais des règles de base…, précise Sacha, sérieuse.

— Bien oui, y en a plein !

— On voit ça, là, que je réponds.

— Ceux qui proclament aimer les mêmes choses que toi n'ont pas de personnalité ; ceux qui disent aimer la marche en forêt ne font pas de sport ; ceux qui présentent une photo cadrant juste le haut du corps sont gros ; et ceux qui affirment aimer découvrir le monde sans mettre de destination précise sont souvent des amateurs de tout compris *cheaps* à Cuba, enchaîne Cori.

— Voyons, ça prend un cours pour gérer ça efficacement sans se faire avoir ! que je déclare, amusée.

— Oui, madame ! « Site de rencontre 101 » ! Ça devrait exister ! ajoute Cori.

Après qu'elle eut fait un premier tri, il ne reste qu'un candidat potentiellement intéressant à qui Ge envoie une demande de contact personnel.

— Bon, les filles, prenez une pause, j'ai une surprise pour vous ! proclame Cori en se dirigeant vers l'entrée où elle a laissé un gros sac.

— Quoi ? demande Sacha, curieuse.

— En fait, c'est Ge qui m'a donné l'idée quand elle nous a fait part de ses résolutions pour se remettre d'aplomb. J'ai fait une folie, mais ça vaut la peine.

Elle sort du sac une console Nintendo Wii avec une planche de Wii Fit.

— Ge, tu veux te remettre en forme sans aller dans un gym ? Voilà ton nouvel ami ! déclare Coriande.

— Hein ! La planche de Wii pour faire du yoga ! s'écrie Sacha, folle de joie.

— Oui, madame, et on va commencer par se faire un beau profil de santé pour voir l'étendue des dommages, propose Cori en déballant l'appareil.

En deux temps trois mouvements, Cori branche la console. Nous explorons le tout en groupe un moment, avant de commencer le profil de chacune. La planche, posée au sol, effectue une vraie analyse corporelle sur le poids, l'indice de masse corporelle (IMC), l'équilibre et les réflexes. Cori commence la première. Son profil indique qu'elle maintient un poids santé. Avec des tests d'équilibre et de posture sur la planche, l'appareil évalue approximativement l'âge corporel de chaque personne.

— Trente-trois ans, Cori ! Tu as trois ans de plus que ton âge réel ! C'est plate pour une sportive ! Imagine nous autres, dit Ge.

Je me lance dans l'évaluation. Mon poids indique un indice de masse corporelle adéquat selon ma grandeur, mais mon âge fictif s'avère terrible.

— Quarante-quatre ans ! Quoi ? J'ai quatorze ans de plus ! Ta machine est brisée, c'est impossible ! que je beugle en descendant de la planche.

— Et imagine, Mali, aucun test cardio n'a été fait ! rigole Cori en me voyant réagir négativement.

— Pfft ! que je fais en croisant les bras avant de m'asseoir.

Sacha performe mieux que moi en obtenant un âge corporel plus raisonnable, mais son poids est apparemment en haut de son poids santé.

— Trente-cinq ans ! Pas si mal, mais est-ce que je rêve ou ta machine me traite de grosse ?

Nous sommes crampées de rire dans le salon. Premièrement, parce que Sacha n'est pas grosse du tout et, deuxièmement, parce qu'elle est réellement très insultée.

— Recommence ! Je vais lui en faire, moi, un surplus de poids ! Franchement !

Nous anticipons toutes le résultat en riant discrètement et en nous cachant la bouche avec notre chandail. L'appareil révèle la même conclusion une deuxième fois.

— C'est de la marde, ça ! crie Sacha en entendant à nouveau le verdict.

— Arrête, Sacha ! Je te l'ai dit, c'est à cause de ta petite taille, la console Cori.

— Cibole ! Je ne suis pas une naine, quand même ! C'est quoi, je gagne une carte-cadeau chez la boutique Addition Elle avec ça ? réplique-t-elle en faisant une moue d'enfant.

Finalement, le Nintendo conclut que Ge a un poids en dessous de l'IMC recommandé pour sa grandeur et celui-ci affiche un âge corporel aussi dramatique que moi.

— Quarante-trois ans ! Mais pour moi, ça a du sens, je me sens comme si j'avais soixante ans depuis que je vais moins bien…

— Donc voilà, les filles, le système va vous faire une belle planification d'entraînement et vous allez pouvoir suivre vos progrès grâce aux tableaux d'évaluation.

— Moi, je vais être dans les matantes *overweights* ! pleurniche Sacha, les bras croisés.

Le reste de l'après-midi, nous testons les différents sports et jeux afin de choisir lesquels composeront notre programme personnel. Amusant !

Mon téléphone sonne au moment où je termine finalement avec succès la deuxième posture de yoga pour débutants.

— Allô ?

— C'est bien la plus gentille femme du monde qui parle ?

— You Go !

C'est mon ami gai pas gai de la Gaspésie ! Vous vous souvenez de lui ?

— T'es emménagée dans ton *condo* de « connes »… heu… de consœurs, je veux dire.

— Chut ! ne parle pas de la consœurie au téléphone au cas où notre ligne serait sur écoute, que je blague.

Hugo est la seule personne, outre les membres du partenariat externe, à connaître l'existence de la consœurie et de son fonctionnement.

— C'est vrai qu'il y a des chances que ça intéresse la police, une secte de femmes à la santé mentale douteuse…

— Effectivement ! Mais oui, on est là depuis quelques semaines. Toi, quoi de neuf docteur ? que je lui demande.

— Tout, ma chère, tout !

— Renouveau total ! C'est excitant, ça ! Raconte.

— Je suis tes traces, mais deux ans plus tard…

— Quoi ! Tu veux qu'on te recrute comme membre ?

— Non, la Gaspésie, je parle. Je quitte la péninsule pour revenir en ville !

— Hein ! Pourquoi ?

— Je pense que j'ai fait le tour ici. En plus, j'ai couché avec toutes les filles potables autour. Si ça continue, je vais devoir me farcir leurs sœurs et leurs amies, et là, je vais devenir un vrai salaud encore pire que je le suis déjà !

— Oui, reviens et ça presse !

Je crie aux filles :

— Mon ami You Go revient vivre en ville !

— Super ! commente Sacha, en restant concentrée sur la performance de Ge à un jeu d'équilibre.

— Il change d'emploi ? demande Cori, tout aussi concentrée.

— Non, il a couché avec toutes les filles de l'est du Québec, donc il revient chasser de la chair fraîche dans l'ouest, que je crie aux filles.

Les filles arrêtent le jeu pour me dévisager, l'air dégoûté. Je leur souris, comme si je venais de leur révéler qu'il avait eu une simple mutation d'emploi. Je reprends la conversation avec mon ami.

— Les filles sont contentes ! que je mens à Hugo.

— Que j'aie couché avec toutes les filles ou que je revienne ? cafouille Hugo, perplexe de la révélation que je viens de faire à mes amies.

— Les deux !

Assimilation à un groupe sectaire

Au souper, je confie aux filles que mon chanteur part en voyage.

— Ah oui ! Beaucoup d'artistes vont faire des spectacles là-bas, à ce qu'il paraît, rapporte Ge.

— Mali, je pense que tu devrais prendre ce temps-là pour réfléchir sérieusement à cette relation et t'ouvrir à d'autres perspectives, propose Sacha.

— C'est vrai. T'as tenté de lui dire que tu voulais être officiellement avec lui, et résultat : pas trop de réactions de sa part. Si vraiment, dans ton cœur, tu recherches une relation sérieuse avec un homme, je ne pense pas que ce soit le bon candidat pour toi, poursuit Cori.

— Je sais tout ça, mais on dirait que je ne suis pas capable de m'empêcher de le voir…, que je réponds.

— Je pense que tu vas arrêter de le voir quand tu auras vraiment rencontré quelqu'un d'autre, réfléchit Sacha. Premièrement, assez de niaisage, tu te mets sur Facebook !

— C'est vrai ! Il y a plein de monde là-dessus. Quand tu rencontres un gars dans un bar, tu fouilles sur Facebook pour savoir un peu à qui tu as affaire avant la *date* suivante, c'est pratique, explique Ge.

— J'en n'ai rien à foutre de raconter ma vie à tout le monde ! que je proteste.

— T'as juste à ne pas le faire. Sers-t'en juste comme un outil, pas comme un ami !

— OK ! Montrez-moi comment ça marche..., que je dis, tout de même un peu curieuse.

Sur l'ordi de Ge, les filles me font visiter leur profil à tour de rôle en m'expliquant comment ça fonctionne. Même Coriande a maintenant une page là-dessus ! Le concept me paraît simple. En effet, nous constituons mon profil en moins de dix minutes. Je demande l'amitié à certaines personnes que je connais bien et nous refermons le tout.

— Ça y est, j'appartiens à votre secte ! que je m'insurge en joignant mes deux paumes sous mon menton.

— Y était temps !

La saison de chasse estivale est ouverte

La semaine passe vite. La canicule qui sévit au Québec nous fait apprécier la climatisation du *condo* presque autant que nos deux semaines de vacances collectives qui s'en viennent à grands pas. Seul point négatif : je n'ai rien au programme pour le moment. Pas de camping sauvage en amoureux, pas d'excursion en montagne en amoureux, pas de croisière aux baleines en amoureux, en fait, pas d'amoureux tout court !

Jeudi, je constate que l'ambiance du *condo* semble à la fête lorsque je franchis la porte d'entrée. Les filles célèbrent le moment de repos tant attendu avec un verre de champagne autour de l'îlot.

— Oh ! Ça sent vraiment les vacances ici ! que je déclare en les rejoignant.

— Oui, madame ! Mets-toi une belle robe, on sort en ville pour vérifier si le gibier urbain se porte bien ! m'annonce Ge, qui semble en forme et de bonne humeur.

— Ah oui…, que je réponds, hésitante.

— Quoi ? T'as une autre activité au programme ? se renseigne Cori en plissant le front.

— Bien… Bobby venait de me demander ce que je faisais par texto…, que j'avoue avec une moue perplexe.

— Tu le verras demain ! C'est le début de nos vacances ! Allez ! insiste Sacha.

— Laissez-moi lui passer un coup de fil…

Je me dirige vers ma chambre pour l'appeler.

— Salut, toi !

— Bonnes vacances, ma belle !

Il se souvenait du début de mes vacances quand même ! Il fait du progrès !

— Oui, je suis contente.

— Je t'invite au resto pour fêter ça !

— Heu… j'adorerais, mais les filles avaient prévu une soirée…

— Ah ! bien, ça va alors…

— On peut se voir demain ?

— Oui, c'est bon. Je pars jeudi prochain, en passant.

— D'accord, on s'appelle demain ? que je précise.

— Oui, bonne soirée et… sois sage !

— Toujours ! Bye !

Sois sage ? C'est quoi ça « sois sage » ?

Je crie aux filles du haut de l'escalier :

— C'est bon ! Je me mets belle et je vous rejoins !

— Hoooouuu ! crient les consœurs.

Nous prenons l'apéro au *condo*, en grignotant quelques bouchées confectionnées à l'improviste. Sacha nous parle une fois de plus de la tangente que prend sa relation avec Thierry.

— C'est pire que pire…

— Il te repousse ? que je questionne.

— Pas directement, mais disons qu'il organise toujours l'horaire afin de se soustraire aux activités sexuelles. Du genre : on ne dort pas ensemble le soir, ou il se couche avant moi et s'endort immédiatement, ou encore, une fois, il a dit avoir une irritation du pénis à cause de ses nouveaux sous-vêtements. Je ne le crois pas…

— Oh ! « Se soustraire aux activités sexuelles », c'est bien dit ! Mais tout de même, c'est vraiment bizarre. Ce sont les femmes qui font ça, non ? Le mal de tête et tout. À moins que… Penses-tu qu'il a une MTS ? que je demande, mal à l'aise.

— Ça fait partie de mes hypothèses, mais j'espère que non, fait-elle avec une moue dégoûtée.

— Vous mettez des condoms, j'espère ? que je fais, plutôt moralisatrice.

— Pas toujours. On sort ensemble…, avoue Sacha.

— Moi, je hais tellement ça ! ajoute Ge.

— Vous avez encore des comportements de fillettes de quinze ans vous autres, hein ? que je fais en regardant toutes les filles.

— Arrête, je suis rendue bonne… du moins meilleure qu'avant. Mais j'avoue que je porte attention si le gars en parle avant… S'il n'en parle pas, je lui demande assurément d'en mettre un, mais s'il en parle, c'est qu'il utilise ça dans la vie, donc je suis parfois tentée de me passer du truc de caoutchouc *turn off*, explique Ge, convaincue de la solidité de sa démarche.

— *Wow !* Super théorie merdique ! que je proclame en applaudissant lentement.

— Ah ! Mali ! Moi aussi, je déteste tellement les condoms, avoue Cori.

— C'est les jeunes qui ont des MTS, pas les plus vieux, renchérit Ge.

— Deuxième théorie merdique, Ge ! Bien oui, l'herpès grimpante choisit juste des jeunes, t'as raison…, que je caricature, ironique.

— En tout cas, pour Thierry, c'est peut-être juste un gars en baisse de libido, avance Cori pour revenir au sujet de la discussion.

— Pas de libido du tout, tu veux dire, se plaint Sacha.

L'heure hâtive nous incite à commencer notre partie de chasse dans un petit bistro branché, mais tranquille. Malheureusement, il n'y a aucune bête en vue. Il semble y avoir plus de filles que de gars dans la place. Territoire trop contingenté ! En changeant de lieu, nous sommes abordées par un groupe de gars dans la rue.

— Hé ! les filles ! Où allez-vous ce soir ? demande un beau jeune homme en s'approchant de nous.

Oh ! Des carottes lancées hors territoire ! Des gars aventuriers !

— On ne sait pas, vous autres ? demande Ge en s'avançant langoureusement vers eux.

— On pensait aller au Club 34…

— Bonne idée ! On vous suit ! lance Ge en se retournant vers nous, exagérément enjouée.

— J'en vois une qui reprend du mordant ! me murmure Cori en me prenant par le bras.

— Allons-y !

En marchant, j'analyse les bêtes trottinant devant nous. Sacha, restée un peu à l'écart aussi, me donne ses impressions.

— Celui avec le chandail bleu a vraiment des grosses fesses…

— Ouin, c'est comme très musclé, mais mal réparti, que j'approuve.

— Celui à côté n'est pas très grand…

— Oui, c'est vrai que Ge semble le dépasser d'une tête, que je remarque.

— Le plus *cute*, c'est celui à l'extrême droite !

— J'aime mieux le *look* de celui à côté, par exemple…

— Beau style, en effet ! Ton genre, souligne Sacha.

— Allez, les filles ! Vous marchez pas vite ! nous crie Ge.

— Elles nous regardent les fesses, dit le gars avec justement des grosses fesses.

— Jamais ! se défend Sacha, le regard séducteur.

— Change de face, toi ! T'as un *chum* ! que je lui rappelle discrètement en lui donnant un coup sur l'épaule.

— Ben oui, je sais ! s'impatiente Sacha en avançant plus vite pour rejoindre le groupe.

Elle se retrouve par hasard à gauche, juste à côté du gars de son goût. Je me glisse au milieu du groupe en rejoignant le gars au beau style marchant à côté de Ge, qui discute avec les grosses fesses. Cori rigole avec le petit qui est devant. Bon, quel début de soirée ! Les carottes affluent de part et d'autre. Nous avançons sur un trottoir de carottes ! Je pense que, depuis le début de la consœurie, notre chasse n'a jamais été aussi fructueuse dans un espace-temps aussi court.

En arrivant au bar, le gars *cute* de Sacha commande huit Jack Daniel's cul-sec.

— Oh ! oh ! un instant, on va se retrouver avec un IB élevé avec tout ça ! que je commente en prenant le petit verre entre mes doigts.

— Amenez-en des petits verres ! approuve Sacha en buvant d'une traite le liquide au goût infect.

Une soirée heu... comment dire...

Aïe ! Qu'est-ce qui me pique la joue comme ça ? Je passe la main sur le côté de mon visage pour découvrir que mon anneau d'oreille ouvert me transperce presque la peau. Comment ça, j'ai encore mes boucles d'oreilles au lit ? J'ouvre un œil... Mes rideaux à demi fermés laissent pénétrer dans la chambre un rayon de soleil puissant qui m'éblouit. J'ai mal à la tête. Je fais un demi-tour sur moi-même. Merde ! C'est qui, lui ? D'un seul coup, des souvenirs de la soirée d'hier me reviennent à l'esprit. J'embrassais ce gars dans les toilettes du *condo*. Je ne me souviens pas très bien de la suite. Je l'observe. Il dort. Voyons voir dans le tiroir de ma mémoire. Il s'appelle... heu... Zac ou Zachary ? En tout cas, un truc qui commence par Z. Il ne doit pas y avoir trente prénoms commençant par Z.

Je fais un tour visuel de ma chambre. Bon, explorons les lieux du crime à la recherche de preuves. Première constatation : je suis en camisole et en petite culotte. Déjà un bon indice que je n'ai pas couché avec lui. Deuxième constatation : pas de sachet de préservatif en vue. Je lève délicatement la couverture. Troisième constatation : il a ses sous-vêtements également... Il ouvre un œil au même moment où je « zieute » son derrière sous les couvertures.

— Mademoiselle se rince l'œil ce matin ! glousse-t-il, la voix rauque.

— Ha ! ha ! ha ! que je fais, gênée, en reposant ma tête sur l'oreiller.

Je me retourne finalement vers lui et j'enchaîne avec un « Salut ! », l'air troublé, en remontant la couverture sur ma poitrine.

— Salut…, répète-t-il en me regardant bizarrement.

— On ne se connaît pas beaucoup pour que tu sois là dans mon lit, hein ?

— On doit avoir jasé environ cinq heures de temps en rafale hier ! Je pense qu'on se connaît assez…

— Ben oui…

Je ne me rappelle même pas ce qu'il fait dans la vie. Merde ! Est-ce qu'il n'y a que moi sur la terre qui boit trop ?

— Je suis couchée avec un inconnu ! crie Ge de sa chambre.

— Moi aussi ! que je riposte en riant.

— Ben voyons ! Où sont les trentenaires responsables et matures dans cet appartement ? questionne-t-elle en beuglant encore.

Je me lève d'un bond pour mettre un jogging avant de me diriger vers les toilettes. Le gars au nom qui commence par Z a l'air bien gentil, mais comme je le connais à peine, je n'ai pas vraiment envie de vivre ma matinée collée sur lui. Ge fait de même en me rejoignant dans le cabinet.

— Merde, j'ai comme fait un saut ! que je confie à Ge à voix basse.

— Tu ne te souvenais pas qu'il était là ! Moi, difficile d'oublier la présence de Pierre, il a ronflé toute la nuit…

— Grosses fesses, ça ?

— De quoi tu parles ?

— Laisse faire… et les autres filles, elles ?

— Je ne sais pas. Je me suis couchée tout de suite après toi et elles étaient encore autour de l'îlot avec les deux autres.

— Allons explorer l'étendue des dommages collatéraux…

Nous descendons tranquillement l'escalier pour apercevoir quelqu'un endormi sur le divan. Je m'avance doucement…

— C'est le petit…, que je chuchote à Ge.

Il se réveille au même moment.

— Bon matin l'autre inconnu, blague Ge.

— Ouin…, gémit-il.

Ouf ! il semble bien mal en point et confus. Finalement, il n'y a pas que moi qui abuse de l'alcool. Je confirme à nouveau cette théorie en regardant l'îlot. Des bouteilles vides en jonchent la surface : bière, verre de vin à demi plein, bouteille de rhum brun bien entamée… Ouache ! J'ai mal au cœur. Ge m'aide à ranger le tout et elle prépare une généreuse carafe de café. Mon partenaire de nuit descend.

— Tiens, mon « *chum* » qui se lève ! que je dis pour dissiper le malaise.

— Bien oui, tu m'as demandé de t'épouser hier, justement…

— Non, arrête, pour vrai ? demande Ge qui savoure l'information.

Il me regarde en me faisant un clin d'œil. Je change de sujet.

— Bon, rendez-vous utiles, les gars ! que je dis en tendant un sac-poubelle à « Z ».

L'ami de Ge descend à son tour.

— Où est ton cell, Zac ? demande-t-il en regardant mon « partenaire de nuit ».

Bon, il s'appelle Zac ! Vous voyez que je n'étais pas si soûle... Pfft !

— Sais pas... Je ne sais même pas où on est, le gros ! Penses-tu que je sais où est mon cell ? répond Zac en souriant.

Nous continuons à ranger la cuisine tranquillement jusqu'à ce que Sacha partage avec nous une révélation peu surprenante :

— Il y a un inconnu dans mon lit ! crie-t-elle de sa chambre.

Réunion d'urgence

Vers quatorze heures, nous nous retrouvons seules au *condo*. Un déjeuner à la bonne franquette a clôturé notre rencontre avec ce quatuor de gars.

— Faut qu'on se parle ! que j'amorce en me levant pour effacer les écrits sur le tableau avec le linge à vaisselle.

Je commence à écrire. Les filles m'observent, attentives. En terminant, je reste debout comme si je leur faisais la classe.

SA :

Date :

Message : C'est quoi cette soirée de débauchées ???

Soirée intitulée : « J'ai dormi avec un inconnu ! »

Ne pas oublier : Le nouvel objectif de la consoeurie.

— Oui ? C'est quoi cette soirée de débauchées ? répète Cori.

— Excusez, est-ce qu'on pourrait ajouter de « grosses » débauchées pour que je me sente interpellée par la discussion, demande Sacha, l'air très sérieux.

— Toi, t'es conne ! l'insulte Ge en lui lançant un linge à vaisselle par la tête.

— Bon, bon ! Un peu de discipline dans ma classe ! Premièrement, regroupons nos souvenirs respectifs face à ladite soirée, que je propose.

Nous nous racontons des faits marquants de la soirée pour constater que nos souvenirs ne sont pas si mal jusqu'à notre retour au *condo*, après la fermeture du bar. Ce sont les verres, ingurgités ici, en temps supplémentaire du « clubbing » qui étaient de trop.

— Qui a eu une relation ? Personne…, que je spécule.

Sacha, qui regarde par terre, lève la main en l'air sans dire un mot.

— Ah oui ! se surprend Cori sans émettre de commentaires.

— Je suis une infidèle finie ! pleurniche-t-elle.

— On t'accueille là-dedans…, que je proclame, solennelle, avec un air empathique exagéré, la main sur le cœur.

— Ark ! Tu m'énerves avec ton « on t'accueille… » ! On dirait une réunion des Alcooliques Anonymes ! râle Sacha.

— Les AA ! Voilà notre solution ! que je déclare en l'inscrivant sur le tableau.

— Non mais, sérieusement, on est toutes d'accord que ta relation avec Thierry n'est pas des plus réussies, précise Ge.

— Je sais, mais je l'ai trompé quand même…

— En tout cas, c'est vraiment un beau début pour une consœurie de femmes se disant prêtes à chercher le grand A, atteste Ge en se resservant du café.

— Toi, Coriande ? Il s'est passé quoi pour que ton candidat couche sur le divan ?

— Bah ! il était bien gentil, mais il ne m'intéressait pas. Il a bien essayé, par contre.

— Moi, je juge très mal notre soirée d'hier, je m'excuse…, que j'admets.

— Tu te sens coupable de quoi ? me demande Ge.

— Heu… laisse-moi y penser… Oui ! D'avoir dormi avec un gars que je ne connais pas dans un état d'intoxication extrême, que je réponds en regardant le plafond, concentrée.

— On t'accueille là-dedans, me renvoie Sacha, fière de me taquiner.

— Cesse de te sentir toujours coupable pour tout, Mali. On s'est amusées ! On a fait de mal à personne, affirme Ge.

— Je sais…

La vérité est que je pense à mon chanteur. Je dois le voir ce soir, souvenez-vous. Et j'ai dormi avec un gars… J'ai embrassé un gars…

Vite, mon livre !

Mme Allison adopte une fois de plus une tangente de comportements récurrents de culpabilisation. Cette autoflagellation émotive semble utilitaire pour maintenir son équilibre psychique, mais je ne saisis pas bien pourquoi. Elle navigue constamment entre deux eaux : la non-satisfaction de ses rapports avec son amant et la culpabilisation lors de rapprochements avec d'autres hommes. Il serait franchement temps que la patiente se sorte enfin la tête de la vague.

En refermant mon livre, je jette un œil vers les filles, qui rigolent en se remémorant des anecdotes de la veille. C'est moi qui suis trop rigide ? Nos vacances débutaient, on a fêté tout ça, on a ramené quatre inconnus dans nos lits et puis après… Ah ! j'ai une boule dans le ventre, je ne me sens pas bien. Mon cellulaire sonne. Ah ! c'est monsieur « sois sage » qui m'appelle.

— Bobby ! que je réponds avec un faux air enjoué.

— *Oh boy* ! T'as une voix d'abus d'alcool, toi !

— Ben non ! C'est juste parce que je me suis couchée tard hier…

— Grosse soirée ?

Bon, il me demande des détails en plus…

— Tranquille…, que je mens.

Les filles me catapultent deux chandails juchés sur les tabourets de l'îlot. Je les leur relance agressivement en leur faisant de gros yeux.

— Toi, t'es en forme ?

— Oui, je me suis couché à dix heures. Non, je me suis plutôt endormi sur le divan à dix heures…

— Ta vie d'artiste est si excitante !

— Tu viens toujours chez moi ce soir ?

— Oui, laisse-moi le temps de faire un truc ou deux et je te rejoins…

— Super ! J'ai tout un repas pour toi, ma puce !

— *Wow !* Je suis chanceuse !

— Plus que tu le penses… Bye.

— Bye.

« Plus que tu le penses » ? De quoi parle-t-il encore ? Il ne sait pas, lui, ce que je pense ! Et la seule fois où j'ai essayé de le lui dire, il a feint une pénurie de lait pour s'éclipser.

Je me retourne vers les filles, qui me regardent toutes avec des faces de jugement comme si j'avais tué quelqu'un.

— Quoi ?

— Une petite soirée tranquille, mon œil ! réagit Sacha.

— Ahhhhhh ! vous m'énervez ! Tout le monde m'énerve ! que je vocifère en montant à ma chambre tout en jouant une fausse scène de fille exaspérée.

Bon voyage, Bobby...

Ouf ! compliqué de métamorphoser un visage de « lendemain de veille » en face crédible de fille ayant eu une soirée « tranquille »... Après avoir pris un bain de trente minutes le visage maculé d'un masque à l'argile et les yeux recouverts de tranches de concombre du Québec, je m'attaque à ma figure sur le plan « décoration ». Couleur, texture, relief... Ce serait une bonne idée d'émission au réseau Canal Vie, hein : « Décore ta face... » ! L'ombre à paupières claire à la base des sourcils et brun plus foncé sur la paupière ouvre mon œil un peu. Le fard à joues remonte légèrement la structure inférieure de mon visage, qui a chuté de cinq centimètres depuis hier. Comme si un immense aspirateur avait attiré ma physionomie faciale vers le bas en une nuit... *Wow !* Vive le début de la trentaine !

Je décide de mettre un chandail turquoise avec un col en V plongeant afin d'attirer l'œil de Bobby ailleurs... Quoi ? Les designers d'intérieur le font bien : « On met des objets de couleur accentuée pour attirer le regard... ». Je me sers de ce que j'ai à ma disposition !

En arrivant chez lui en fin d'après-midi, je pense que j'ai réussi à faire de ma personne quelque chose de pas si mal...

— Hé ! Allô ! que je déclare, enthousiaste, en entrant chez lui.

— Salut ! T'as l'air fatigué, toi…

Bon, je crois que c'est raté ! Dans toute sa spontanéité, il vient de me balancer au visage que j'ai travaillé une heure sans grand résultat…

— J'ai mal dormi…

— Qu'est-ce que vous avez fait ?

Depuis quand se demande-t-on des comptes rendus de nos soirées ? Je n'ai rien préparé, moi…

— On a pris un verre toutes les filles… en ville…

Assez, les intrusions dans ma vie ! Cher Bobby, je ne crois pas que notre relation « satisfaisante » te permette d'aller plus loin. Vu qu'il me regarde comme s'il semblait attendre la suite, je change de sujet.

— Es-tu prêt pour le grand voyage ?

— Prêt ? C'est un grand mot. Je suis excité, curieux, mais c'est quand même la guerre dans ce pays…

Au moment où il prononce ces mots, c'est comme si tout d'un coup une inquiétude s'immisçait dans mon cerveau : « Et s'il lui arrivait un malheur… ». Je le regarde drôlement avant de répondre :

— Ben non, tu vas être super protégé. Ils vont te faire juste accéder au camp de base, probablement très sécuritaire.

Il me regarde avec ses grands yeux… « Et s'il lui arrivait un accident… »

— Bon, je te fais un filet mignon de champion ce soir !

— *Wow !*

— Comme ça, s'il m'arrive quelque chose, tu te souviendras que j'étais un super chef !

Je l'observe en souriant. Je dois arrêter avec cette histoire de cognitions négatives de « s'il lui arrivait un drame... ». *Focus* ! *Focus* ! On doit passer une belle soirée !

Pendant le souper, j'en suis à lui donner quelques conseils de voyage 101 lorsque son téléphone sonne. Il répond :

— Allô ?

— ...

Je n'entends pas le dialogue de la personne au bout du fil.

— Ah ! allô, toi, ça va ?

— ...

C'est une fille. Je perçois un peu le timbre de sa voix.

— Ben oui, ça fait un bout de temps...

— ...

— Je pars jeudi prochain en voyage pour un mois...

— ...

— Oui, faudrait se voir avant, t'as raison. Laisse-moi réfléchir un peu...

Il se lève et se dirige vers le sous-sol en me faisant un signe, le doigt en l'air, pour signifier « une minute ». Bon... Je capte la fin de la conversation, car il est revenu près des escaliers. Il n'était occupé à rien en bas. Il était juste allé continuer sa discussion.

— Super ! Donc, je t'appelle demain. Bye.

Il revient à table. Sans hésitation, je le questionne. Bien quoi ? Il a bien cherché à avoir des détails de ma soirée, lui.

— Un ami que ça fait longtemps que t'as vu ?

— Oui, une attachée de presse de Québec…

Une attachée de presse ? TON attachée de presse ou UNE attachée de presse ? Non, quand même, je ne peux pas aller jusque-là dans mes questions. Il change de sujet. Beau à voir, ces changements de cap radicaux dans notre conversation. Chacun son tour…

— La viande est débile, hein ?

— Bien oui, « débile »…

Je regarde dans mon assiette à ce moment précis, en me disant que c'est n'importe quoi cette fille qui appelle. Je suis triste. Encore une fois…

Son voyage me servira…

Lorsque je reviens au *condo* le lendemain avant-midi, les filles sont là. Je leur dis un simple « Allô » en rentrant. Je me rends au frigo pour prendre un verre de jus. Le tableau de communication indique :

SA : « Beaucoup trop libre »

Date :

Message : Bravo à Cori, la seule consoeur mature digne de ce nom...
– la grosse Sacha
Nous sommes inscrites aux AA pour dimanche prochain, 8 h 30... – Mali

Ne pas oublier :

« L'amour n'est pas un sentiment à la portée de n'importe qui : il dépend de notre niveau de maturité. » Erich Fromm

Je ne fais pas de commentaire sur le contenu et je m'assois à l'îlot sans rien dire.

— Dure soirée, Mali ? me demande Sacha qui vient me rejoindre.

— Bah ! c'était bien jusqu'à ce qu'une de ses maîtresses appelle pour prendre un rendez-vous…

Je leur raconte le coup de téléphone. Assises au salon, les filles semblent mal à l'aise pour moi. Elles ne disent rien.

— Vous aviez raison, les filles. C'est assez. Je dois profiter de son voyage pour faire une cure « anti-Bobby » et l'oublier pour toujours…

En prononçant ces mots, sans rien contrôler, je me mets à pleurer. Ge et Cori nous retrouvent à la cuisine.

— Oui, je pense que c'est assez, Mali. Tu dois décrocher. Ce sera difficile, mais son départ te donnera du temps pour arriver à tes fins, m'encourage Ge.

— Au premier courriel qu'il va t'écrire, tu lui diras que tu prends un moment pour réfléchir et que tu penses que votre relation commence à te faire du mal, conseille Sacha.

— Oui, car s'il te donne des nouvelles tout au long de son voyage, tu ne vas pas cheminer du tout, lance Cori.

— J'ai peine à croire que c'est la fin avec lui… après tout ce temps…, que je pleure doucement.

— Mali, tu ne peux pas être « une » de ses maîtresses toute ta vie…

— Je le sais, ma psy me l'a dit, que je soupire, ironique.

Mme Allison doit absolument profiter de cet éloignement situationnel pour tenter un détachement progressif. En focalisant sur son objectif de bien-être affectif et en optant pour un mode de vie sain et équilibré, la patiente réussira à se défusionner de son rêve illusoire afin de se permettre enfin de vivre une relation réciproque.

Internet, outil de rencontres?

Ma première semaine de vacances me sert à vivre ma peine d'amour. Est-ce obligatoire d'avoir été en couple pour utiliser le terme « peine d'amour » ? Je crois que c'est plutôt le mot « rupture » que je n'ai pas le droit d'utiliser. En tout cas… J'erre dans le *condo*, la plupart du temps seule, car les filles rentabilisent leur temps de pause en faisant mille et une activités. Je navigue sur Facebook des heures durant. Une vraie drogue, ce truc ! J'en suis déjà à cent cinquante amis après à peine trois semaines d'adhésion. Beaucoup de gens du temps où je fréquentais la polyvalente, l'université, des anciens collègues de travail, des connaissances de la Gaspésie…

Justement, ce matin, j'ai toute une surprise en ouvrant mon ordinateur. Mon ex-dieu grec de la Gaspésie me demande mon amitié ! Vous vous souvenez de lui ? Le gars super parfait que j'avais rencontré durant mon séjour là-bas et qui m'avait larguée pour une fille qu'il ne connaissait pas avant même qu'on couche ensemble ! Le même gars pas branché qui m'avait demandé d'aller souper alors qu'il était en couple avec celle qui m'avait remplacée. J'accepte sur-le-champ sa demande afin d'aller fouiner dans sa vie virtuelle et voir ce qu'il me veut encore.

Sur son profil, il a inscrit « célibataire », mais ça ne veut rien dire, car plusieurs personnes ne jugent pas bon de dévoiler leur situation matrimoniale sur la Toile. On peut voir des photos de lui en voyage… des photos de sa famille… Il est toujours aussi beau ! En lisant les messages sur son babillard, j'en déduis qu'il vit maintenant à Rivière-du-Loup. Je me demande bien pourquoi. Je ne lui écris rien pour tout de suite, histoire de ne pas avoir l'air trop désespéré (même si c'est ce que je suis un peu !). Ge entre dans le *condo* pendant ma séance de « voyeurisme facebookien ».

— Allô ! Qu'est-ce que tu fais ? demande-t-elle.

— Je regarde mon ex-dieu grec en bavant sur mon clavier.

— Hein ? Tu lui as demandé d'être ton ami Facebook ?

— Non, lui…

— Attends, je vais chercher mon ordi aussi, j'ai quelqu'un à te présenter !

Ge s'installe près de moi avec son portable.

— Voilà le candidat potentiel !

Le gars, toute une pièce d'homme, semble assez beau, du genre sportif. Il dit être professeur, mais on ne sait pas dans quelle discipline. Il recherche : femme passionnée pour être sa partenaire de vie. Bon, « partenaire de vie », c'est déjà un bon indice du sérieux de sa démarche. Ge me le décrit un peu plus.

— Il a 35 ans, une fille de 6 ans et il habite la Rive-Nord. On s'écrit depuis environ une semaine et hier, je lui ai parlé au téléphone.

— Et ? Ça semble cliquer ?

— Bien, il semble un peu gêné, mais tout de même…

— Tu vas le rencontrer ?

— Justement, il me demande d'aller au Vieux-Port avec lui demain après-midi.

— Vas-y, Ge ! Pourquoi pas ?

— Je pense que je vais dire oui. Si je m'emmerde, je feindrai un souper le soir et je m'en irai.

— Exactement.

— OK, je lui écris que je serai là, dit Ge en s'affairant sur son clavier, excitée.

Et moi, j'écris sur le tableau de communication :

SA : « Beaucoup trop libre »
Date :

Message : Bravo à Cori, la seule consoeur mature digne de ce nom...
– la grosse Sacha
Groupe des AA annulé ! Hon...
Ge a une première date au Vieux-Port dimanche en p.m. ! ! ! Meeting de la consoeurie à son retour...

Ne pas oublier :
« L'amour n'est pas un sentiment à la portée de n'importe qui : il dépend de notre niveau de maturité. » Erich Fromm

Candidat numéro 1 de Ge : le sportif

Au retour de Ge vers seize heures, nous sommes assises sur le balcon extérieur donnant sur la rue afin de profiter du soleil de fin de journée. Ge prend une bière dans le frigo avant de nous rejoindre. Elle s'assoit en ne disant rien. Nous la regardons attentivement vider presque la moitié du contenu de sa bouteille en moins d'une minute.

— Eh… t'as soif ! commente Sacha en souriant.

— Ta rencontre du jour porte à boire ! rajoute Cori en la regardant, curieuse.

— Mets-en que j'ai soif, approuve-t-elle.

— Raconte ! que j'insiste, impatiente.

— Premièrement, regardez comment je suis habillée…, dit Ge, comme offusquée, en se levant debout.

J'observe Ge de haut en bas. Elle porte un chemisier bleu et blanc à manches courtes, une jupe en jeans en haut des genoux qui lui donne un *look cowgirl* et des souliers plats blancs à bouts ronds, ornés de faux diamants transparents sur le devant.

— Et notez que j'avais mon sac bleu à l'épaule, précise-t-elle.

— Oui, et puis ? demande Cori qui ne semble pas bien comprendre le rapport.

— Est-ce que j'ai l'air d'une fille qui s'en va faire du jogging ? demande Ge en nous scrutant, sérieuse.

— Heu… non, pas vraiment ! T'as le *look* d'une fille qui s'en va flâner doucement au centre-ville avec une nouvelle carotte. Pourquoi ?

— Ben, ce n'est pas vraiment ce qui s'est passé ! Quand je l'ai aperçu devant le cinéma Imax, monsieur était habillé en coureur professionnel qui s'en va faire un marathon pour les Olympiques. Quand il m'a vue arriver, il m'a dit : « Ah ! t'es certaine que tu vas être à l'aise pour courir ? » Je lui ai répondu : « Pour courir ? », lui signifiant que je n'étais pas vraiment au courant de ce détail crucial concernant le projet de notre après-midi. Il m'a répondu : « Pas grave, on va juste faire de la marche rapide… ».

— Hein ? Il pensait que vous alliez *jogger* ensemble, que je questionne, surprise.

— Oui, madame ! Et là, il a commencé à marcher vite vite vite…

— Qu'est-ce que tu as fait ?

— Je l'ai suivi…

— Habillée comme ça ! fait Cori en riant maintenant aux éclats.

— Après dix minutes, j'étais rouge comme une tomate, essoufflée et presque incapable de faire la conversation…

— Il n'a pas fait de pause en se rendant bien compte que tu semblais trouver ça difficile ?

— Non !

— Ben voyons donc ! Il est bien bizarre, ce gars-là ! que je commente, abasourdie.

— Bizarre, tu dis ! Nous avons finalement arrêté vingt minutes plus tard pour aller boire un *shake* de protéines dans un genre de resto santé poche.

— Ouache !

— J'ai failli vomir !

— Comment ça s'est terminé ?

— Comme il ne parlait presque pas – il est ultra-gêné –, je l'ai quitté en faisant semblant d'avoir reçu un texto d'une amie que je devais rejoindre en urgence. Il a dit « OK » et je suis partie…

— C'est absurde !

— Décevant surtout. Morale de cette histoire : toujours respecter la règle des trois appels téléphoniques avant le premier rendez-vous et obtenir plus de détails sur l'activité principale de la rencontre. De plus, ses photos n'étaient pas représentatives, il n'est pas très beau en vrai…, conclut Ge.

— Tu vas apprendre ! pouffe de rire Sacha.

— Tu dis !

Nous discutons au soleil un moment jusqu'à ce que Sacha nous annonce qu'elle rencontre Thierry qui veut lui parler. Elle nous avoue qu'elle sent qu'il va mettre un terme à leur relation. Cori quitte le *condo* en même temps qu'elle, en ne précisant pas où elle va.

Chad et ses explications !

Je décide de me botter légèrement le derrière pour ma deuxième semaine de vacances. Cori fait du cyclotourisme au Lac-Saint-Jean, Ge est partie visiter sa famille et Sacha passe également du temps avec ses parents. Allons-y avec la famille, alors !

En arrivant chez mes parents, je constate que la voiture de mon frère y est. Ah bon ! c'était organisé, ou quoi ? Je rejoins tout le monde sur la terrasse.

— Tiens, petite sœur qui est là, me dit mon frère en se levant debout pour me serrer dans ses bras.

— Mais qu'est-ce que tu fais par ici ?

— Je jouais au golf avec des amis à Asbestos et, quand j'ai su que tu te pointais, j'ai décidé de rester à souper, m'explique-t-il.

Nous prenons un verre tous ensemble en discutant lorsque ma mère, qui est à la cuisine, lance un cri de détresse.

— Ah non !

— Quoi ? que je m'inquiète en allant la rejoindre rapidement.

— J'ai oublié d'acheter des citrons ! rage-t-elle, une cuillère de bois dans une main et son livre de recettes dans l'autre.

— Ben là, maman ! Peux-tu émettre des cris proportionnels à la gravité de la situation, s'il vous plaît ! Ça éviterait que le cœur nous fasse quatre tours en pensant que tu t'es brûlée au douzième degré en faisant la cuisine !

— J'ai besoin d'une demi-tasse de jus de citron frais pour ma recette ! Et c'est très important, tu sauras, ajoute-t-elle en brassant énergiquement le contenu d'un chaudron sur la cuisinière.

— Je vais aller au marché pour toi, maman, fait Chad en levant les yeux au ciel.

— Je t'accompagne, que je déclare avec un demi-sourire.

En marchant pour se rendre au commerce, je m'informe des nouvelles générales dans la vie de mon cher frangin.

— Puis, les femmes ?

— Les femmes, les femmes… Tu sais quoi ? Je n'ai pas besoin de rencontrer personne comme jamais dans ma vie !

— Tant mieux ! Moi, c'est le contraire. J'ai l'impression d'avoir besoin de quelqu'un dans ma vie comme jamais.

— Pourquoi ? Tu t'es posé la question ?

— Heu… parce que je suis une dépendante finie ?

— Mauvaise réponse !

— Parce que je suis vieille et que j'anticipe de dépérir seule à tout jamais ?

— Re-mauvaise réponse !

— Heu… parce que…

Il me coupe la parole.

— Tu l'as pas pantoute ! Je le sais moi… Parce que depuis deux ans tu as voulu croire à autre chose. Tu pensais trouver un mode relationnel qui te conviendrait autre que la relation de couple traditionnelle… et là tu fais face à ton propre échec. Ça ne marche pas de bouder l'amour en pensant être heureux dans la vie et totalement accompli. Les humains aiment, les animaux aiment, les plantes aiment…

— Nom d'un chien ! « Les plantes aiment ? » Qu'est-ce que t'as fumé ? Es-tu devenu un *love guru* ? Vas-tu me demander de te donner mille piastres pour que dans six jours top chrono l'homme de ma vie cogne à ma porte ?

— T'exagères ! Je fais juste te décrire ma vision de ton super cheminement depuis les dernières années.

— Merci, M. le psy, mais pour un gars qui n'a besoin de personne dans la vie, je trouve que t'as la *switch of love* à « ON » pas mal !

— Non, non ! Regarde ce que tu fais encore : tu mêles tout. Je t'analyse comme une fille. Moi, mon discours intégral peut être différent de mes désirs profonds, je suis un gars. Je ne suis pas entier et linéaire comme une fille peut l'être. C'est une question de motivation et d'attentes, bien sûr…

De quoi parle-t-il ? Je le regarde, perplexe, pas certaine de bien comprendre le sens de sa dernière affirmation. Comme nous entrons dans l'épicerie, je laisse faire. Mon frère a de ces explications des fois !

Un cœur de ville et un cœur qui bat

Je passe le reste de mes vacances seule. Je réfléchis souvent aux paroles de mon frère. Selon lui, depuis un bout de temps, je me faisais accroire des chimères et il pense que la nature me rattrape… ». Il a peut-être raison, après tout. Sauf pour « …les plantes qui aiment… », je reste un peu sceptique ! Par contre, je n'ai toujours pas saisi sa théorie expliquant que les gars peuvent être non linéaires dans leur pensée, car leur geste n'a pas besoin d'être en lien avec leur désir profond ou je ne sais quoi. Je lui laisse le soin de maintenir en vie cette révélation-choc de mots entremêlés.

J'erre dans le centre-ville montréalais durant deux jours. Le genre de journée où l'on marche sans savoir où l'on va. J'ai la tête légère, je suis zen. Je ne sais pas pourquoi. Le fait de me retrouver comme une petite fourmi dans un nuage de gens me fait du bien. J'ai l'impression d'être ailleurs. La petite fille de la campagne, qui devrait être stressée par le bruit, le klaxon des autos et les gens qui se bousculent, se sent calme dans la jungle. Je contemple les édifices qui grattent le ciel. J'examine les gens à perte de vue qui marchent. J'ai une impression de déjà-vu avec tous les centres-villes dans lesquels j'ai déjà déambulé : Delhi, New York, Lima, Bangkok… Les « cœurs de villes » du monde entier, comme j'aime les appeler, ont tous des « déjà-vu » en commun. Je suis là, debout, dans ces immenses artères animées, à regarder le cœur de la ville battre la chamade…

En arrivant au *condo* après ma deuxième journée de promenade, je me rue comme une folle sur mon ordinateur. Pas pour aller sur Facebook, non…, mais pour consulter mes courriels, et vite ! Zen mais pas tant que ça, vous vous dites ? Mon cœur bat ! Bobby m'a écrit :

« Salut ma puce, tout se déroule bien pour moi. Tu avais raison, l'endroit où je suis me semble très sécuritaire. Je suis dans le camp de base de l'armée canadienne, en dehors des zones de combat. Je me sens bien, quoiqu'un peu dépaysé. Je pense beaucoup à toi depuis mon arrivée ici et à tout ce que tu as pu me raconter lors de ton séjour au Honduras. J'ai l'impression de mieux comprendre de quoi tu parlais lorsque tu me racontais ton voyage. Je fais un spectacle demain et un autre dans deux jours.

J'ai accès à un ordinateur facilement, donc je te donne des nouvelles bientôt. Je t'embrasse fort. Bobby XXXXX »

Je lis le message à trois reprises, très concentrée. Cori, qui sort de sa chambre, s'approche de moi.

— Bobby t'a écrit ? demande-t-elle, l'air compatissant, en analysant le pourquoi de ma lecture si attentive.

— Ouais..., que je réponds, l'air triste.

— C'est le moment, Mali. Fais-lui part de tes impressions maintenant si tu veux pouvoir cheminer durant son départ, me conseille-t-elle.

— Je sais..., que je soupire, pas certaine de vouloir le faire.

J'appuie sur « Répondre » et je scrute mon clavier quelques minutes avant de commencer à écrire :

« Salut Bobby, je suis contente que tout se passe bien pour toi. Bien que je sois très contente d'avoir de tes nouvelles, je crois que ce serait mieux que tu ne me contactes pas pour la durée de ton voyage. Je me questionne présentement sur ce que je désire réellement dans la vie et je commence à croire que la relation que je vis avec toi est un peu contradictoire à mes désirs. Plein de renouveau dans ma vie ! Je ne fais pas une croix définitive sur ta présence dans ma vie, mais j'ai besoin de temps pour réfléchir. L'éloignement m'aidera à voir clair dans ma tête... Porte-toi bien et savoure chaque moment de ton voyage ! Tu le mérites.

Gros becs, Mali XXX »

Je relis le message quelques fois. « Plein de renouveau dans ma vie... ». C'est quoi, ça ? Sans trop réfléchir, je clique sur « Envoyer ». Voilà ! C'est fait... Je suis triste. Mon livre !

La patiente accomplit enfin une action cohérente en lien avec ses paroles. Pour la première fois depuis longtemps, elle pose un geste qui l'aidera à atteindre un certain bien-être affectif. Elle démontre ainsi son réel désir de voir sa situation personnelle évoluer positivement. Les émotions de Mme Allison, associées à ses actions, s'avèrent pour l'instant négatives, mais le temps qui passe lui prouvera que la graine semée aujourd'hui portera ses fruits plus tard…

Pendant ma rédaction, Sacha entre dans le *condo*.

— Je suis tannée d'être une folle, avoue Sacha en s'écrasant sur le divan lourdement après avoir déposé son casque de moto sur la table de cuisine.

— Une folle ? reprend Cori en se laissant choir aussi sur le canapé.

Sacha, l'air stoïque, le regard fixé vers le mur, raconte calmement, mais de façon machinale, ce qui vient de se passer dans sa vie :

— En moto, je me fais toujours klaxonner pour rien par des gros-cochons-pervers-conducteurs-de-camion. À chaque fois, je panique en me demandant si j'ai enfreint une règle du code de la route. Quand je réalise que c'est juste des cons qui ne gèrent pas leurs émotions de voir une fille sur une Harley, ça me rend agressive, vous comprenez ? Je caressais donc le rêve d'un jour aller dire à un de ces gars : « QUOI ? POURQUOI TU ME KLAXONNES, ESPÈCE D'INUTILE DÉCHET DE LA SOCIÉTÉ ? »

En terminant son discours, Sacha crie littéralement l'insulte qu'elle fantasmait de dire au camionneur en brandissant son poing dans les airs. Tout le monde fait un saut en percevant son changement de ton drastique.

— Et ensuite ?

Sacha reprend un ton de voix doux comme si elle ne l'avait jamais haussé. En reprenant sa position figée initiale, elle ajoute :

— J'ai réalisé mon fantasme... et j'ai eu l'air d'une vraie débile mentale.

— Heu... qu'est-ce que t'as fait exactement ? que je demande, craignant la réponse.

— Ah ! rien d'extrême... Comme je me suis retrouvée par hasard à attendre à une lumière rouge juste à côté d'un dix roues qui venait de me klaxonner, j'ai débarqué de ma moto pour grimper comme une hystérique sur le marchepied afin d'aller dire au conducteur ladite phrase fantasmatique. En voyant grimper une folle sur son camion, il a barré la porte et monté la fenêtre en riant de moi avec son passager. En fait, l'ensemble des gens arrêtés à la lumière se torchaient de rire dans leur voiture.

— Ouin..., commente Cori, gênée pour elle.

— Attendez ! Mon humiliation publique ne s'est pas terminée là. Le gars a fini par me faire signe de regarder ma moto. Dans mon hystérie, j'avais mal descendu le pied de support et mon bébé était tombé sur le côté en plein milieu de la route. Je suis retournée en bas et, comme ma moto est trop lourde pour moi, je n'étais pas capable de la relever toute seule. Le gars dans le camion m'a dit en ouvrant sa fenêtre : « Si tu promets de pas me mordre, je vais t'aider. » Je lui ai fait « oui » de la tête étant donné que je barrais la route à environ trente voitures qui se sont toutes mises à klaxonner leur mécontentement en même temps...

Cori et moi la regardons en retenant un éclat de rire puissant. Imaginez Sacha dans cette situation ! Pouah !

— Une peinture neuve pour mon bébé… C'est cher un peu pour une humiliation publique ! maugrée Sacha.

— Y a pas de prix pour réaliser ses fantasmes…, blague Cori en me donnant un coup de coude.

Malgré la péripétie distrayante de Sacha, je remonte à ma chambre, songeuse et morose. Premièrement, à cause de ce que je viens d'écrire, car je le regrette déjà, et deuxièmement, parce que les vacances sont presque terminées et que j'ai l'impression de n'avoir rien fait.

Une bonne dose de You Go !

C'est drôle car, depuis notre cohabitation, je me rends compte que je suis la plus casanière du groupe. Les filles sont toujours parties à gauche, à droite, et je me retrouve souvent seule au *condo*. Je passe ma dernière journée de congé à naviguer sur Facebook. Belle perte de temps, vous dites ? Je suis rendue plus qu'accro. J'y découvre tellement de choses. Imaginez-vous donc que mon premier béguin du secondaire est devenu danseur de tango ! En le voyant dans son petit costume de scène serré, je comprends mieux pourquoi il avait refusé de danser avec moi à la discothèque de fin d'année, en deuxième secondaire…

Et lui, voyons donc ce qu'il est devenu… Quoi ? Le « fumeux de pot » de la polyvalente est rendu pilote d'hélicoptère (je suis vraiment jalouse !). À l'époque, c'était un genre de grunge rebelle qui écoutait du Pennywise ! Une chance, il a fait couper ses cheveux gras, sinon il aurait de la difficulté à voir le tableau de bord de l'appareil. Allons maintenant espionner le gros « rejet » superméchant qui me traitait sans cesse de grande girafe… Ah bon ! il est toujours gros et il a trente-quatre amis Facebook… Bon, certains évoluent bien et d'autres pas !

Je suis dérangée dans ma séance par mon cellulaire qui sonne.

— Allô ?

— Hé ! *It's you* !

— You Go ! T'es où ?

— Déménagé dans mon nouvel appart à quatre stations de métro de chez vous…

— Viens me voir ! Je suis en dépression…

— Encore ? T'étais pas déjà en dépression il y a deux ans, en Gaspésie…

— Certains évoluent et d'autres pas, hein ?

— Je te bottais le derrière dans la péninsule, je te le botterai à Montréal aussi ! J'arrive.

— Youpi !

Je lui confirme mon adresse avant de sauter dans la douche. Juste le fait de savoir qu'Hugo s'en vient me redonne du *pep* !

Il cogne une heure plus tard.

— You Go !

Je lui saute au cou comme s'il venait me libérer de prison.

— Hé ! hé ! Tu sais que je ne suis pas un gars facile, Mali…

— Je suis tellement contente de te voir.

Nous faisons un bilan rapide de nos vies en général pour en venir à nos vies plus personnelles. Je lui fais un résumé de ma situation affective, en lui donnant les derniers détails concernant Bobby.

— Je ne sais pas trop quoi te dire. La dernière fois que nous en avons parlé, tu semblais assumer le fait de ne pas vouloir de *chum* officiellement. Mais là, je vois un changement à l'horizon…

— Ouin, disons…

Il s'approche du tableau que nous avons accroché dans la cuisine.

— C'est quoi, ça ?

— Ah ! c'est notre tableau de communication.

Je lui en explique le but. Il prend la craie en réfléchissant. Il me regarde, un sourire en coin, avant de commencer à écrire. Après deux minutes, il recule de quelques pas.

SA : Occupé par Hugo et Sacha

Date : …quand tu veux, ma chanceuse ! :)

Message : Bravo à Cori, la seule consoeur mature digne de ce nom...

– la grosse Sacha

Sacha est accusée de voies de fait sur la personne d'un trucker... – Cori

Quoi ? Sacha est rendue avec un gros cul ? Et elle massacre des truckers ?

– Hugo

Ne pas oublier :

« Les femmes ressemblent aux girouettes, elles se fixent quand elles se rouillent. »

– Voltaire (Hugo)

— Wow ! Tout un poète ! Et, à ce que je vois, tu fantasmes encore sur Sacha.

— J'avais dormi avec elle, une nuit… Tu te souviens?

— Oui, oui !

— Cette fille semble être chaude, je te jure ! Pourquoi la « grosse Sacha » ? Elle a engraissé ?

— Mais non, c'est un *inside*. Ta citation s'adresse à moi, je parie. Tu me trouves mêlée ?

— Vous êtes toutes mêlées. Je veux ci, je veux ça… Ah non ! finalement, je ne veux plus ci, je ne veux plus ça… Et nous les « tatas », on doit suivre vos pas de danse sans jamais savoir quelle danse vous faites.

— Mon dieu, les grandes métaphores aujourd'hui ! T'es un vrai artiste de la langue française, You Go !

— Je ne sais pas avec une Française, mais avec les Québécoises, y paraît effectivement que je suis un artiste de la langue !

— T'es tellement prévisible avec tes jokes de sexe poches…, que je réponds, les sourcils froncés.

Sacha et Cori reviennent de faire une balade au centre-ville. Cori rencontre Hugo en personne pour la première fois et Sacha semble bien heureuse de le revoir. En se servant un verre de jus, Sacha regarde le tableau.

— Qui a écrit ça ?

Je lui fais « non » de la tête, en levant mes bras en guise de non-responsabilité. Hugo la regarde en lui faisant un grand sourire.

— Ah bon ! Je t'appellerai pour le SA... Et pour le gros cul, regarde toi-même !

— Et le *trucker* lui ? la questionne Hugo, curieux.

— Parle-moi-en pas, le garagiste estime les dommages à 2 000$, explique Sacha en me regardant sans expliquer rien à Hugo.

Elle continue à fixer le tableau avant d'exprimer :

— Pour « les girouettes », c'est vraiment n'importe quoi !

Nous déblatérons un moment en groupe sur le fait que les hommes ne sont pas toujours très branchés non plus. Sacha cite Thierry en exemple, en expliquant à Hugo le contexte de leur relation et de leur rupture.

Évidemment, lorsque Sacha est allée rejoindre Thierry au début des vacances, ils ont rompu. Bizarrement, elle nous a raconté qu'il semblait très mal à l'aise au départ, mais qu'en voyant la réaction calme de Sacha, la rencontre n'avait pas été trop pénible. La rupture semblait la meilleure solution pour l'un comme pour l'autre. Ils avaient pleuré en se serrant dans leurs bras et voilà ! « Comme deux amis qui se séparent pour un long voyage... », nous avait décrit Sacha. Contrairement à son habitude, elle avait réagi sobrement en vivant cette rupture sans amertume et sans trop de tristesse. Hum ! hum ! c'est louche ! De plus, elle semble utiliser abusivement son service de messagerie de cellulaire ces temps-ci.

Vous vous souvenez du phénomène : « Une fille n'ayant qu'un gars en tête tombera amoureuse de lui, car elle n'a rien d'autre à faire » ? On pourrait même ajouter : « Une fille qui se fait larguer, en ayant un autre gars en tête, vivra bien la séparation ». Cependant, j'avoue que cela peut dépendre du contexte. Dans le cas de Sacha, les périodes prolongées d'abstinence sexuelle l'ont aidée à accepter la défaite ! Elle a encaissé le coup et elle s'est relevée, droite et fière, son téléphone cellulaire à la main, pour envoyer un texto… Je suis persuadée qu'elle flirte avec le gars au « beau *look* » de la soirée de débauche consœuriale…

— Il est gai ! conclut Hugo à la fin du récit de Sacha.

— Ben non ! Il n'est pas gai. Voyons donc ! TOI, t'es mon ami gai…

— Je ne suis pas gai ! s'offusque Hugo, en me regardant, l'air piteux, comme si je pouvais l'aider à se défendre.

Je lui adresse un haussement d'épaules en riant.

— Bon, bon ! Il n'y a personne de gai ! tranche Cori, amusée.

— Je m'en trouverai un VRAI ami gai…, pleurniche Sacha, en regardant Hugo comme si elle lui proférait une menace.

— Ton amie est vraiment perturbée ! me dit Hugo à l'oreille, en prenant bien soin que Sacha entende.

Ce soir-là, nous soupons toutes les quatre avec Hugo. Sa fameuse soupe thaïe, encore et encore… Sa présence ici m'apaise. Il apporte une belle énergie dans notre *condo* de consœurs. Naturellement, les filles l'adorent. On devrait fabriquer des « Hugo » à la chaîne en usine.

Âme léthargique rencontre âme exaltée

Depuis maintenant quelques semaines, la routine est recommencée. Le mois d'août est entamé. En me levant ce matin, j'ouvre mon ordinateur dès que je mets le pied hors du lit. Comme tous les matins depuis que j'ai écrit le fameux courriel suicidant mon amour pour Bobby. Pfft ! Je l'assume presque…

Cependant, ce n'est pas un courriel de lui que je retrouve dans ma boîte. C'est le centre de crise pour lequel j'ai postulé il y a quelques semaines. Il me demande de passer une entrevue. Bon, voilà une bonne nouvelle. Les responsables veulent me voir le plus tôt possible, car les besoins sont imminents. Super ! Je leur propose deux plages horaires en après-midi vers la fin de la semaine. Les jours que je n'enseigne pas, en fait.

Ge, qui avait un rendez-vous avec son patron pour planifier son retour au travail, revient au *condo* en fin d'avant-midi.

— As-tu du lithium quelque part, je suis en état de grande exaltation ! me demande-t-elle, visiblement enjouée.

— Ben non ! T'es en épuisement, Ge. C'est des antidépresseurs que tu prends. *Moi*, je suis bipolaire et je *devrais* prendre du lithium ! Ne mêle pas les affaires !

— En tout cas, je capote ! Mon patron avait une belle surprise pour moi : il a décidé d'investir un gros budget dans un projet de recherche. Il veut que je le dirige !

— Une recherche sur quoi ?

— Il veut qu'on tente de trouver un produit liquide qui pourrait s'ajouter à tout aliment afin de contrer les désagréments liés à l'intolérance au lactose.

— C'est si répandu que ça, cette intolérance-là ?

— La prévalence reste à ce jour nébuleuse, mais certaines études disent que ce problème pourrait toucher jusqu'à 25 % des populations européennes et nord-américaines. Et si on parle de l'Asie, l'Afrique ou l'Amérique latine, on estime à plus de 50 % le nombre de gens touchés.

— *My god* ! C'est beaucoup.

— Imagine les retombées économiques mondiales ! C'est ce à quoi mon patron pense.

— OK, c'est bien triste tous ces gens qui souffrent de diarrhée extrême après avoir mangé une lasagne aux trois fromages, mais toi là-dedans ? Pas question que tu embarques de nouveau dans un projet mondial de grande envergure pour te brûler encore…

— Non, Mali ! Tu ne comprends pas. Il n'y a pas de pression, pas de procès, pas de risque d'aller à New York en réclusion pendant des mois. Juste un beau projet de recherche tranquille, où je vais diriger une belle équipe de chercheurs et où on va se creuser la tête ensemble. C'est mon rêve depuis toujours.

— Dans ce cas-là, fonce ! Accepte !

— Déjà fait !

— Ah bon ! Ce n'était pas une consultation, mais une annonce que tu me faisais ! que je la taquine.

— Oui… et, en plus, je vois mon psychiatre en fin d'après-midi. Je vais lui demander d'arrêter mes médicaments.

— Heu… non, ça ne marche pas comme ça, Ge. T'en prends depuis presque six mois.

— Et après ? Je me sens vraiment mieux !

— Je sais… Explique-lui ton état, il va te proposer de commencer une diminution graduelle. Tu connais assez la pharmaco, Ge, pour savoir qu'on a besoin d'un sevrage pour tous les médicaments qui agissent sur le système nerveux central.

— Bien oui, mais je suis tellement contente que je veux vite tourner la page sur cette étape de ma vie.

— Prends ton temps, que je lui conseille en lui tapotant le dos.

— Inquiète-toi pas...

— Un bel après-midi de ménage, ça te dit ? que je lui lance à la blague.

— Oui ! Faisons du ménage ! crie Ge, beaucoup trop enthousiaste.

Décidément, Ge semble vraiment exaltée ! Nous nous coiffons d'un linge à vaisselle en guise de bandeau afin de nous donner un vrai *look* de ménagère. En rigolant, nous nettoyons en dansant sur les chansons d'un poste de radio branché de Montréal. Après une heure trente, la maison paraît impeccable. En terminant une danse lascive respectivement accompagnée de « John le Balai » et de « Stuart la Vadrouille », nous attendons avec impatience la chanson suivante en espérant que ce sera du vieux rock pour pratiquer notre boogie-woogie ! L'animateur radio annonce plutôt une primeur : la nouvelle chanson de Bobby sur son disque à venir... « Donc, chers auditeurs, en exclusivité sur nos ondes : *L'amour voyage* ! »

— Ah ! Bobby sort un nouvel album ! me lance Ge, attentive.

Je ne réponds pas, trop occupée à écouter avec attention ce que je crois être...

« Une dernière fois, dans l'ombre du taxi, lalalala / Ton sourire éclatant, mais juste visible à demi / L'amour voyage et malheureusement toi aussi... »

Je me laisse tomber sur le divan. Ge me rejoint en ne disant rien. Nous continuons d'écouter la ballade.

« Toi tu voyages, et l'amour te suit... »

— C'est vraiment beau..., apprécie Ge, attentive.

J'enlève le linge à vaisselle sur ma tête en fixant le plancher.

Vous vous souvenez de cette chanson ? L'hiver dernier, il m'en avait chanté les premiers jets d'écriture, en m'avouant l'avoir rédigée la fois où je m'étais sauvée de chez lui en plein milieu de la nuit. Le fameux soir où je m'étais avoué que je l'aimais. Le soir où la grande et forte Mali était devenue tout petite et vulnérable... Je ne lui ai jamais demandé par la suite si son producteur avait choisi la chanson pour la mettre sur l'album. Visiblement, c'est le cas. Le premier *single* à sortir à la radio, en plus. Et ce, aujourd'hui...

Je n'ai jamais raconté cette anecdote aux filles, je ne sais pas trop pourquoi. Je me décide à expliquer à Ge l'histoire de cette chanson. Elle m'écoute, les yeux bien ronds.

— C'est donc bien romantique ! râle-t-elle en s'appuyant le dos lourdement au fond du divan.

— Ce n'est pas romantique pantoute, Ge ! Je lui ai demandé de ne plus me contacter...

— Il t'a écrit une chanson, Mali !

— Un instant, les films de princesse ! Je lui ai inspiré une chanson une nuit où j'ai été vraiment folle, c'est différent.

— Peut-être, mais c'est toi la fille qui voyage...

— Non, maintenant c'est lui qui voyage !

Enfin, un souper de la consœurie !

En ce dimanche du mois d'août, nous nous levons toutes les quatre au *condo*. Je livre une révélation-choc aux filles :

— Je m'ennuie de vous autres !

— Ben voyons, Mali ! On vit ensemble, rigole Cori.

— Oui, mais on ne se voit jamais. On se croise un peu le matin, un peu le soir, mais on ne prend jamais le temps. Au moins avant, quand on était loin, on faisait des bilans webcam. Là, je n'ai même pas l'impression d'être au courant de vos vies. Comme il ne se passe rien dans la mienne depuis un bout de temps, j'aimerais bien être nourrie par les vôtres !

— C'est vrai qu'on se parle souvent à la course, réfléchit Ge.

— Et souvent deux à la fois, renchérit Sacha.

— On se fait une soirée de consœurs ce soir.

— Parfait, je vais au gym en après-midi et je reviendrai pour le souper, confirme Cori.

— Super !

Ge et Sacha passent la journée au *condo*. Un tournoi de quilles « extrême » sur la Wii nous occupe une partie de la journée. Nous allons ensuite marcher pour faire les courses. Quand Cori revient, nous prenons le temps de prendre notre temps…

— Comment ça va ? que je demande d'une voix douce et calme.

— Je propose qu'on commence par toi, Mali. Je trouve que tu as l'air d'avoir besoin de nous parler un peu. Comment ça se passe ? demande Sacha sur un ton un peu inquiet.

— Bien, en fait, c'est tranquille. Une belle petite vie tranquille, sans rien d'excitant, sans rien de trop joyeux…

— Donc, tu t'emmerdes ! en déduit Ge, en entendant la description de ma vie plate.

— Mets-en !

— Mais là, tu vas connaître de beaux défis avec ta nouvelle *job*, m'encourage Cori.

— C'est vrai, tu as eu la confirmation de ton emploi au centre de crise !

— Oui, je commence bientôt. J'ai hâte. Mais ce n'est pas l'emploi de l'année : le travail sera exigeant, le salaire en dessous de ce que je fais au cégep… Mon entrevue a duré trois minutes, ils ont tellement besoin de personnel.

— Sinon, comment se porte ton cœur ? demande Ge.

— Des hauts, des bas… Je n'ai jamais eu de nouvelles de Bobby à la suite de mon message. Je me demande si c'était une bonne décision. Je me tourmente à propos de la potentielle réponse qu'il pourrait me faire, à la place de cheminer pour l'oublier. Je suis inquiète de ne pas avoir de ses nouvelles, je regarde les revues à potins au dépanneur en tentant d'en avoir… C'est un échec, ma cure anti-Bobby !

— Tu l'as vraiment dans la peau, hein ? me dit Ge.

— Ton ex-dieu grec n'avait pas tenté de te contacter par Facebook ? s'informe Sacha.

— Oui, je lui parle vraiment souvent. Mais il est loin. Un peu complexe de se voir. Je pense que je ne vous l'avais pas dit, mais il est bel et bien célibataire…

— Tu dois le voir !

— Il est dans la filière treize, je te signale ! que je lui rappelle.

— Pas grave ! C'est un cas de force majeure. Si ça peut te faire plaisir, la consœurie passera au vote. Qui vote en faveur d'autoriser à Mali le droit de forniquer à nouveau avec un gars qui avait été remisé à la filière treize ? revendique Sacha.

Les trois filles lèvent le bras bien haut dans les airs. Je ris.

— Je suppose que je n'ai pas le choix !

— On fait des blagues, mais est-ce que tu as le goût de le revoir ? questionne Cori.

— Oui, je pense que oui. Il vient en visite à Montréal bientôt. Chez son parrain ou je ne sais pas qui…

— C'est bon, sinon rien d'autre pour te divertir ?

— Non…

— Voilà déjà une belle option pour toi ! Faut que tu te remettes à lancer des carottes, Mali…, suggère Cori.

— Je sais…. Bon, quelqu'un d'autre a-t-il des faits savoureux à dévoiler ? Par exemple, Sacha, parle-nous de toi, que je requiers en lui faisant de gros yeux, signifiant ainsi que je la soupçonne de quelque chose.

— Quoi ? Pourquoi tu me regardes comme ça ?

— Vas-y, on t'écoute !

— Bah ! Nicolas…, commence-t-elle en prenant une petite voix d'enfant qui ne veut pas avouer une faute.

— De quoi, Nicolas ? ne comprend pas Cori.

— Le gars du soir de débauche ? se souvient Ge qui a une bonne mémoire.

— Je le savais ! que je crie.

— Hein ? Il se passe quoi avec lui ? demande Cori pour avoir plus d'explications.

— Bien, je suis en train de tomber en amour avec lui par message texte…, explique Sacha, comme si son comportement était normal.

— Ah ! l'amour par message texte, que je répète en souriant, fière d'avoir décelé la présence du « texteur » en question dans la vie de Sacha.

— Je suis vraiment conne ! Je l'ai vu une fois ce soir-là. Depuis, on s'écrit tous les jours et je plane là-dessus comme une enfant d'école, nous confie Sacha.

— Tu ne l'as pas revu une seule fois ?

— Non… Il était parti en vacances presque un mois sur la Côte-Nord, son lieu de naissance. Il est professeur de maths au secondaire, donc il ne travaille pas l'été.

Elle nous raconte plus en détail qu'elle et Nicolas se sont lancés dans une séance de carottage intense au moyen de Telus Mobilité, comme s'ils se fréquentaient depuis plusieurs mois.

— On ne peut pas tomber en amour par message texte, voyons ! exprime Cori, rationnelle.

— Oh oui, madame ! On peut tomber en amour : à distance, par téléphone, par message texte… Bref, n'importe comment. C'est une question de motivation, que j'explique en regardant Coriande, sérieuse.

— Pas moi, en tout cas, réfléchit Cori tout haut.

— Parlant de toi, justement… J'ai la vague impression que tu nous caches quelque chose relativement à ta vie amoureuse, chère consœur : tes nuits on ne sait où, tes sorties secrètes sans détail, ton mutisme sur les hommes depuis un certain temps, ton abstinence le soir de la débauche au *condo*…

— Il ne m'intéressait pas ce gars-là, c'est tout, proclame-t-elle.

— C'est vrai, Cori, que tu sembles ailleurs ces temps-ci, renchérit Ge.

Cori reste silencieuse un moment en nous regardant, un sourire en coin.

— Vous êtes vraiment intuitives. Ben, disons que j'ai rencontré quelqu'un. Je suis juste pas prête à vous le présenter encore. Je ne suis pas certaine de ce qui va se passer, nous admet-elle.

— Hein ? Un potentiel *big buck* ? Tu l'as rencontré où ? se surprend Sacha, qui ne semblait pas avoir remarqué ce à quoi nous faisions allusion.

— Heu… au nouveau gym où je vais.

— Parle-nous de lui un peu, s'enquiert Ge.

— Bien… il est gentil, sportif, il travaille dans… la vente d'ordinateurs.

— Ouin… méchante cachottière ! laisse tomber Sacha.

— Mais moi, les filles, je veux vous dire que la modification de la consœurie, je l'ai assimilée. J'ai passé du temps avec Julie à Québec durant les vacances et ça m'a donné un coup de la voir heureuse avec sa petite famille.

Julie est une amie d'enfance qui venait à la polyvalente avec nous. Elle et Coriande sont toujours restées très proches depuis cette époque. Cori va souvent à Québec pour ses différentes compétitions sportives, elle voit donc souvent Julie dans ses temps libres. Il y a quelques mois, Julie a eu un petit garçon nommé Victor.

— Je lui ai parlé sur Facebook avant-hier justement ! Elle va super bien et bébé aussi, que je colporte aux filles.

— Bref, de passer du temps avec eux m'a fait prendre conscience que je veux vraiment des enfants. Je veux un *chum*, je veux une maison…

— Tu désires ça depuis toujours Coriande, on le sait…

— Mais maintenant, je me sens prête. Je ne veux pas brusquer l'avenir, pas aller trop vite, mais je sais ce que je veux.

— Je t'écoute et je m'aperçois que moi aussi j'envisage cette option…, atteste Sacha, l'air convaincu.

— Pour vrai ? fait Ge avec étonnement en regardant Sacha.

— Ben là… peut-être pas les enfants, mais le *chum* et la maison, disons, se reprend Sacha, consciente de son exagération.

— Mon frère m'a fait une remarque quand je l'ai vu durant les vacances. Il me disait que j'essayais de me faire croire que je ne voulais pas de couple, mais que c'était contre nature et que ça me rattrapait. Il m'a ensuite sorti une phrase incompréhensible : il affirme que, lui, il a le droit d'être incohérent entre sa pensée et ses gestes parce qu'il est un gars…

— Hein ! De quoi il parle ? riposte Sacha, amusée.

— Qu'est-ce qu'il a dit exactement ? s'intéresse Coriande, curieuse elle aussi.

Ge répond à ma place.

— Ton charmant frère n'a jamais voulu de blonde de toute façon, alors les analyses venant de lui peuvent s'avérer douteuses selon moi ! exprime-t-elle.

— Je sais bien ! Toi Ge, il se passe quoi ?

— C'est vrai qu'on ne se parlait pas trop en profondeur ; j'ai fait une rencontre et je ne l'ai dit à personne…

— BON ! Vous voyez que cette consœurie manque réellement de communication ! que je crie avec un ton mêlé de reproches et d'excitation.

— C'est qui ? C'est qui ? frétille Cori.

— Un gibier du site de rencontre…, s'aventure Ge.

— Description s'il vous plaît, fait Sacha avec une voix de secrétaire qui doit prendre des notes.

— Grand spécimen, intelligent, très charmant. Il est agent immobilier et il habite la Rive-Sud. On n'a pas encore eu de relations, on en est au troisième rendez-vous…

— Troisième rendez-vous ? Il était temps que tu nous en parles, en effet ! s'exclame Sacha.

— Quel âge ? questionne Sacha.

— Justement, parlant de ça, il présente quelques bémols : quarante-quatre ans, deux enfants et... il s'appelle Jacques.

— Ah ! Jacques, répète tranquillement Cori, comme si elle devait le prononcer pour se familiariser.

— Pas marié toujours ?

— Ben non, ben non ! On parle d'évolution depuis tantôt, je suis là-dedans aussi ! rigole Ge.

Ge nous raconte en rafale les nombreuses conversations qu'elle a eues avec lui, ses deux rendez-vous. Il semble être un bon parti. Un peu vieux par contre, mais bon, je vais attendre la présentation officielle avant de juger.

— Bon ! C'est super ! J'appuie Mali pour dire qu'il faut prendre du temps ensemble plus souvent, brandit Sacha en s'apercevant aussi qu'elle avait perdu de grands bouts de la vie des filles.

— Est-ce qu'on en profite pour planifier le voyage de pêche du dernier week-end d'août ? que je lance.

— Bonne idée ! répondent-elles en chœur.

— On part toujours le vendredi matin ? s'assure Ge.

— Oui, j'ai pris mon congé, confirme Cori.

Nous discutons du projet avec excitation durant presque tout le reste du repas.

Voyage de pêche ou de chasse?

En moins de temps qu'il n'en faut pour le dire, nous nous retrouvons deux semaines plus tard chez mes parents, en Estrie, à mettre la dernière main aux préparatifs pour le grand départ. Les filles sont venues me rejoindre ce matin, car je suis arrivée hier pour voir mes parents. Comme à chaque année, le même branle-bas de combat a lieu…

— Faut acheter des piles. Je vous rappelle qu'on a manqué d'éclairage l'an dernier, nous rappelle Cori.

— C'est vrai… et deux sacs de glace supplémentaires. Ça aussi, on en a manqué l'été dernier, que je précise.

— Oui, mais si on n'avait pas vidé un vingt-six onces de gin avant même de défaire les bagages, on n'en aurait PAS manqué…, rajoute Sacha en souvenir de notre « cuite précoce » de l'année précédente.

— Ah non ! j'ai oublié d'acheter mon permis de pêche, pleurniche Ge.

— Pas grave ! On n'aura pas le temps de pêcher de toute façon…, souligne Sacha en faisant le signe « non » de la tête.

— Tu l'achèteras au dépanneur du petit village avant de prendre le chemin de terre, que je solutionne.

Vous avez des images de déjà-vu ? Moi aussi, parce que c'est pareil chaque été ! C'est un peu comme la publicité télé des fromages du Québec durant le temps des fêtes, où le gars raconte que, chez lui, Noël se déroule toujours de la même manière : « Grand-mère sera contente que tout le monde soit réuni pour les fêtes… ma tante Gisèle apportera le plateau de fromages et elle dira : "On fait-tu des bons fromages au Québec"… ».

Pour notre pub, on pourrait plutôt dire : « …nous finissons par quitter le domicile de mes parents deux heures après l'heure prévue… Mon père, découragé, nous regarde sortir de la cour en nous envoyant la main… Sacha nous dit qu'on n'aura pas le temps de pêcher… ».

L'arrivée là-bas se déroule cependant différemment. Comme il n'y a pas belle lurette que nous nous sommes vues, nous optons pour l'option « stratégique et intelligente », au lieu de l'option « alcooliques finies » ! C'est-à-dire qu'on s'installe adéquatement avant de faire des *cocktails* de toutes sortes !

Après une heure de bourdonnement dans une chaleur suffocante, un arrêt s'impose. En débutant notre pause « Miller » bien méritée, nous apercevons au loin un véhicule qui se dirige vers nous dans le petit chemin de terre battue. Une jeep décapotable transportant une chaloupe s'arrête devant nous. Le conducteur nous aborde.

— Salut ! On cherche le terrain numéro soixante-treize.

Je me lève pour m'approcher de la jeep. Le conducteur, une belle bête trentenaire, me sourit de toutes ses dents. Deux autres spécimens tout aussi trentenaires se trouvent dans le véhicule avec lui.

— Allô ! Le soixante-treize, c'est juste à quatre terrains d'ici, à droite.

— Parfait, c'est la propriété de mon oncle, on vient ici entre gars quelques jours pour nos vacances…

— Ah ! super ! Nous aussi, c'est notre voyage de pêche entre filles ! que je réponds, charmante.

— Ha ! ha ! ha ! « Pêche entre filles » !, rit sans scrupules le gars assis à l'arrière.

Je me déplace le cou pour le voir au complet et je lui réponds du tac au tac.

— Qu'est-ce que j'ai dit de drôle ?

— Ben voyons, des filles à la pêche, c'est quoi ça ? Des filles à la chasse tant qu'à y être ! Ha ! ha ! ha !

S'ils savaient…

Je me retourne vers les consœurs et je leur lance fort :

— Les filles, on a un étranger ici qui rit de notre projet de vacances…

Cori enchaîne :

— Dis-leur qu'ils viennent avec nous en chaloupe demain, on verra qui va rire de qui !

Le passager à côté du conducteur nous nargue :

— Les filles, les filles ! Vous ne voulez pas être humiliées de même durant vos vacances, non ?

— Y a des moustiques, des vers de terre… Vous allez vous briser un ongle…, ajoute le gars à l'arrière du véhicule.

Voyant une potentielle situation de défi amusant, les filles approchent. Au même moment, le conducteur me regarde en souriant :

— Excuse mes amis, ils manquent de classe. Je ne les sors pas souvent !

— Mais moi, je serais partante pour une petite gageure…, ajoute Ge en étudiant la bête assise à l'arrière avec attention.

— Regardez, les filles : on trouve le terrain de mon oncle et on revient prendre une bière avec vous pour en discuter…

— Super, que je réponds en examinant attentivement le conducteur.

En revenant vers le camp, silencieuses, nous attendons que le véhicule ait tourné la courbe du chemin de terre avant de manifester notre engouement.

— *My god* ! C'est la première fois que je vois du gibier ici autre que des vrais chevreuils ! que je déclare, enthousiaste.

— Le gars en arrière est vraiment *cute* ! certifie Ge.

— Je songe à celui qui conduisait. Heu ! je ne l'ai pas bien vu, en fait. Vous savez, avec les lunettes de soleil, la casquette… Il me semble mignon, mais je ne suis pas certaine de moi.

— Les filles ! On vient ici pour faire le point d'habitude, pas pour chasser, dit Cori en souriant.

— On a le temps de tout faire ça ! Si on ne pêche pas, bien sûr…, rabâche Sacha.

Un défi de taille ou de nombre

À peine une heure plus tard, les gars nous rejoignent à pied, une bière à la main. Nous les invitons à s'asseoir sur la terrasse du camp. Après une brève présentation, Jean-François – qui était assis à l'arrière – nous lance un défi.

— Vous êtes là pour combien de temps, les filles ?

— Jusqu'à dimanche matin, confirme Ge.

— Moi, je propose un beau concours de pêche : les gars contre les filles demain !

— Parfait ! Sur la grosseur ou le nombre ? demande Cori, enjouée.

— Heu… disons le nombre. Mais on doit rejeter à l'eau les prises en dessous des grosseurs réglementaires.

— Par contre, on respecte les quotas du lac…, que je précise.

— Ha ! ha ! ha ! Elles pensent atteindre les quotas ! rigole Jason – le passager avant – en donnant un coup de coude à Jean-François.

Tommy, qui conduisait la jeep, m'épie sans rien dire en souriant de la tournure des évènements.

— C'est bon ! que je spécifie à Jason.

— D'accord. Et pas de triche, on va vous surveiller, lance Sacha, qui semble tout d'un coup avoir envie de pêcher.

— Mais vous, vous êtes quatre…, soulève Tommy.

— On va prendre les prises de trois. Sacha est la conductrice habituellement ! explique Ge en faisant un clin d'œil à celle-ci.

— On va vous surveiller encore plus dans ce cas, nous garantit Jean-François, un sourire en coin.

— Quelle est la gageure ?

— Heu… il nous faut un beau défi…

— J'ai une idée, explique Jason. L'équipe qui perd doit prendre un bain de minuit demain soir…

— Pas tout nu ! que je m'oppose sans hésiter.

— Ben non quand même, en sous-vêtements, concède Jean-François.

Les filles se regardent, hésitantes. C'est un gros défi ! Se mettre en petite tenue, en pleine nuit, devant trois inconnus… Nous voyant hésiter, Cori se prononce pour le groupe.

— Les filles, on va gagner de toute façon ! Marché conclu !

— Super ! Vous êtes mieux de vous lever tôt !

Les gars restent avec nous une partie de l'après-midi. Finalement, après avoir analysé la bête de plus près, Tommy paraît bien gentil, mais il n'est pas mon genre. Il ne m'attire pas physiquement. Ge semble cependant bien s'entendre avec Jean-François. Tant mieux ! Comme elle vient tout juste de rencontrer quelqu'un sur le site Internet, elle peut rester disponible pour d'autres options. Lorsque les gars nous quittent en fin d'après-midi, nous en profitons pour effectuer un tour de table concernant les « dossiers masculins actifs ».

— Et puis, Ge, t'en es où côté mec ? s'informe Sacha en s'assoyant sur une bûche près de la terrasse du camp.

— Bien, je trouve Jean-François pas mal *cool* !

— Pas lui, voyons ! Ton gars sur le site de rencontre…, réplique Sacha, un bras en l'air.

— Jacques, prononce tranquillement Coriande.

— Vous vous souvenez de son nom en tout cas, fait Ge, un peu agacée.

— Facile ! J'ai un oncle qui s'appelle Jacques, que j'ironise.

— Hein ! Moi aussi ! s'exclame Cori.

— Bon ! Ça ne l'aide pas à être crédible, remarque Ge en formant une moue hésitante.

— Tu l'as revu ? s'informe Sacha pour ramener la conversation à l'essentiel.

— Oui, deux fois : on est allés souper… et j'ai dormi chez lui…

— Et puis ?

— C'était bien. Les hommes d'expérience ont l'avantage de connaître les femmes. On s'est lovés, on a pris notre temps, la règle des cinq reste effective, mais je pense qu'on peut avoir du plaisir ensemble.

— Tu vois un potentiel de BB ? questionne Sacha.

— Heu… pour le *big buck*, je ne sais pas. Trop tôt pour le dire, mais lui, il semble croire que je suis une « BF ». Il prend soin de moi, il est attentif, séducteur…, explique Ge.

— Une BF pour « Big Femme » ?

— C'est moi, ça ? déconne Sacha.

— Ben non ! Une *big femal* ! Voyons !

— Ouache ! Ça fait toutoune néandertalienne, ton affaire. Dans le temps où les hommes choisissaient leur femme selon leur carrure d'épaules pour augmenter leurs chances de survie en forêt, que je rigole.

— Bref, on passe du bon temps ensemble, mais je le connais peu. À suivre…, clôture Ge.

— Toi, Sacha ? Comment va ta nouvelle relation par message texte ? Celle sans contact humain, là…, raille Cori.

— Bien, parti comme ça, je pense qu'il va me demander en mariage sans qu'on se soit revus ! On fusionne beaucoup, confesse-t-elle, pleine d'autodérision.

— Toujours par message texte ? s'assure Cori en faisant mine de vouloir être certaine de bien comprendre.

— Oui. Il revient demain d'ailleurs, donc je vais le voir à mon retour.

— Moi aussi, je verrai mon dieu grec bientôt…, que je déclare.

— Hein ? Quand ? crient les filles.

— Je ne sais pas précisément, mais comme je vous l'ai dit, il viendra en ville au mois de septembre…

— C'est quoi son nom déjà ? Tu l'appelles toujours « dieu grec », demande Sacha.

— C'est vrai, je pense que je n'ai jamais su son nom, renchérit Ge.

— Ed ! Bien, Edward. L'homme aux immenses mains d'argent…, que je réfléchis en regardant vers la forêt, songeuse.

— Comme dans *Twilight* ! pleurniche Sacha.

— Heu… arrête de regarder des films pour ados, toi ! l'insulte Ge.

Sacha lui concocte une moue agressive en ne répliquant pas à son commentaire.

— T'es excitée de le revoir ? vérifie Cori, qui semble ressentir que je vis le tout un peu bizarrement.

— Je ne sais pas trop. Vous vous souvenez comment j'ai été démolie quand il m'a larguée ? Je me demande si des pointes de frustration ne reviendront pas me hanter lors de nos retrouvailles, que j'avoue.

— Oui, c'est possible. Les souffrances du passé font souvent rejaillir des flots d'amertume, affirme Sacha sur un ton poétique.

— Émile Nelligan sort de ce corps ! s'esclaffe Ge en faisant une croix avec ses mains.

— Laisse-moi donc tranquille, madame j'écoute *Twilight* en cachette et qui fait semblant que non devant les gens..., lui relance Sacha, la langue sortie.

— J'écoute pas *Twilight* ! crie Ge en lançant à Sacha une petite branche prise au sol près de sa chaise.

— Voyons ! Vous êtes donc bien tannantes avec ça ! s'offusque Cori.

— T'as raison, Sacha. Je ne veux pas avoir d'arrière-pensées et lui faire payer cette souffrance par la bande, vous comprenez ? que j'analyse en revenant au sujet.

— Tu vas voir comment tu te sens avec le temps..., ajoute Cori.

— Je le sais... mais l'inconscient nous joue des tours parfois, que je souligne.

— Parlant de conscience : tu dois commencer à te sentir mal, Coriande, de fréquenter un gars sans le présenter à la consœurie. L'organisation pourrait t'en vouloir, menace Ge en la regardant.

— Ah non ! Ma conscience va très bien, merci de t'en soucier, nargue Cori en faisant un large sourire à Ge.

Au moment où le sujet semble se diriger vers Cori et son gars du gym, les gibiers du soixante-treize reviennent de leur promenade en jeep.

— Hé ! que votre vie semble pleine de rebondissements ! blague un des gars en constatant que nous sommes encore assises à la même place à boire un verre.

— Ça suffit ! Gérez vos vacances, on va gérer les nôtres ! suggère Sacha en souriant.

— On fera un feu plus tard, venez nous rejoindre au soixante-treize, propose Jean-François.

— On ne fraternise pas avec l'équipe rivale d'habitude, ironise Cori en faisant un signe de désolation des épaules.

— Pfft ! Les filles ! Les filles ! Justement, on se sent mal face à votre future défaite, donc on veut détendre l'atmosphère en sympathisant un peu, lance Jason.

— C'est bon, on passera peut-être plus tard si on a le temps, fait Ge en feignant un air désintéressé.

— Parfait ! *Si* vous avez le temps…, répète Jean-François en semblant s'amuser de notre autosuffisance groupale.

Les gars repartent. Nous regardons le véhicule s'éloigner lorsque Sacha chuchote à Ge.

— Je suis sûre que t'écoutes *Twilight* en cachette dans le SA !

— Vous êtes fatigantes, vous deux ! que je prononce, impatiente, en levant les yeux au ciel.

Tournoi de pêche

La montre de Cori nous réveille à sept heures pile. *Let's go* ! Une chance, j'ai quand même été sage hier soir. Les gars, eux, paraissaient visiblement sur le *party*. Lorsque Cori et moi avons quitté le feu à minuit, l'ambiance présageait la débauche. Ge et Sacha sont rentrées très tard, disons.

— *Fuck* ! On vient de se coucher, baragouine Sacha en se mettant un oreiller sur la tête.

— Allez, debout les filles ! On a un défi à relever ! que je proclame en enfilant un jogging grossièrement coupé à la hauteur des genoux.

— Oubliez-moi, je reste couchée, annonce Sacha, un peu marabout.

Cori et moi sortons au grand air pour respirer à plein nez l'odeur de la journée qui se lève en forêt. Les arômes qui se dégagent de la nature le matin sont particuliers. La terre moite, la végétation florissante… hum ! De quoi rendre de bonne humeur n'importe qui. L'humidité des lieux, combinée au soleil déjà puissant de la fin août, nous permet de deviner que la journée sera chaude et suintante.

En prenant trois grosses bouffées d'air, les mains sur les hanches, je permets à quelques moustiques sans-gêne d'entrer dans ma bouche. Après les avoir bruyamment crachés, je m'essuie la bouche en disant :

— Voyons ! Ils ont le don de saboter ma belle matinée, eux autres ! Où est le chasse-moustiques ? que je demande, en faisant aller brusquement mes mains de gauche à droite pour éloigner toutes les bêtes qui m'ont prise d'attaque en groupe.

Cori, amusée, me montre la voiture avant de prendre l'initiative de sortir le poêle au propane à l'extérieur afin de ne pas réveiller les filles. J'allume un petit feu express pour nos rôties matinales.

— Je pense qu'on va devoir relever le défi à deux, constate Cori, déçue, en nous servant un bon café.

— Non, non ! qui me traite de lâcheuse ? râle Ge en sortant du camp, l'air endormi.

— Ah ! une troisième candidate ! Parle-moi de ça ! Café ?

— Un double, oui ! Voyons, y a donc ben des moustiques ! crie Ge, agressée, car elle déteste les insectes.

Compatissante, je lui lance la bouteille de chasse-moustiques qu'elle attrape au vol.

Quarante-cinq minutes plus tard, nous sommes près du lac en train de mettre l'embarcation à l'eau.

— Merde, ce sont eux là-bas ? se surprend Cori en regardant vers l'étendue d'eau.

En scrutant le large, je constate également la présence d'une embarcation au loin, mais je suis incapable de discerner qui s'y trouve.

— Impossible ! dit Ge. Quand Jean-François est venu me reconduire hier, à trois heures du matin, les gars ouvraient une autre bouteille de gin…

— Il est venu te reconduire ? Intéressant ! exprime Cori en s'affairant à placer le matériel de pêche dans la chaloupe.

— On a « frenché » un peu… Heu… pas mal…, avoue Ge.

— Sacha est restée là ?

— Oui, elle avait du *fun*, elle.

— Elle a « frenché » elle aussi ? que je déduis.

— Non, je ne pense pas. Elle semblait juste avoir du plaisir à déconner avec les gars, explique Ge.

— Je ne l'ai pas entendue rentrer, que j'avoue.

— Moi non plus.

— Bon, Ge, embarque, on va pousser…

Nous convenons en équipe de stratégiquement nous diriger assez près de l'embarcation déjà sur le lac afin d'affirmer ou d'infirmer la présence de nos rivaux. En approchant discrètement, nous entendons distinctement la voix des gars qui résonne jusque dans le flanc des montagnes qui longent le lac.

— Ce sont vraiment eux ! J'ai peine à y croire.

— Bon, on se fait discrètes. On va aller de l'autre côté des rochers. C'est une bonne zone de pêche habituellement, dis-je en ne parlant pas trop fort.

L'avant-midi est fructueux pour Ge, qui réussit à attraper trois achigans assez gros. Cori prend un magnifique doré d'environ cinquante centimètres. Rien pour moi. Nous sommes en train de dîner sur l'eau en prenant une bière lorsque nous percevons le bruit d'une embarcation à moteur approcher derrière les rochers.

— Ce sont eux, j'en suis certaine. Laisse la chaîne de poissons à l'eau, on leur fait croire qu'on n'a rien pris !

— Parfait !

Les gars s'avancent pour faire la conversation, mais surtout pour tenter de savoir comment va la pêche de notre côté. Je joue habilement la comédie de la fille qui connaît le lac par cœur, mais qui semble déçue, car les coins habituels ne sont pas aussi fructueux qu'à l'habitude. Les gars se vantent alors abondamment en nous montrant avec hâte les deux prises qu'ils ont : deux achigans.

— Vous êtes chanceux ; nous, ça va pas du tout..., rajoute Ge, l'air désappointé.

— Bon, on vous laisse ! Tâchez de faire mieux cet après-midi, et préparez-vous mentalement à mettre vos sous-vêtements *sexy* ce soir pour nous faire une danse sur la plage, rigole Jean-François, macho.

— Pfft ! Un instant, il n'a jamais été question de « danse », et encore moins de sous-vêtements *sexy*, que je précise, ferme.

— Ne prenez pas vos rêves pour la réalité ! À la pêche, on porte juste des grosses bobettes à panneau beige de grand-mère de toute façon ! Maintenant, filez ! Vous nous dérangez, rajoute Cori.

— Ark ! Des grosses bobettes beiges..., commentent-ils, déçus.

Les gars s'éloignent en faisant des signes de la main et en bombant le torse. Nous restons dans la même zone du lac durant tout l'après-midi. Nous récoltons trois autres dorés et un autre achigan. En revenant au camp, nous espérons que le tout sera suffisant pour gagner.

Le verdict des poissons...

En comptant les poissons, quand les gars reviennent vers dix-huit heures, nous constatons que leur seau contient : ...trois, quatre, cinq poissons. On en a sept ! *Yes* ! C'est gagné ! Je rigole en donnant un coup de coude discret à Cori.

— Et vous ? Montrez-nous ? scande un des gars, l'air fier.

J'ouvre délicatement le couvercle de notre récipient en ne disant pas un mot. Ils s'approchent.

— ...quatre, cinq, six... merde ! Vous n'avez pas pris ça seulement cet après-midi ?

— On en avait déjà trois quand vous êtes venus nous espionner, dévoile Ge avec un sourire espiègle.

— Ce n'est pas légal de mentir ! pleurniche Jean-François, l'air abattu.

— Donc, messieurs, le défi aura lieu à vingt et une heures pile, au petit lac près d'ici. Si je me souviens bien, vous parliez de danse en sous-vêtements *sexy*, c'est bien ça ? fantasme Ge, l'air innocent.

— Pfft ! répond Jean-François en donnant un coup de tête vers le haut.

On célèbre en se tapant dans les mains, fières de notre coup. Victoire ! Sacha, assise sur une chaise de camping, siffle avec deux doigts en guise d'encouragement.

— Elle n'a pas le droit d'être là, elle ! Pas de pêche, pas de bobettes *sexy* ! dénonce Jason en parlant de Sacha.

— Pas grave ! Tu te cacheras dans le bois pour bien voir le spectacle, conseille Ge en tapotant l'épaule de Sacha.

— Oui, en faisant un beau petit vidéo pour mettre sur YouTube ! complote Cori en grimaçant en direction de Jason.

— On se calme ! conteste celui-ci en levant une main en l'air en signe d'opposition à l'idée proposée par Coriande.

Le verdict des gibiers...

Sur le chemin du retour vers Montréal, les filles se remémorent avec joie le moment du paiement de ladite gageure.

— C'est fou comment des grands gaillards volubiles et confiants semblent devenir tout petits dans un moment de vulnérabilité, remarque Cori.

— Mets-en ! Le plus à l'aise, c'était Tommy...

— C'est aussi lui qui a été la moins grande gueule.

Bien que les gars s'étaient promenés en maillot de bain et torse nu durant les vacances, lorsque le moment était venu de se déshabiller pour sauter à l'eau, ils avaient tous semblé hyper-timides. Nous avions vraiment ri. Ge avait pris le tuyau d'arrosage qui sert à rincer les bateaux pour les asperger d'eau froide sur le quai avant que ceux-ci n'aient le temps de plonger. Très drôle !

Ge a fraternisé avec Jean-François plus intimement. En d'autres mots, elle s'est tapée le gars en question, un peu soûle, en pleine forêt, dans la nuit de samedi. Je vous rappelle que je parle ici de la même fille qui a une « phobie spécifique » des bestioles ! Dur à croire ! Cori avait semblé développer une certaine complicité avec Jason, mais rien ne s'est passé. Sacha, tranquille, s'est remise de sa cuite du premier soir pendant les deux autres jours de vacances. Pour ma part, j'ai songé à Bobby, en silence, en me rappelant avec nostalgie les beaux moments que nous avions passés ensemble là-bas, au mois d'août dernier, lorsque les filles l'avaient invité en surprise. Je me demande s'il reviendra bientôt au pays ? Décidément, je semble incapable de le sortir de ma boîte crânienne.

Se confronter pour mieux apprécier...

Ce matin, je sirote doucement mon thé au jasmin sur la terrasse du *condo* en jogging et en coton ouaté. L'air automnal de la mi-septembre rend les matinées un peu plus fraîches malgré l'ensoleillement. Il y a déjà trois semaines que nous sommes revenues de la pêche. En épiant les gens passer dans la rue, je me remémore l'intervention de la veille au centre de crise en me demandant si j'ai bien fait tout ce qu'il fallait...

J'ai débuté mon nouvel emploi au centre de crise dès notre retour du week-end entre filles. J'y travaille en théorie deux soirées par semaine, soit le mercredi et le jeudi jusqu'à minuit. Comme j'enseigne les lundis et mardis, mes semaines s'avèrent bien remplies. Les modalités techniques de l'emploi sont relativement simples. Au début du quart de travail, je me rends dans les locaux d'un Centre de santé et de services sociaux de l'île de Montréal pour rejoindre les autres intervenants de garde. Ensuite, nous attendons les appels des policiers. Lorsque ceux-ci croient qu'une intervention concerne des gens ayant un problème de santé mentale quelconque, ils nous contactent. Dans le cas échéant, nous nous déplaçons en taxi pour tenter de les aider à désamorcer la situation de crise.

Hier, les policiers nous ont alertés à dix-neuf heures au sujet d'un homme qui avait eu une altercation physique avec un client dans un bar miteux de Montréal-Nord. En arrivant sur les lieux, mon partenaire d'intervention et moi avons rapidement constaté que l'homme en question semblait troublé. Il paraissait intoxiqué et il gesticulait agressivement. Comme la présence masculine environnante semblait le contrarier, mon collègue m'a proposé de mener seule l'intervention, un peu en retrait de tout le monde, afin de le convaincre de se rendre à l'hôpital sans opposer de résistance. Après trente minutes de discussion dans un parc adjacent au bar, l'homme s'est effondré sur un banc en m'avouant ses idées suicidaires sérieuses. Je l'ai écouté attentivement en le rassurant pour ensuite l'accompagner à l'hôpital avec les policiers. Sans le service pour lequel je travaille, cet homme aurait probablement été transporté en détention préventive jusqu'à sa comparution devant un juge le lendemain matin. Dans son cas, le besoin d'un suivi psychiatrique primait sur le fait de lui intenter des accusations d'avoir troublé la paix. Après un bref compte rendu au médecin psychiatre de garde, un taxi nous a ramenés, mon collègue et moi, au bureau.

Le fait de côtoyer de si près toutes sortes de souffrance humaine me fait réfléchir. Je songe souvent à la chance que j'ai d'avoir grandi dans une famille aimante et d'avoir fréquenté pendant longtemps le système scolaire afin de m'instruire.

Parfois, je trouve mes soirées pénibles, les deux pieds dans le feu de l'action, mais lorsque je reviens au *condo*, mon environnement me paraît doux et paisible. Une petite confrontation entre ces deux réalités me permet d'apprécier réellement ce que je possède.

Cet état « d'appréciation extrême » aidait mon cheminement face à Bobby, jusqu'à ce matin. Selon mon décompte spéculatif, il doit être revenu au Québec depuis quelques jours. Je n'ai pas tenté de le contacter et lui non plus, d'ailleurs... Voilà la partie un peu plus triste dans cette histoire. J'avoue que j'aurais apprécié un tout petit signe de vie de sa part. Qu'il pose des questions, du moins ! Je sais, je lui ai écrit un beau courriel lui demandant de ne pas me donner de nouvelles, mais il avait juste à ne pas m'écouter ! Depuis quand fait-on à la lettre ce que les gens nous disent ? Quand ça fait notre affaire... Voilà ce que je rumine depuis ce matin sur la terrasse. Il a vu mon courriel, ça faisait probablement son affaire de ne pas me réécrire. Pourquoi ? Peut-être qu'il cherchait un moyen de mettre un terme à notre « relation satisfaisante » depuis déjà un moment et qu'il ne savait pas comment s'y prendre. Il a lu le courriel et il s'est dit : « Bon, super ! Une chose de réglée ! » Il ne veut pas avoir de détails ? Ouf ! il prend beaucoup de place dans ma tête ce matin.

Mme Allison cheminait bien depuis quelque temps, mais ce matin, sans raison apparente, elle semble en rechute. Elle rumine encore des conclusions spéculatrices sur l'état émotif et les réactions cognitives d'un homme. La patiente imagine les scénarios qui la font souffrir afin de se confronter. Selon mon jugement clinique, elle possède une santé mentale suffisamment stable pour être consciente que cet exercice est destructeur pour elle. Elle doit immédiatement concentrer ses énergies ailleurs.

Ge me rejoint sur la terrasse au moment où je ferme mon livre.

— Qu'est-ce que tu écris dans ce livre ? me demande-t-elle, curieuse.

— À quel point je suis folle…

— Non, pour vrai.

— Bien, c'est vrai ! Quand je divague ou que je sens que j'ai un comportement inadéquat, je prends du recul, je m'analyse et j'écris mes quatre vérités pour que je prenne conscience de ce que je fais.

— Tu réussis à être objective ?

— Je ne sais pas trop… mais j'aime croire que oui.

— Qu'est-ce que tu fais aujourd'hui ?

— Rien, c'est ma journée de congé.

— On se fait un entraînement sur la Wii ?

— Bonne idée ! Je venais justement d'écrire que je devais me concentrer sur une autre activité pour arrêter de penser…

— Tu pensais à quoi ?

— Ah ! rien… Tu viens ? que je mens en me levant pour entrer à l'intérieur.

L'échelle de «tombage en amour»?

Les filles reviennent à tour de rôle de leur journée de travail en fin d'après-midi. Ge et moi en sommes à notre sixième partie de quilles sur la Wii (double problématique d'abus et de dépendance !) lorsque Cori pénètre dans le salon.

— Bon... Qu'est-ce que je vois là encore ? La Wii est supposée servir à vous entraîner, pas à pratiquer des loisirs de mononcle..., souligne-t-elle, les mains sur les hanches en constatant le jeu apparaissant à l'écran.

— Eille ! Arrête, j'ai fait six abats en ligne tout à l'heure. C'est du sport, ça ! réplique Ge, enthousiaste, en lançant sa dernière boule de la partie.

— Vous faites quoi ce soir ? demande Sacha en entrant à son tour dans la pièce.

— Rien au programme, répond Ge.

— Moi non plus !

— *Niet* ! fait Cori.

— Super, on se concocte un souper de tapas ?

— C'est bon, ça ! que j'approuve, avant de faire un mouvement avec ma manette pour projeter à mon tour ma dernière boule de quilles.

— ABAT ! T'es cassée Ge ! Je gagne encore !

— Zut ! Tu te pratiques la nuit ou quoi ? insinue Ge, l'air abattu.

Nous rejoignons les filles à l'îlot.

— Grosse semaine ! que je généralise, à mi-chemin entre la révélation et la question.

— Bien moi, je suis brûlée ! J'ai vu mon amoureux deux fois cette semaine et on s'est couchés tard..., explique Sacha.

— Ton amoureux ? reprend Cori, suspicieuse.

— Eh oui ! Mon amoureux ! Il est tellement parfait !

— Bon... Toi, tu tombes en amour avec tout le monde ! rigole Ge en sortant quatre bières du frigo.

— Hé ! hé ! Pas *tout* le monde ! Juste la totalité des gars qui me donnent un peu d'attention, exagère Sacha en sachant très bien ce à quoi Ge fait allusion.

— Je ne comprends pas comment tu fais. Je vois Jacques depuis un mois et je ne sais même pas encore ce que je ressens réellement pour lui, commente Ge.

— Oui, mais toi, Ge, tu tombes jamais en amour, ce n'est pas pareil, analyse Sacha.

— En effet, vous deux, vous représentez les deux extrêmes sur l'échelle de « tombage » en amour, expose Cori.

— Et toi, Coriande, tu te situes où sur l'échelle ? que je réclame, non subtile, en sous-entendant qu'elle nous en dise davantage sur son candidat du gym.

— Moi, je me situe entre les deux, dans la section des « pas-branchées-de-la-vie », explique-t-elle.

— Ah oui ! juste à côté de moi, dans l'échelon des « rumineuses-du-passé-incapables-de-passer-à-autre-chose » !

— Tu penses à Bobby, toi ? avance Sacha.

— Un peu… Je m'interroge à savoir s'il est revenu, ce qu'il fait. Pourquoi il ne m'appelle pas ?

— Heu… laisse-moi réfléchir… Parce que tu lui as demandé de ne pas le faire, peut-être ? m'envoie Cori comme si je n'y avais pas pensé.

— Je sais, mais depuis quand écoute-t-on tout ce que les gens nous disent de faire ? que je réplique.

— Depuis qu'on est orgueilleux, et parce qu'on ne s'est jamais fait largué de sa vie…, émet Ge en spéculant sur la potentielle raison expliquant le silence de Bobby.

— Tu crois que je l'ai vexé ? que je psychanalyse en la regardant.

— C'est certain que tu l'as mis en face d'une situation nouvelle. Je ne pense pas que Bobby se soit souvent fait remiser au placard par des demoiselles, explique Ge.

— Et Edward aux mains d'argent, lui ? questionne Cori.

— Il vient à Montréal la fin de semaine prochaine.

— Voilà un bon divertissement en vue ! m'encourage Sacha en levant sa bière.

— Ouais ! que je réponds en souriant.

J'explique aux filles que, plus la rencontre semble imminente, plus je me sens excitée. Jadis, ce gars me semblait tellement un bon *prospect*. Je suis curieuse de le « connaître » à nouveau après l'éloignement des deux dernières années. Nous « chattons » souvent sur Facebook. Les conversations sont divertissantes, mais j'anticipe tout de même notre rencontre en personne d'une façon étrange.

— J'espère que tu ne seras pas déçue, amène Ge.

— Négative ! Ne lui fais pas penser à ça, s'offusque Sacha en donnant une tape du revers de la main sur l'épaule de Ge.

— Elle l'a pas vu depuis deux ans... ça se peut, estime-t-elle en répliquant au geste de Sacha par un haussement d'épaules.

— Qui sait..., que j'ajoute sans plus de commentaires.

La saga du dieu grec

Après nombre de messages textes pour planifier ce rendez-vous, me voilà prête pour le grand jour. Avant de quitter, je constate que les filles ont déconné sur le tableau :

SA : Il est à toi, Mali !

Date :

Message : Achetez des capotes chez Costco pour Mali qui va ENFIN s'envoyer en l'air ! – Sacha

Ne pas oublier :

« Femmes qui mouillent n'amassent pas mousse... » – Sacha

Ben non, Sacha ! C'est « Bille qui roule n'amasse pas mousse... » – Ge

Franchement ! Je m'aperçois, un sourire aux lèvres, à quel point mes amies sont vraiment nouilles ! J'efface le message de Sacha disant qu'il fallait qu'on m'achète des condoms au cas où je reviendrais au *condo* avec Edward après le souper. Quand même ! Le reste du tableau peut aller, étant donné que les filles ont signé.

En me préparant, je me sens un peu anxieuse. Je me répète de ne pas me faire d'attentes, de tenter de rester objective et de profiter de cette soirée la tête légère. Nous avons rendez-vous dans un petit resto-bar du centre-ville, pas très loin de chez moi, afin que je puisse m'y rendre à pied. Je ne sais pas où il séjourne actuellement, mais il m'a affirmé bien connaître le circuit du métro. Il se débrouillera pour trouver la place. Je décide de me rendre au resto avant l'heure convenue pour m'imprégner du territoire de chasse avant l'arrivée du gibier. Présence de la bête garantie, pour une fois… Je sirote un verre de bière pression lorsque celui-ci passe devant la baie vitrée de l'immeuble. Ouf ! il entre. Je lève la main pour qu'il me repère. Mes carottes sont prêtes ! C'est parti !

— Tiens ! Ça fait un bail, hein ? commence-t-il en me donnant des becs sur les joues.

— Ouais ! Ça va bien ? que je bégaie, peu naturelle, en me rassoyant.

« Ça va bien ? » Ma phrase de politesse préférée !

— Oui ! Toi, ça va bien ? demande-t-il.

— Oui ! Oui !

Bon, on peut cocher le premier point sur la liste des « bonnes-manières-sociales-essentielles-pour-amorcer-une-conversation » : le « comment ça va ? » futile ! Nous nous regardons, un peu gênés. Il s'assoit. Je l'observe en souriant. Il est toujours aussi beau… Bon, OK, dégèle Mali !

— T'as fait bonne route ? que je questionne.

« Bonne route ? » Comme si c'était le détail de l'année. Il a fait de la route hier en plus…

— Oui, merci ! Toi aussi ? Heu… non, t'habites ici, continue-t-il, mêlé dans ses questions et réponses.

— T'aimes ça, Montréal ? que je balbutie.

Bien oui, Mali ! Traite-le donc d'innocent qui ne sort jamais de chez lui, un coup parti !

— Oui, j'aime ça, répond-il.

Bon, est-ce le temps de se parler de température ? « Oui… il fait soleil… y a un beau petit vent pour étendre… »

Décidément, il semble « gelé » lui aussi. S'ensuit un silence mutuel… *Wow !* Deux beaux nigauds qui ne savent pas quoi se dire. La serveuse arrive. Enfin ! Une diversion pour détendre l'atmosphère. Nous lui adressons tous les deux un « Allô ! » beaucoup trop motivé. « Mademoiselle, je vais prendre l'addition et me sauver en courant, SVP » que je songe en la regardant, souriante. Pourquoi on a l'air de deux constipés ayant une phobie sociale ? C'est vrai que, les dernières fois où nous nous sommes croisés au cégep, avant que je quitte la Gaspésie, il y avait déjà certains malaises. La serveuse repart. Bon, madame la psychologue, prends le contrôle de ta tête. Premièrement, nommons les choses en toute honnêteté :

— Je suis comme super gênée, Edward, je ne sais pas pourquoi..., que j'explique en jouant nerveusement avec ma serviette de table.

— Moi aussi... C'est *weird*, hein ? Ce n'est pas parce qu'on est deux personnes extrêmement timides de nature !

Comme si mes paroles l'avaient détendu, il commence à me raconter les deux dernières années de sa vie en rafale. Il est déménagé à... il n'a plus de blonde... il enseigne encore dans un cégep... il n'a personne dans sa vie... il aime bien sa nouvelle ville... il habite tout seul... De façon non subtile, il me confirme plusieurs fois en souriant qu'il est maintenant célibat-star. Il me pose des questions sur ma vie. Je lui fais un récit rapide et, contrairement à lui, je ne donne aucun détail sur ma situation amoureuse. Juste pour m'amuser. Il me coupe presque la parole vers la fin de mon discours :

— T'as un *chum* ?

— T'es curieux ! que je réponds en le regardant en riant. Non, je n'ai personne dans ma vie.

Nous poursuivons la conversation de manière naturelle en faisant quelques blagues. Bon, on est enfin redevenus nous-mêmes !

Nous mangeons tranquillement en nous regardant dans les yeux. Je sens qu'il me trouve jolie et c'est réciproque. Nous parsemons des carottes çà et là sur la table. À la fin du repas, il revient sur un sujet plus sérieux.

— Tu sais, Mali, je sais que je t'ai blessée quand tu étais en Gaspésie…

Je le regarde sans répondre et je baisse les yeux. Il poursuit.

— À cette époque-là, j'ai été déchiré. Je venais juste de te rencontrer, cette fille-là est arrivée en même temps, je me disais que tu n'étais que de passage en Gaspésie… je cherchais une femme pour une relation sérieuse…

— Je comprends, Edward. T'as préféré t'engager dans une relation avec une fille près de ta vie.

— C'est ça et je te signale que tu n'avais pas le mot « engagement » très présent dans ton vocabulaire à ce moment-là !

Il n'a pas tort ! Je pensais tout de même que j'avais réussi à être subtile… Il continue :

— …mais aujourd'hui, c'est terminé avec elle. Parfois, je me demande si j'ai fait le bon choix de m'investir avec elle au lieu d'avec toi.

— Je ne sais pas, que je réponds en ne sachant pas quoi dire.

— Moi, Mali, mes objectifs sont clairs : je cherche vraiment une femme sérieuse dans sa démarche. Mais pas pour un an ou deux, mais pour partager ma vie et avoir des enfants.

Je l'examine, bouche bée. Bon ! C'est là qu'il va sortir une bague, ou quoi ? Relaxe, Mali ! Il t'expose juste clairement ses aspirations…

À l'époque où nous nous sommes fréquentés, je me souviens qu'Edward croyait au concept de la « femme de sa vie » et qu'il exprimait aisément chercher l'engagement. Mais là, on n'a même pas commandé le dessert encore ! On n'a même jamais couché ensemble ! On ne se connaît même pas ou presque ! Voyant que je reste silencieuse et que je consulte la carte des desserts depuis beaucoup trop longtemps, il me lance une question directe :

— Toi, Mali, qu'est-ce que tu veux ? Qu'est-ce que tu recherches en amour ?

Bon, les questions simples maintenant ! On ne pourrait pas procéder par questions fermées qui se répondent par un « oui ou non », par un « vrai ou faux » ou encore par des choix de réponse ?

— Pouvez-vous répéter la question ? que je fais, timide, comme si je n'avais pas bien compris.

— Comme à *La guerre des clans*, tu tentes de gagner du temps ! Tu ne le sais pas, hein, ce que tu veux ? Tu ne dois même pas être certaine de vouloir des enfants. J'ai raison ?

— Heu..., que je bafouille en réfléchissant à ma potentielle réponse à cette question pas évidente.

Qu'est-ce que je veux ? Bien, on en a parlé avec les consœurs, on veut l'amour... le *big buck*... Est-ce que je crois en l'amour pour la vie ? Assurément pas ! OK, j'ai découvert que je cherchais le grand A comme tout le monde, mais pas de là à transformer ma vision du couple du tout au tout. Les enfants ? Ouf ! pas de changement de ce côté-là, je n'en veux pas... Enfin, je pense...

Voyant que je réfléchis et que je ne réponds pas, il m'exprime sa théorie.

— C'est une nouvelle génération de femmes, ça ! Les femmes détachées, qui ne croient plus à rien, qui ne veulent plus de famille, c'est quoi ça ? Les femmes hybrides que je les appelle. Qui veulent de l'amour, mais comme à moitié... On vous a mutées avec quoi pour que vous ne vouliez plus rien de ce que les femmes ont TOUJOURS désiré ?

— Les femmes hybrides ?

— Ouais... comme si vous étiez toujours méfiantes face à la suite. Comme si vous vous disiez dès le départ : ça ne sera pas pour toute la vie de toute façon. T'es la troisième de cette race que je rencontre dans ma vie.

Il a peut-être raison. Les femmes hybrides... qui n'attendent plus après les hommes pour s'épanouir dans la vie, qui sont désillusionnées par l'amour à long terme, qui rêvent de moins en moins à la famille de peur qu'elle ne soit brisée par un divorce... Est-ce à force de ruminer ces peurs-là qu'on finit par tout briser encore plus ? Est-ce un cercle vicieux sans fin ?

— T'as pas tort, Edward. Je cherche quelqu'un de spécial, avec qui je vais être heureuse, mais c'est vrai que j'ai tendance à me dire dès le départ que ce ne sera sûrement pas pour toute la vie et... effectivement, je ne suis pas certaine de vouloir des enfants, que j'avoue, la tête basse, presque honteuse.

— Tu vois ! Je ne suis pas surpris !

Cette conversation sérieuse bifurque finalement vers une ambiance plus joyeuse lorsque nous commandons notre dessert. Edward fait des blagues, il tente de me charmer. Je l'invite sans réfléchir au *condo* pour terminer la soirée. À notre arrivée, je constate que personne ne semble s'y trouver. Par précaution, je l'entraîne tout de même vers le SA rapidement. On dirait que je n'ai pas envie de croiser les filles si elles reviennent. Il faut dire qu'elles n'ont jamais vu Edward ! Même pas en photo ! Elles en ont juste entendu « un peu » parler pendant presque deux ans !

En entrant dans le SA, j'allume la télévision pour syntoniser la chaîne de musique Night Blues afin de créer une ambiance feutrée. J'ouvre une bouteille de vin rouge que nous commentons.

— Mmm… il est bon, affirme-t-il.

— Ouais, il reste un petit goût de vanille sur la langue à la fin, que je décris en le regardant droit dans les yeux.

Silence… Sourire… On va s'embrasser…. Voilà, c'est fait. Ses lèvres touchent les miennes. Trois minutes après notre entrée dans le SA. On devrait tenir un livre des records pour les baisers les plus rapides qui y sont échangés ! Nous nous effleurons doucement, comme en découverte l'un de l'autre. Il embrasse bien. Je m'en souvenais…

— T'es beau, que je lui dis entre deux baisers.

Conseil de Mali : les filles, on ne dit pas assez souvent aux hommes qu'on les trouve beaux ! Eux aussi, ils aiment ça…

— Toi aussi, t'es belle, répond-il en déposant sa coupe sur la table de salon, parallèle au divan.

Bon, on se trouve mutuellement beaux ! C'est un bon début. Je dépose aussi mon verre.

— On n'a jamais couché ensemble, mais je dois t'avouer que j'y ai pensé vraiment souvent, déclare-t-il en m'approchant fermement de lui avec ses immenses mains.

Vous vous rappelez qu'il était vraiment grand. Au moins un mètre quatre-vingt-cinq. Ses mains s'avèrent donc proportionnelles à sa taille. Je ne sais pas si le reste l'est aussi... Quoi ? Il y a quand même un bout de temps que je n'ai pas... J'en ai très envie. Nous continuons à nous embrasser plus passionnément. Ça sent le sexe. Les deux bêtes vont s'accoupler. Je le sais, il le sait, vous le savez... Tout le monde est au courant !

Dans le feu de l'action des préliminaires, je me pose une question : on reste dans le SA, ou ma chambre serait plus appropriée ? De plus, je dois passer à la salle de bain... Il commence à enlever doucement mon chandail...

— Attends un peu ! Je reviens, que je déclare en replaçant mon vêtement avant de me lever d'un bond.

— OK, fait-il en reprenant son verre de vin.

Je passe à ma chambre pour glisser un préservatif dans ma poche de jeans, après m'être refaite une toilette express à la salle de bain. Je vérifie que mes sous-vêtements concordent bien ensemble... rouge-rouge. Parfait ! Je retourne au SA. Je verrouille la porte derrière moi avant de monter légèrement le volume de la musique, au cas où les filles arriveraient. Quand même, je suis en cohabitation plus que multiple, il ne faut pas l'oublier !

Sans rien dire, nous nous engageons lascivement dans un effeuillage encore plus torride. Comme si un « Go ! » avait été annoncé au micro. Vous vous souvenez que ce gars avait un petit côté animal ? Il l'a encore, je vous le jure ! Plus nous nous dévêtons, plus son regard change. Il a les yeux absents, un genre de regard qui signifie que la testostérone prend tranquillement possession de son corps. Quand on dit que le sang change de place de la tête vers..., je le confirme dans son cas. Il ne parle plus, mais il agit ! Il me mord l'arrière de la nuque après m'avoir retournée face contre le divan. Je me sens aussi enivrée que lui. Nous « jouons » ainsi ensemble pendant presque une heure. Ouf ! quelle perte de temps de ne pas avoir fait ça avant aujourd'hui...

Lorsque nous reprenons respectivement nos esprits et notre coupe de vin, il me fait un commentaire :

— Je pense que, de ce côté-là, on est compatibles, hein ?

— Tu dis ! que j'admets, les sourcils en l'air, pour signifier : toute une partie de fesses, digne de la Ligue majeure.

— Au fait, tes colocs sont là ?

— Aucune idée. Tu crois qu'on a fait du bruit ?

— Je ne sais pas trop, dit-il en souriant.

— Bien non ! On n'a pas fait de bruit ! que j'assure en cognant mon verre contre le sien avant de m'approcher pour l'embrasser de nouveau.

Pfft ! Sacha déconne

J'ouvre l'œil au matin, car Edward m'enlace affectueusement.

— Le réveil de la Belle au bois dormant... Enfin ! fait Edward en s'approchant encore plus de moi pour m'embrasser le dos en saisissant mes seins par-derrière. Nous restons un moment dans le lit à nous cajoler avant de nous lever et de descendre à la cuisine.

— T'es prêt à rencontrer l'équipe ? que je me moque en descendant l'escalier.

— Pas de problème ! fait-il, confiant.

Lorsqu'on arrive en bas, Sacha déjeune seule, assise à l'îlot.

— Salut. Je te présente Edward, tout en le désignant.

— Salut, répond poliment Sacha, tout sourire, en continuant son déjeuner.

— Veux-tu du jus d'orange ? que j'offre à Edward en me dirigeant vers le frigo.

Mes yeux rencontrent alors rapidement le tableau de communication.

SA : Il est à toi Mali !

Date :

Message : Veuillez isoler le SA avec du béton haute densité, SVP ! – Un message de tous les propriétaires du bloc.

Ne pas oublier : « La vérité sort de la bouche des femmes qui ont un orgasme bruyant... » – Sacha

J'observe Sacha avec mes yeux ronds avant d'effacer sa phrase avec ma main : « La vérité sort... orgasme bruyant... ». Une chance, Edward n'a rien vu. Il regardait vers le téléviseur. Elle me fait signe que « oui » de la tête, signifiant qu'elle nous a entendus hier. Je lui demande, discrète :

— Tu es revenue tard hier ?

— Je dormais déjà à votre arrivée, murmure-t-elle en me faisant un large sourire.

— On ne t'a pas réveillée toujours, reprend Edward en me décochant une œillade coquine.

— Non ! Je dors profondément, ment Sacha en me dévisageant toujours.

Ouf ! merci, mon amie ! Je change de sujet.

— Les filles ne sont pas là ?

— Non, les deux ont dormi ailleurs hier soir.

— Ah bon !

— On va déjeuner quelque part, nous deux ? Je dois retourner chez mon oncle après, me suggère Edward.

— Non, je te cuisine quelque chose ici, mais je saute dans la douche avant !

— Je suis invité ? s'enquiert Edward devant Sacha, sans gêne.

Je lui envoie un clin d'œil en guise de réponse. Il me suit.

Décidément, il y a beaucoup de flirt ce matin. Nous refaisons l'amour dans la douche. L'eau chaude coule longtemps… Ah… douce matinée…

Candidat numéro 2 de Ge : le vieux

Ge revient au *condo* au moment où j'échange un baiser d'au revoir avec mon dieu grec dans l'entrée. Après une brève présentation, il sort et nous nous dirigeons vers la cuisine.

— C'est vrai qu'il est craquant ! Tout un colosse ! décrit Ge.

— Ouais ! On a vraiment passé une belle soirée, honnêtement. Je suis contente.

— Les filles ne sont pas là ?

— Non, Cori n'a pas dormi ici et Sacha vient juste de partir, que j'explique.

— Tu veux le revoir, donc ?

— Bien, il est en ville jusqu'à lundi matin, mais ensuite, il repart pour l'Est…

— C'est bien trop loin ça, Rivière-du-Loup !

— Ouin… Toi, t'étais chez Jacques hier ? Belle soirée d'amoureux ?

— Bien, justement, pas trop d'amour, non !

— Pourquoi ? que je veux savoir, curieuse.

Ge me dévisage sans rien dire, l'air très sérieux.

— Quoi ? Qu'est-ce qui se passe ? que je réitère en appréhendant un problème grave.

— J'ai tellement honte, Mali…

— Bien voyons ! Vas-y, crache.

— Qu'est-ce que tu fais aujourd'hui ?

— Rien de spécial. Je vais peut-être revoir Edward, mais juste plus tard ce soir.

— Veux-tu m'accompagner à la clinique médicale sans rendez-vous ?

— Tu ne te sens pas bien ? Tu ne penses pas être enceinte toujours ? que je lui envoie, sur un ton un peu dramatique en me rappelant avec amertume l'épopée de Sacha et de son avortement, il y a deux ans.

— Non, pas enceinte, mais j'ai « quelque chose »… Je ne sais pas quoi.

— Ah ! quelque chose *là* ?

— Ouin, disons « quelque chose *là* », comme tu dis.

— Depuis quand ?

— Environ trois jours.

— Eille, pas l'herpès, Ge ? Tu sais que c'est à vie, ça ! Comment ça, tu ne mets pas de condoms ?

— OK ! Je sais que l'herpès c'est à vie ! Pas besoin de me le rappeler ! râle-t-elle, un peu irritée.

— Excuse-moi…

— Alors, viens-tu avec moi ?

— Oui, je vais chercher ma veste.

Je réfléchis en gravissant l'escalier. Bon, une MTS ou ITS maintenant, je ne sais plus quelle est la terminologie appropriée. Belle histoire !

En nous rendant à pied à la clinique que Ge a trouvée sur le Net, elle me raconte le déroulement de sa soirée.

— Je ne lui ai pas dit, hier. Je n'étais pas certaine. Naturellement, j'ai refusé de faire l'amour. Et là, en me levant ce matin, c'était pire, donc je lui en ai parlé. Il a mal réagi…

— Je ne veux pas être plate, mais tu es certaine que c'est lui ? T'as couché avec Jean-François à la pêche…

— J'ai mis un condom avec J.-F. et pas toujours avec Jacques… Ce matin, il m'a dit qu'il n'avait rien et que ce devait être moi… bla bla bla…

Après être passée au comptoir d'admission, Ge me rejoint dans la salle d'attente. Il n'y a presque personne en ce samedi ensoleillé. Ge, silencieuse, paraît très préoccupée.

— Franchement ! Ça se peut-tu ? La trentenaire inconsciente et immature…

— Il n'y a pas d'âge pour ça, Ge.

— Oui, il y a un âge pour ça ! Les ados attrapent des MTS, les cégépiens attrapent des MTS, les prostituées attrapent des MTS…

Je la regarde sans faire de commentaires.

— Jacques m'avait dit qu'il n'y avait aucun risque. Il déteste les condoms. Monsieur débande à la seule pensée d'un préservatif et moi, la conne, je me suis laissé convaincre : « On se voit depuis un mois ! J'ai passé quarante ans ! Les adultes n'ont pas de maladies vénériennes, voyons ! » Je te jure que, s'il m'a refilé une maladie, il en entendra parler, menace-t-elle, en colère.

— Bien, il y a plusieurs MTS qui guérissent et qui ne reviennent pas, que je commente pour l'encourager.

— Je sais…

Après un silence, elle change de sujet pour me parler de son projet de recherche.

— Je suis contente, mon équipe est complète. Nous sommes six en tout.

— Ah oui ! je ne pensais pas que vous seriez autant. Je t'imaginais toute seule dans ton labo…

— Bien non, ça nécessite plusieurs champs d'expertise : pharmacologie, biologie, médecine… L'équipe semble motivée. On commence tranquillement. Mon *boss* nous a libéré un laboratoire au bureau qui sera notre « camp de base » !

— Super, tu sembles emballée par tout ça, en tout cas.

— On a un contrat de six mois pour le moment. Actuellement, c'est ce que le budget accordé permet.

— C'est suffisant ?

— Non ! Mais on va travailler fort.

— Tu te sens d'attaque pour recommencer à travailler beaucoup comme ça ? que je demande, un peu sceptique quant à la stabilité de son état mental.

— Tout à fait ! Mon sevrage d'antidépresseurs s'effectue sans effets secondaires. Je me sens super bien, en forme, je mange bien, je dors bien, je suis positive, tout va… si ce n'était pas de cette merde qui m'attaque le bas du corps ! s'insurge Ge en passant d'un air enjoué à une moue dégoûtée.

— T'es tellement forte, Ge ! Je t'admire, que je fais, sincère.

Nous discutons de tout et de rien en feuilletant une revue jusqu'à ce que Ge soit appelée.

Quinze minutes plus tard, elle réapparaît.

— Je dois attendre ici encore quelques minutes, l'infirmière va m'appeler pour une prise de sang et un prélèvement d'urine. Je vais devoir repasser une autre prise de sang dans quelques semaines pour le VIH, car il peut se développer après.

— Le VIH…

— Oui, madame ! Pourquoi pas, hein ? fait-elle, l'air découragé en hochant la tête.

Lorsque nous revenons, je lui propose de se balader au centre-ville afin de lui changer un peu les idées. Nous flânons dans les boutiques et léchons toutes les vitrines au passage. Edward m'envoie un texto :

(Salut, belle fille ! On se voit toujours ce soir ? J'ai un souper, mais veux-tu aller quelque part après ?)

Je lui écris :

(Oui, tant que tu ne prends pas encore une douche chez moi, parce que je vais devoir débourser seule le compte d'Hydro exorbitant ! ☺)

Il réplique :

(Oh que oui, je vais reprendre une longue douche avec toi ! Tu m'enverras la facture ! Je t'appelle plus tard. XXX)

En remettant mon cellulaire dans mon sac, je relève la tête et je reçois une gifle retentissante en plein visage. Au sens figuré, bien sûr. J'aperçois sur l'affiche du Théâtre St-Denis :

Lancement de l'album tant attendu le 29 septembre

Avec le nom de mon chanteur. C'est la semaine prochaine. Il doit être revenu alors ! Pfft ! Je donne un coup de coude à Ge en lui montrant l'annonce. Elle me fait une moue compatissante.

— Toujours pas de nouvelles ? suppose-t-elle.

— Non, que j'affirme, en entrant dans la boutique suivante en faisant mine que ça ne me dérange pas tant que ça.

Edward.divertissement.com

La patiente se mobilise afin de se permettre de poursuivre son travail de détachement envers l'homme inaccessible. Elle s'affiche disponible à développer des relations intimes avec un autre homme. Cela s'avère une solution adéquate, quoique dangereuse. Il y a progrès, mais Mme Allison doit rester consciente de sa dépendance affective face aux hommes. Dépendance qui a constamment tendance à brouiller ses émotions amoureuses.

En revenant au *condo*, je constate qu'Hugo s'y trouve. Il discute avec Ge et Sacha.

— Salut, You Go !

— Eille, je t'attendais. Je me suis pointé sans appeler et la belle Sacha m'a accueilli les bras ouverts en criant de joie ! exagère Hugo en regardant langoureusement Sacha.

— Je lui ai juste ouvert la porte, rectifie Sacha en fronçant les sourcils, amusée par le numéro de charme d'Hugo.

— Bien oui, bien oui…, fait Hugo en s'approchant du tableau de communication.

Il commente :

— Oh ! Vous êtes chaudes les filles ! C'est une consœurie de lesbiennes, votre affaire ! Je le sais depuis le début !

Les filles rient en levant les yeux dans les airs.

— Belle semaine, Sacha ? se renseigne Ge en ne donnant pas suite au commentaire inutile d'Hugo.

— Oui, je m'amuse avec Nicolas.

— SACHA ! Tu brises mon cœur ! crie Hugo en continuant d'écrire au tableau.

Sacha nous raconte ses soirées de la semaine en s'informant des nôtres. Ge lui fait une moue pour signifier qu'elle a un souci à lui raconter, mais esquisse un signe de tête en direction d'Hugo pour indiquer qu'elle ne veut pas en parler devant lui.

— Ah ! OK ! Plus tard alors… Vous faites quoi ce soir ? enchaîne Sacha.

— Moi, je « cruise » Edward ! que je trépigne, enthousiaste.

— Moi, rien, dit Ge.

— Moi non plus, clame Sacha.

— On sort prendre un verre ? propose Ge.

— Oui ! On sort ! crie Hugo.

— Bonne idée !

— Je vais en parler avec Edward et on ira avec vous si ça lui dit.

Nous envoyons toutes des messages textes à Cori en se préparant, afin de la mettre au parfum de notre projet de la soirée. Aucune réponse de sa part…

Edward me confirme finalement avoir envie de prendre un verre avec mes amis tout en réservant du même coup une place dans mon lit pour la nuit. Il nous rejoint à l'appartement après son souper. C'est amusant, car il connaît Hugo de vue. Ils se sont croisés souvent lorsqu'il habitait en Gaspésie.

À la minute près où nous entrons dans le bar, Edward me prend discrètement la main. Oh ! La bête marque son territoire en pénétrant dans un enclos qui regorge de mâles en rut. Non mais, on ne se gêne pas ! Fais un petit pipi sur mes souliers à talons hauts, tant qu'à y être ! Ou encore rugis en te frappant la poitrine ! Je le laisse faire, en observant subtilement les réactions primitives du mâle alpha dans toute sa splendeur. Il tire ma chaise, me demande ce que je veux boire ainsi qu'à mes amis avant de se diriger vers le bar. J'observe les filles, fière, la tête haute, avec un demi-sourire.

— Il en met trop, voyons ! Les filles n'aiment pas ça ! déclare Hugo, un peu jaloux de la galanterie d'Edward.

— T'es malade : « les filles n'aiment pas ça » ! Les filles adorent *ça*, mais elles ne trouvent jamais *ça* ! rouspète Ge en regardant Edward de loin.

— Toi personnellement, ma belle Sacha, est-ce que t'aimes ça ? susurre Hugo, l'air piteux.

— Bien, je trouve ça charmant, oui !

— Il fut une époque où les femmes ne voulaient rien savoir des hommes roses, et là, il faut redevenir couleur bonbon. C'est quoi, votre problème ? plaide Hugo, les bras en l'air.

Hugo se lève et se tourne vers Sacha en prenant des airs de serveur tout en faisant semblant d'avoir une serviette sur l'avant-bras. Il s'adresse à elle avec un accent français exagéré :

— Gente dame, il me ferait grand plaisir de vous offrir cordialement une boisson de votre choix, après bien sûr vous avoir grassement complimentée sur votre beauté, votre chevelure soyeuse et votre manucure impeccable…

— Ark ! Un accent français ! Tu m'énerves ! M'as-tu traitée de grosse, en plus ? répond Sacha en l'examinant, l'air faussement vexé.

— Ouin, c'est quoi ça « grassement complimentée » ? ajoute Ge en envoyant un regard complice à Sacha.

— C'est ce que je dis : il m'a traitée de grosse ! crie Sacha de nouveau en montrant Hugo.

— Regardez ! Vous n'êtes jamais contentes ! Toutes des folles ! glousse Hugo, pas trop fort, en regardant vers la porte d'entrée.

De retour avec des verres plein les mains, Edward saisit juste la fin de la conversation.

— Toutes des folles ? répète-t-il en nous observant, amusé.

— On est toutes des folles à ce qu'il paraît, explique Ge.

— Oui, en effet, mais faut pas leur dire, mec ! réplique Edward en faisant de gros yeux à Hugo tout en lui tendant une bière.

— Eille ! Tu gagnais des points, toi ! que je réagis en lui assenant un coup de coude amical sur le torse.

Il m'envoie un clin d'œil.

Edward et moi quittons le groupe vers minuit pour aller nous amuser. Bien quoi ? Il part après-demain pour « fort, fort lointain », il faut que j'en profite un peu ! Nous en « profitons » justement une bonne partie de la nuit, même que nous sommes encore éveillés quand les fêtards reviennent de leur soirée, passé trois heures du matin…

Playa del sous-sol

Ayant une autre activité familiale au programme, Edward quitte tôt au petit matin. Je reste couchée un moment. Je me réveille quelques heures plus tard en entendant Sacha rire bruyamment dans la cuisine.

— Il y a de la joie ici ce matin ! que je commente en rejoignant Hugo et Sacha qui sont assis à l'îlot en attendant patiemment le café.

— On n'a pas couché ensemble ! crie Hugo en levant les bras dans les airs comme si je pointais sur lui une arme de poing.

— C'est vrai, on a juste fait dodo ensemble ! renchérit Sacha, sérieuse.

— Eh là ! les plaidoyers de non-culpabilité ! Je ne vous ai rien demandé, que je dis en me dirigeant vers le frigo.

Je scrute le tableau en passant.

SA : Les quatre lesbiennes de la consoeurie

Date : Maintenant ! Mon corps d'apollon est tout à vous, les filles.

Message : Veuillez isoler le SA avec du béton haute densité, SVP ! – Un message de tous les propriétaires du bloc.

Ne pas oublier :

« Le sexe masculin est ce qu'il y a de plus léger au monde. Une simple pensée le soulève. » – San Antonio

— Bon, You Go, tu prends encore tes rêves pour des réalités ! Je t'ai expliqué plusieurs fois qu'à ton âge tu devrais être en mesure de distinguer le réel de l'imaginaire… J'aime bien ta citation : « Le sexe d'un homme est ce qu'il y a de plus léger… », mais ça ne vous avantage pas trop sur la grosseur du phallus, par contre ! que je commente en rigolant.

— Tellement léger… Ça doit être petit, petit, petit…, ajoute Sacha en collant presque ensemble son pouce et son index à la hauteur de ses yeux.

— Hé ! hé ! voyons ! C'est une métaphore recherchée de San Antonio ! Vous l'avez pas comprise pantoute, réplique Hugo, vexé.

Et toi, en passant, Mali Allison, pourquoi le voisinage du quartier au complet veut que vous isoliez le SA ?

Ge arrive en bas au même moment et entend la question d'Hugo.

— Oui, Mali, moi aussi j'ai lu ce message-là hier et je ne comprenais pas, poursuit Ge en bâillant.

— Comment vous en déduisez que j'ai quelque chose à voir là-dedans ? Je ne vois aucun nom de mentionné, que je dis en dévisageant Sacha, les mains sur les hanches.

Sacha sifflote en examinant le plafond.

— Ton homme rose parfait t'as culbutée dans le SA et vous avez fait du bruit ! spécule Hugo, avide de recevoir des détails croustillants.

— Ce n'est même pas vrai que tu nous as entendus ! que je proteste en interrogeant Sacha des yeux.

— Pfft ! Eille, j'étais couchée depuis vingt et une heures trente et vous m'avez réveillée, imagine ! réplique-t-elle, convaincante.

Ge rit en s'approchant, vorace de savourer des détails elle aussi. Je les regarde, mal à l'aise, la main sur la bouche.

— Ha ! ha ! ha ! Mali, c'est une cochonne ! rigole Hugo.

— Innocent ! que je profère avant de me tourner vers Sacha.

— Je suis vraiment désolée Sacha, j'étais certaine que…

Elle me coupe la parole :

— Pas grave ! J'ai mis mes bouchons et je me suis rendormie !

— Ha ! ha ! ha ! ha ! T'as eu besoin d'outils en plus, c'est tordant ! rit Hugo en donnant un coup de coude à Sacha.

Je lui lance une serviette de table qui traîne sur le comptoir de cuisine, lui signifiant d'arrêter de rire de moi.

— OK ! On parle de vous deux, maintenant ? que je dis pour me venger. Vous n'avez pas couché ensemble, mais vous dormez ensemble… C'est ça ?

— Hein ? Vous couchez ensemble ? intervient Ge, surprise.

— Ben non, c'est ça qu'on dit : on ne couche pas ensemble, clarifie Sacha sans être claire.

— Malheureusement…, murmure Hugo en toussotant.

— Il y a un divan-lit dans le SA, il pourrait dormir là, propose Ge.

— Ben là, vous voulez m'envoyer dormir à « la *playa del* sous-sol » ? s'insurge Hugo, triste.

— Ha ! ha ! ha ! La *playa del* sous-sol ! que je me tords de rire.

— Trop bon ! D'où tu sors ça ? rigole Ge.

— Une chanson d'Alain-François qui passe à la radio. Je pensais à vous quand je l'ai entendue, explique Hugo.

— J'avoue que ça fait moins intense que le salon de l'amour : « Hé BB ! Je t'amène au paradis à la *playa del* sous-sol ! » que je déconne en faisant des yeux séducteurs à Hugo.

— On va changer ça sur le tableau, dit Ge en procédant au changement avec la craie.

— Mais pour nous deux, Hugo, ce n'est pas nécessaire que tu dormes en bas, on fait juste dodo ensemble. T'es mon ami gai…, réplique Sacha en lui tapant doucement sur la tête.

— Ark ! Elle m'énerve ! fait Hugo en se laissant faire docilement.

Ge constate les écrits d'Hugo sur le tableau.

— Qui est-ce qui nous traite de lesbiennes ? crie-t-elle, offusquée.

— Bon ! Ce n'est pas que je m'emmerde, mais je vais y aller moi…, annonce Hugo en s'éloignant de reculons vers la sortie de la pièce tout en levant sa main dans les airs en guise d'au revoir.

Mise au point de la consœurie

Je ne croise presque pas les filles de la semaine. Je cours entre le cégep et mon nouvel emploi jusqu'à vendredi matin. Mercredi, Sacha a inscrit sur le tableau une rencontre de « Mise au point » pour ce vendredi, donc pour aujourd'hui. Toutes les consœurs ont acquiescé à sa demande en confirmant leur présence. En échangeant quelques textos avec Ge jeudi soir, elle me confie avoir reçu ses résultats. Malheur ! Elle est maintenant récipiendaire d'une chlamydia. Ouache ! Elle a couru se procurer un traitement subito presto à la suite du coup de fil de la clinique. Pauvre Ge ! J'ai hâte de savoir la tournure des événements avec Jacques, le porteur-transmetteur de ladite maladie vénérienne. En pensant à elle, je lui fais un clin d'œil sur le tableau de communication. Je souris en effaçant les stupidités d'Hugo, qui y ont passé toute la semaine. Je laisse par contre la réservation et le message de Sacha.

Playa del sous-sol : Sacha

Date : Samedi soir

Message : Demande de mise au point de la consoeurie Vendredi soir... – Sacha

Cori – présente

Ge – présente

Mali – Yes !

Ne pas oublier :

« On peut être intelligent toute sa vie et stupide un instant... »

Je décide de prendre les devants pour concocter une lasagne pour le souper de ce soir. Les filles reviennent à tour de rôle en fin d'après-midi. Sacha semble plutôt bête lorsqu'elle entre dans le salon. Je l'observe faire les cent pas dans le *condo*, un peu perplexe.

— Ça va ? que je demande, suspicieuse de déceler une contrariété chez elle.

— Justement, non ! Ça traîne partout ici, fait-elle, exaspérée, en retournant dans l'entrée.

J'effectue un tour visuel de la place afin de constater l'état des pièces communes. Bon, voyons voir : la planche de Wii se trouve au milieu du salon avec les manettes sur le tapis, un sac de croustilles vide est resté sur la table d'appoint du salon avec deux verres vides et une canette. Deux chandails sont posés sur le divan et la bourse de Ge traîne par terre. La cuisine paraît un peu plus en désordre, je le lui accorde. Il y a de la vaisselle sur le comptoir. En vérifiant, je constate que le lave-vaisselle semble propre, mais rempli de vaisselle. Deux bouteilles de vin vides ne sont pas dans le bac de recyclage et deux autres de mes chandails croupissent sur les tabourets de l'îlot. Il y a sur le comptoir un pain ouvert, des emballages de tranches de fromage jaune et une planche à découper avec des miettes de pain (mon sandwich de ce matin !). Des papiers de Ge et un de ses foulards se trouvent aussi sur la table de la cuisine. « Elle a dû travailler ici hier soir », que je pense en tentant de ramasser un peu ses choses. Bon ! L'environnement ne semble nullement dramatique sur le plan de la propreté. Sacha le perçoit cependant différemment.

— Ça m'apparaît tellement pas difficile de placer ses souliers sur le porte-souliers et de mettre son manteau dans la garde-robe. Et vos sacoches, amenez-les dans vos chambres ! râle-t-elle en trépignant dans l'entrée du *condo*.

Je ne dis rien en tentant rapidement de ranger le salon et la cuisine avant qu'elle ne revienne.

— Toi et Ge, vous êtes terribles ! critique-t-elle en revenant.

— C'est quand même pas si pire…, que je banalise d'une voix douce, consciente de l'humeur massacrante de mon amie.

Elle se dirige vers sa chambre sans aucun commentaire.

Ouf ! Je réfléchis. Beau *meeting* de la consœurie en perspective ! Je termine le ménage en même temps que je remue la sauce à lasagne. Je passe même un coup d'aspirateur pour rendre le tout encore plus impeccable.

— *Wow !* On a une bonne à tout faire maintenant, rigole Ge, de bonne humeur, en entrant dans le *condo*.

— Elle trouve que nous sommes trop traîneuses, toi et moi…

— Qui ça ?

— Sacha, pas de bonne humeur !

— Ben là ! Ce n'est pas si pire, constate-t-elle en effectuant un balayage visuel de la pièce.

— J'ai rangé un peu ! J'avoue que nos trucs étaient parsemés un peu partout, que je stipule à Ge.

Elle ne dit rien et va se servir à boire dans le frigo.

— Youpi, une lasagne ! gesticule-t-elle en sentant de plus près le plat terminé qui trône sur la cuisinière.

Coriande entre à son tour dans le *condo*.

— C'est vendredi, on fait l'amour ! s'exclame-t-elle en citant l'humoriste Pierre Hébert imitant Renaud.

— Bien oui ! On est toute une gang de lesbiennes, à ce qu'il paraît ! proclame Ge en s'approchant du tableau.

Après avoir lu mon message « Ne pas oublier », elle me fait un clin d'œil, comprenant de quoi je parle.

Nous commençons à bavarder autour de l'îlot lorsque Sacha réapparaît.

— Bon ! Je ne veux pas en faire tout un plat et discuter de ça toute la soirée, mais pour ce qui est du ménage, il faut faire des ajustements…

— Tu trouvais que c'était *si* à l'envers que ça ? laisse tomber Ge, un peu cynique.

— Bien, ce n'est pas extrême, mais moi, ça m'énerve vos petits bidules et vêtements qui traînent partout. Il me semble que ce n'est pas si difficile de garder les aires communes libres ! exprime-t-elle avec intensité.

— J'avoue que le lave-vaisselle était plein et que c'est ma faute. Je n'ai pas eu le temps ce matin de le vider, s'excuse Cori, mal à l'aise.

— Bien là ! Une minute, les excuses ! On travaille toutes très fort et je pense qu'il ne faut pas faire un drame pour un lave-vaisselle pas vidé quand même, rajoute Ge en haussant un peu le ton.

— Ça, c'est UNE chose, mais vos trucs partout… les sacoches, les vestes…

— De quoi, les sacoches ? réplique Ge, de plus en plus agacée.

— Sur la patère ou le plancher…, explique Sacha.

— Tu veux qu'on les mette où ? demande Ge.

— Dans vos chambres.

— Ah non ! désolée, je cherche un truc là-dedans toutes les trois secondes, je ne vais pas monter à l'étage à chaque fois, se défend Ge.

Sacha se tait. Elle semble en colère. Je prends la parole.

— Je pense qu'il faut trouver des compromis. Oui, Sacha, tantôt il y avait des choses qui traînaient, je te l'accorde, et la plupart de ces choses appartenaient à Ge et à moi. On peut tenter de faire un peu plus attention en effet…

— OK ! Nous, on va faire attention et toi, tu arrêtes de toujours capoter ! lui lance Ge, arrogante.

— Je CAPOTE pas tout le temps, justement ! Je me retiens souvent parce que c'est TOUJOURS à l'envers, proteste Sacha en regardant Ge.

— Moi, en tout cas, ma sacoche restera en bas c'est sûr, sur la patère ou ailleurs ! Voyons donc !

— Moi aussi, je fouille souvent dedans, que j'ajoute pour approuver l'opposition de Ge sur ce point.

— Bien, c'est ça ! Continuez à vous laisser traîner partout, alors. Je n'ai rien dit ! lance Sacha, furieuse, avant de s'enfuir dans sa chambre.

Nous restons là deux minutes, silencieuses, un peu troublées de la scène qui vient de se passer. Ge brise la glace :

— Bière froide ?

— Oui !

— Non, mais là, faut pas virer folle, cibole ! marmonne Ge, pas trop fort, en se dirigeant vers le frigo.

— Je propose qu'on change de sujet. On en reparlera toutes ensemble, que je juge.

— Bien... heu... juste avant de conclure le sujet concernant le ménage, j'ai remarqué quelque chose dernièrement, Mali, commence Cori, doucement. Ce n'est pas un reproche, mais il me semble que je trouve de tes cheveux partout dans le *condo*. Très longs et foncés, on s'entend que ce sont les tiens, c'est sûr...

— Moi aussi j'en trouve beaucoup..., confirme Ge.

En prenant ça comme une suite à la discussion à propos du ménage, je réplique :

— Heu... désolée, j'essaierai de faire attention...

— T'avais pas remarqué ? enchaîne Ge.

— On perd toutes des cheveux, non ? dis-je.

— Je ne te fais pas une critique, Mali, je m'inquiète pour ta santé. Comment ça va... ton heu... cancer ? baragouine Cori, hésitante.

OK ! Je ne comprenais pas trop pourquoi elle me parlait de mes cheveux. Vous vous souvenez que la perte de ceux-ci fut le premier symptôme de mon cancer, il y a deux ans ?

— Ça fait combien de temps que tu as vu ton médecin spécialiste ? évoque Ge.

— Heu... je ne sais pas..., que j'hésite.

— Longtemps, je pense ! me coupe Cori.

Que le déni reste puissant au cœur de la guerrière malade ! Je vous le jure, je n'ai pas pensé à ça depuis longtemps. La dernière fois que j'ai vu mon médecin ? Heu... au mois de janvier dernier, quand il m'avait fait ses piqûres brûlantes dans le cou. Non mais, vous comprenez pourquoi je fais un léger déni ? En comptant, je constate que ça fait neuf mois alors qu'on est censés se rencontrer tous les six mois. Ouin ! Un appel à son bureau lundi s'impose, surtout si les filles me disent qu'elles retrouvent de mes cheveux un peu partout. Comment se fait-il que je n'ai pas remarqué cela ?

— Je crois que ce n'est pas normal que tu perdes des cheveux comme ça, évalue Cori.

— Je vais l'appeler lundi.

— J'y veillerai personnellement, assure Ge en me regardant, l'air faussement menaçant.

— Bon ! Assez, les sujets plates ! C'est censé être un beau souper de la consœurie ce soir, que je rouspète en pensant à Sacha qui boude dans sa chambre.

Parlant du loup, celle-ci passe tout à coup rapidement devant l'ouverture de la cuisine, en annonçant :

— Soupez sans moi, je vais au cinéma. Bye.

Son ton de voix semblait neutre, sans émotion négative particulière.

— La solitude ! Quel bienfait pour l'équilibre mental..., que je commente en comprenant le besoin de Sacha.

— Pour ça, je suis bien placée pour la comprendre, garantit Ge qui a aussi un tempérament fougueux.

— Mais nous on est là, donc je mets cette lasagne au four ! que j'ajoute en tentant d'être enthousiaste.

Conclusion et punition…

Durant le repas, Ge s'engage d'elle-même dans un sujet qui me brûle les lèvres.

— J'ai dit à mon cher Jacques qu'il était infecté de…

— Ah oui ! et puis ? Il devait se sentir petit dans ses caleçons pleins de MTS ? exagère Cori.

— Même pas, il dément. C'est soi-disant moi, la porteuse de la maladie !

— Quoi ? Il t'a renvoyé la balle ? que je m'insurge.

— Oui, madame ! Il m'a dit que je devais avoir couché avec trop de gars et que les MTS, ce sont les jeunes qui les propagent en couchant sans condoms avec tout le monde !

— Ah ! le vieux con ! C'est lui qui te disait détester les condoms…

— J'étais hors de moi. Je l'ai traité de conard et je suis partie. À quoi bon me battre avec lui ? Moi, je le sais que c'est lui.

— Et ton traitement ?

— Terminé. Ce fut simple : une pilule et c'est tout.

— Au moins, tout est bien qui finit bien.

— Il reste la deuxième prise de sang pour le VIH dans quelques semaines…

— Pourquoi dans quelques semaines ? demande Cori.

— Parce qu'on peut juste détecter quelques semaines après si la relation sexuelle fut potentiellement infectieuse. C'est comme ça.

— D'accord…

— As-tu revu J.-F. du voyage de pêche ? que je sonde, curieuse.

— Non, mais j'ai son numéro. On s'est réécrits quelques fois sur Facebook. Je vais probablement le rappeler…

— Toi, Cori, parle-nous de ton beau Prince Charmant mystérieux, que je demande encore une fois, afin d'en savoir un jour davantage.

— Voyons donc, Mali ! s'exclame Ge en riant.

— Quoi ?

— Tu dois bien être la seule à ne pas comprendre ce qui se passe ! ajoute-t-elle.

Je la regarde, perplexe, ne saisissant pas ce qu'elle veut dire. Cori lui fait de gros yeux pleins de reproches.

— Tu le fais exprès, ou quoi ! suspecte Ge.

Cori intensifie son regard.

— Voyons, je suis la seule à ne pas savoir, ou quoi ?

— Laisse faire ! dit Cori avec fermeté, Ge ne sait pas de quoi elle parle. Je vais vous le présenter bientôt…

Je reste confuse en regardant mes amies. J'ai manqué quoi, moi ? Le mec de Cori semble donc connu de la consœurie. Qui est-ce ? Le gars du voyage de pêche ? Non, elle voyait le gars du gym avant… Les filles fréquentent toutes ce gym, sauf moi. Peut-être qu'elles le connaissent pour cette raison.

Pour faire diversion, Cori me balance alors une réalité en plein visage.

— Mali, dans un tout autre ordre d'idées, je t'annonce que tu seras malheureusement dans l'obligation d'écoper d'une sanction !

— Une sanction ? Hein ? Je n'ai eu aucune relation avec un gars en secret !

— Non, mais tu as dérogé à une règle importante du *condo*…

— Comment ça ?

— Edward !

— Quoi, Edward ?

— Il a couché ici combien de nuits ? me questionne Cori, sérieuse.

— Heu…, que je fais en comptant rapidement dans ma tête. Trois…

— Le règlement dit quoi ?

Merde ! C'est vrai ! Edward est revenu dormir ici le dimanche de son week-end à Montréal. Avec le vendredi et le samedi, je faisais effectivement du temps supplémentaire selon la règle.

— Bien là, il vient de l'autre bout du monde et il n'est jamais ici…

— Ah ! le règlement, c'est le règlement !

— On passera au vote sur le tableau, à savoir qui croit que tu mérites une sanction, et ensuite on fera une rencontre pour décider de celle-ci.

Les filles se regardent, complices et fières de leur coup.

— Vous êtes vraiment rigides ! que je râle, la tête basse.

— Les règles sont les règles !

— Et en plus, sa brosse à dents a traîné dans la salle de bain, dimanche soir ! rajoute Ge.

— Quand même ! que je crie en la fixant.

— Oh ! ça fait deux infractions…, disent-elles en chœur.

— Deux dictatrices !

— T'es une délinquante ! plaisante Cori.

— Pfft…, que je fais avec un sourire en coin, amusée.

Sacha revient autour de vingt-deux heures et nous retrouve à la cuisine à discuter en riant. Tout naturellement, elle se sert un verre de vin et s'assoit avec nous. Rien n'est dit à propos de l'altercation sur le ménage. Dans la vie, certaines divergences ne doivent pas toujours être réglées de fond en comble, surtout pas en cohabitation multiple comme nous. Je crois que tout le monde a saisi son insatisfaction et que chacune tentera de faire sa part.

Quoi de neuf, docteur ?

Lundi, avant mon cours, je laisse un message au département des ORL (oto-rhino-laryngologistes) en expliquant brièvement ne pas avoir eu de nouvelles de mon médecin depuis déjà un bon moment. Mon beau docteur Paré (vous vous souvenez qu'il est craquant !) me recontacte après le dîner, environ dix minutes avant le début de mon cours.

— Bonjour, Mali.

— Bonjour Dr Paré, vous allez bien ? que je demande sur un ton enjoué.

Il ne répond pas et poursuit.

— Mali, on ne s'est pas vus depuis plus de neuf mois...

— Oui, je sais, je me demandais ce qui se passait.

— Pourquoi tu n'as pas appelé avant ?

— Je ne sais pas. Je croyais que c'était l'hôpital qui devait me contacter...

— Mali, j'ai tellement de patients dans mes dossiers... C'était ta responsabilité de communiquer avec nous en calculant le délai. Ici, on est débordés. On a parfois de la difficulté à s'assurer que le suivi se fasse de façon systématique avec tout le monde, c'est pourquoi je t'avais probablement mentionné de tenter de rappeler ici si tu n'avais pas de nouvelles, au-delà de six mois.

Est-ce qu'il m'avait dit ça ? Je ne m'en souviens plus. La dernière fois, j'avais eu si mal à cause des injections que j'ai probablement mal enregistré l'information à la fin de la rencontre. Le tout amalgamé à mon déni a sûrement fait en sorte que j'ai complètement effacé cette information cruciale de mon cerveau.

— C'est grave ? que je m'inquiète.

— Non, mais il faut nous aider un peu. On te verra cette semaine sans faute.

Nous convenons d'un rendez-vous vendredi, étant donné que c'est ma journée de congé, car l'hôpital se situe quand même à Sherbrooke. En raccrochant, je me sens coupable. J'ai été négligente, selon ses dires. J'aurais dû appeler… Et puis quoi ? Suis-je censée prendre le taureau par les cornes pour une maladie que je n'assume même pas encore totalement ? Par contre, je me souviens clairement de sa précision quant au fait qu'on devait se voir tous les six mois pour les dix prochaines années.

Je lève la tête vers ma classe. Les yeux de certains étudiants qui m'épiaient semblent déceler que quelque chose ne va pas chez moi. Bon, on se ressaisit ! Je fais un large sourire, je ferme la sonnerie de mon téléphone et je me lance.

— Bonjour, tout le monde ! Sortez le devoir de la semaine dernière. On va le corriger en groupe…

Belle innocente !

En revenant au *condo* après mon cours, je retrouve Ge, énergique, qui joue *encore* aux quilles sur la Nintendo Wii.

— Non mais, Coriande ne savait pas en achetant ce jeu qu'elle te ferait découvrir une passion !

— Ne lui dis pas ! Elle me chicane tout le temps sous prétexte que je ne m'entraîne pas mais que je niaise. Je veux vraiment réussir à faire une partie avec juste des abats…, projette-t-elle en me regardant à peine.

Je m'installe à l'îlot avec mon ordinateur. Je navigue sur Facebook, histoire de rester connectée à « l'essentiel » de la vie des autres. Après avoir supprimé trois invitations à des jeux débiles, je me rends sur le portail de nouvelles. Bon, voyons voir :

Béatrice, une fille qui était dans mon cours de chimie en cinquième secondaire, a mangé du pâté chinois ce midi… Bon, super ! Steve, un gars de mon groupe de base au cégep, pense aller prendre une marche au parc du Mont-Bellevue… Palpitant ! Sophie, une connaissance de ma ville natale, nous livre un message d'espoir : dire aux personnes qui nous entourent que nous les aimons et profiter de la vie… Bon ! Quoi d'autre ? Pat, un ami de mon frère, nous met un lien de musique *underground* que je n'écouterai probablement pas… Juste en dessous, Judith, une connaissance d'une connaissance, nous présente fièrement une photographie de sa nouvelle fenêtre de cuisine à manivelle en PVC homologuée Energy Star… Je scrute la photo très attentivement. Quoi ? Judith nous a tenus en haleine depuis une semaine, en écrivant des détails trois fois par jour, de l'achat de la fenêtre jusqu'à sa pose. Je me sens super impliquée dans sa rénovation de cuisine. N'importe quoi ! Facebook reste un drôle de phénomène dans ma tête pour toutes ces informations superficielles. Les détails que les gens y mettent sont souvent, comment dire ? futiles. Ça comble un besoin d'exposition de la vie privée, assez exhibitionniste pour certains et très voyeuriste pour les autres.

Au moment où je termine ma tournée rapide de ce fil de nouvelles sensationnelles, une publication attire mon attention. « Écoutez ce lien, un super chanteur de slam ! » nous informe une fille avec qui j'ai étudié à Trois-Rivières. En cliquant, j'atterris sur le profil de Ludovic. Vous vous souvenez de mon poète du Honduras ? *Wow !* Il a gagné le « Grand Slam provincial » et il ira représenter le Québec en France cet été. Je lui demande son amitié sur-le-champ. Non, mais, ça fait longtemps. Les gens ne communiquent pas que des trucs inutiles, finalement. Je transmets à Ge l'information cruciale. Elle s'approche.

— C'est lui ? s'informe Ge en observant les photos de mon cher Ludi.

— Oui, mon Prince Charmant du Honduras…

— Eille ! Moi, je suis en amour avec lui et ses poèmes. Sa carrière va bien à ce qu'on peut voir, souligne Ge.

— Oui ! C'est drôle de le revoir.

Je me lève du tabouret pour prendre un verre de jus. Bon, les filles ont divagué sur le tableau de communication.

Playa del sous-sol :

Date :

Message : Infraction grave au code de déontologie du condo : Mali a hébergé un candidat pendant plus de deux nuits consécutives… Suggestions de sentences :

Cori – ménage pendant un mois + une bouteille de champagne

Ge – trois bouteilles de champagne

Sacha – excuses publiques + ménage pendant un mois + champagne

Ne pas oublier :
« La droite impose des règles par autorité et les respecte par obéissance. » – Bory

— Pfft ! Et vous, votre délire fasciste de groupe, ça va bien ? que je demande à Ge, l'air désinvolte.

— Mali, les règles sont les règles ! rigole Ge en essayant de rester sérieuse.

— Vos sentences sont trop légères. Je propose de récurer les toilettes avec ma propre brosse à dents…

— Bonne idée ! On va l'inscrire, blague Ge, concentrée sur mon ordinateur.

— Tu regardes quoi ?

— Un nouveau *prospect*…

— Déjà ! Montre ! que j'exige, excitée, en m'approchant.

— Je dois avouer que, même pendant mon batifolage avec Jacques, je suis restée active sur le réseau de rencontre. Donc, en réponse à ton « déjà », j'avoue avoir discuté par courriel et par téléphone avec au moins trente gars avant de retenir la candidature de Jason, le militaire *sexy*, m'annonce-t-elle en observant ma réaction.

— Trente gars ? Une *job* à temps plein, ton affaire ! L'heureux élu paraît *cute*…

— On s'écrit depuis environ une semaine. Il n'est pas en mission présentement. Il est dans l'armée de terre. Un gars de la Rive-Nord.

— Vas-tu le rencontrer ?

— J'ai appris ma leçon. Je vais discuter avec lui au téléphone un peu plus avant.

Sacha revient de son entraînement au même moment.

— Bon, les deux cybermaniaques recherchent des victimes ?

— Ge en a déjà une !

— Intéressant ! acclame Sacha en se joignant à nous.

Nous observons en silence les cinq photos de son profil.

— Belle bête, mais il a juste mis des photos d'armée sur son profil, c'est bizarre, non ? soulève Sacha.

— Ouin… En tout cas, je vais lui faire passer des tests médicaux avant de le toucher, je vous le jure ! badine Ge avec un demi-sourire.

— Toi, Sacha, parle-nous un peu ! que je dis en me tournant vers mon amie.

— Quoi ? répond-elle, un peu sur la défensive.

— Bien, on ne te voit plus. Toi et Coriande, en fait. Des fois, on dirait que je vis seule ici avec Ge ! que je souligne en riant.

— On est amoureuses, je pense ! présume Sacha comme si c'était évident. Je suis presque toujours chez Nicolas et Cori parcourt plusieurs kilomètres…

— Comment ça, plusieurs kilomètres ? Son mec n'habite pas Montréal ? Il s'entraîne avec elle au gym, que j'analyse, confuse.

Les deux filles se lancent un regard embarrassé.

— Quoi ? dis-je, irritée, un peu tannée de ne pas comprendre.

— Mali, disons que ce n'est pas tout à fait ce que tu crois, commence Sacha.

— Sacha, ce n'est pas vraiment de nos affaires…, ajoute Ge en la regardant.

— Elle est là à n'y rien comprendre ! stipule Sacha en me pointant.

— OK, stop, de quoi on parle ? que je m'impatiente.

— Regarde, Mali, rien de grave. C'est juste que le mec de Cori si mystérieux…

— Oui, quoi ?

— C'est ton frère ! Tu devais t'en douter ? annonce Sacha, comme s'il s'agissait d'une évidence de premier niveau.

— Chad ? Hein ?

— Ben oui, je me tue à convaincre Cori que ce n'est pas grave, qu'elle devrait te le dire, mais elle envisageait négativement ta réaction, explique délicatement Ge.

Je réfléchis en ne disant rien. Le premier sentiment me venant en plein cœur est de la colère.

— Et vous êtes là, tout le monde, à discuter dans mon dos depuis longtemps ? que je fulmine, hors de moi.

— Mali, on ne discutait pas dans ton dos, voyons…, assure Ge doucement.

Je lui coupe la parole.

— Mali, la belle conne, ne va rien voir de toute façon ! On a juste à se taire et tout va être parfait ! C'est une belle consœurie de marde, ça !

Sans rien dire de plus, je monte à ma chambre.

— Mali…, balbutie Ge en me voyant gravir l'escalier.

Après avoir claqué la porte, je m'assois sur mon lit, sous le choc. Je récapitule certains moments depuis le déménagement : les regards de mon frère et Cori ce jour-là, les absences fréquentes de Cori pour plusieurs jours, son abstinence sexuelle des derniers mois, ses petits yeux brillants… Mon amie est amoureuse de mon frère ! Et lui ? Pourquoi ne me l'a-t-il pas dit ? Je songe à ma discussion avec lui : « Je n'ai pas besoin de rencontrer des femmes… ». Je comprends mieux maintenant : il en avait déjà une. Je ressens de l'animosité. OK, le fait qu'ils sortent ensemble, c'est une chose, mais la mise en scène de me cacher leur union me blesse au plus haut point. Quelle innocente je fais ! C'est quoi, ils pensaient que j'allais faire une scène ? Quand me l'auraient-ils dit ? En même temps que l'envoi des faire-part du mariage ? Et la consœurie ? La règle de s'avouer tout ce qui se passe dans nos relations affectives ? Je me sens trahie…

Pourquoi Quebecor me fait ça ?

En me réveillant au matin, je constate que le *condo* est désert. Je me sens moins en colère qu'hier. « La nuit porte conseil », me semble un adage populaire qui prend tout son sens aujourd'hui. Cependant, j'ai tout de même hâte d'avoir une bonne conversation avec Cori, mon frère et la consœurie…

J'arrête pour mettre de l'essence sur le chemin menant au cégep. En attendant pour payer à la caisse, je balaie du regard des revues à potins… Hein ? Une en particulier attire mon attention. Un étrange sentiment physiologique de haut-le-cœur emplit mon abdomen. « Première médiatique ! Un spectacle à la hauteur de ce chanteur ! » Merde ! Je prends la revue dans mes mains. Bobby, sur la page couverture, affiche un large sourire et il est… accompagné d'une fille, blonde, plantureuse. Quoi ? Il a une copine maintenant ? Je feuillette avec empressement les pages.

— Vous avez pris de l'essence, madame ? me demande l'employé à la caisse.

— Oui, que je réponds en mettant sans réfléchir la revue sur le comptoir.

En entrant dans mon automobile, je lis avec attention l'article de trois pages. Aucune information quant à l'identité de cette fille. Pas de « avec sa blonde » ou de « accompagné de sa copine » en vue. C'est qui, elle ? Comme trois voitures attendent pour faire le plein, je démarre ma voiture pour me rendre à mon cours. « Il est en couple ? » que je réfléchis à m'en fendre l'âme sur la route. Comme je manque un arrêt obligatoire en arrivant près du collège, un automobiliste me klaxonne à trois reprises. « On se calme ! » que je crie dans ma voiture en le regardant agressivement. En me stationnant, je constate que je suis trois minutes en retard pour mon cours. Pas de temps à perdre… *Wow !* Super journée !

En revenant le soir, je m'autoflagelle en me culpabilisant d'avoir donné une mauvaise performance en classe. Je paraissais dans la lune, absente… Une chance que j'avais presque une heure et demie de travail en équipe de prévu, ce qui m'a permis de ne pas trop me casser la tête. Lorsque je mets un pied dans le *condo*, les voix me signalent la présence des filles dans la cuisine. Je ne dis rien en entrant dans la pièce. Les consœurs, assises à table, me regardent, l'air grave. Je les dévisage, triste, en déclarant :

— C'est de la marde !

Coriande prend la parole avec empressement.

— Je sais, Mali, je suis désolée, tout ça est ma faute. J'aurais dû, dès le départ, te dire la vérité. Je voulais seulement vérifier si cette histoire avec ton frère était sérieuse, tu comprends. Et le temps a passé et je ne savais pas comment rattraper tout ça. Je me doutais que tu serais encore plus en colère et…

Ge coupe la parole à Cori.

— Nous, on ne voulait pas te cacher ça. On a demandé à Cori de te le dire, mais elle préférait attendre…

Cori reprend la parole.

— Oui, c'est vrai, les filles n'ont rien à voir là-dedans, c'est entièrement ma faute. C'était con. Même ton frère voulait te le dire depuis le début et moi je l'en empêchais…

Voyant que je semble entendre les mots sans avoir aucune réaction, les filles m'interrogent.

— Ça va, Mali ? implore Ge.

Je les observe, les yeux pleins d'eau.

— Avoir su que ça te mettrait dans cet état… Je suis tellement désolée…, poursuit Coriande, encore plus mal à l'aise.

— Je m'en fous…, que je prononce, l'air stoïque pendant qu'une larme coule sur chacune de mes joues.

Les filles se regardent, confuses. Mon visage se crispe et je me mets à sangloter au milieu de la pièce, la revue dans les mains.

— Voyons, Mali, ce n'est pas si grave, ajoute Ge en croyant que j'ai de la peine à cause de l'histoire de Cori et de mon frère.

— Il a une blonde…

— Bien, heu… ça fait pas longtemps qu'on a officialisé la chose, mais oui, je te mentirai pas : on est en couple ton frère et moi…, confesse Cori en regardant par terre.

— Elle est blonde avec d'énormes seins, que je pleure de plus belle sans écouter Cori.

— Hein ? fait-elle, confuse.

Sacha, qui semble comprendre, s'approche de moi pour prendre la revue dans ses mains. Elle regarde la page couverture puis se retourne pour la montrer aux filles.

En voyant la photo, Ge s'approche de moi pour me prendre dans ses bras. Je pleure bruyamment comme une gamine de huit ans. En reprenant mon souffle, je me dégage de l'étreinte de Ge pour lui demander, sérieuse :

— C'est elle ?

— Elle qui ?

— La fille qui accompagnait Bobby au resto quand tu fréquentais son ami l'année dernière.

Elle baisse les yeux en faisant un signe affirmatif de la tête.

— Ah ! la conne ! que je rugis en larmoyant de plus belle.

Mali riposte et la vie aussi

Mme Allison réagit-elle à la simple présence d'une femme dans la vie de cet homme, ou réagit-elle parce que cette présence fut dévoilée publiquement ? Elle ne relativise pas le fait qu'elle a elle-même eu une aventure sexuelle et affective avec un autre homme. Nous sommes donc une fois de plus confrontés au mode de gestion émotive immature de madame.

N.B. La récurrence réactionnelle dans la problématique de la patiente amène une stagnation évidente dans l'évolution de la thérapie.

Je flâne toute la journée de jeudi à la recherche de « je-ne-sais-quoi ». Je n'arrête pas de penser que j'aurais envie de faire suer Bobby. Pourquoi ? Me venger ? Probablement ! Je valide très bien le principe qui dit qu'après la tristesse vient la colère, et ce, dans la plupart des situations générant des sentiments négatifs. Qu'est-ce que je peux faire ? Je veux lui faire savoir que j'ai vu la photo et que je réagis à celle-ci. Un courriel ? Pourquoi pas. Voyons voir…

« Salut Bobby, félicitations pour ta nouvelle relation de couple *jet set* ! Pour un gars qui ne voulait pas être en couple, tu as la présentation publique facile… »

Non, je parais beaucoup trop frustrée… Mauvais. J'efface tout. Je navigue sur Facebook le temps de vraiment penser à ma missive. Sur le babillard public, une citation attire mon attention. Ma cousine un peu hippie qui vit au Mexique a écrit : « Dans l'honnêteté mordante du sel, la mer révèle ses secrets à ceux qui savent écouter – Benitez ». Bon, comprenons ici qu'elle fait cette référence en nous présentant une photo superbe d'une plage turquoise. Cependant, dans ma tête, la citation de je-ne-sais-qui sonne comme une révélation. Est-ce que Bobby pourrait être cette personne capable d'écouter, de comprendre, de saisir ce qui se passe ? Peut-être que l'honnêteté est la carte que je dois jouer ? Essayons.

« Salut Bobby ! Ça fait longtemps. J'espère que tu vas bien. Je t'ai écrit, il y a de ça quelque temps, pour te dire de ne plus me réécrire pour me permettre de réfléchir. Ce que je fais depuis ce temps. Hier, je t'ai aperçu sur la page couverture d'un magazine en compagnie d'une fille… probablement ta nouvelle blonde. Ça m'a fait un pincement au cœur. Je ne sais pas trop comment te l'expliquer, mais je voulais te le faire savoir. J'espère que ton voyage s'est bien passé et que le début de ta tournée va à ton goût. Porte-toi bien.

Mali qui pense à toi. XXXXXX »

Bon, voilà qui est mieux, honnête et sincère. Par contre, je ne me compromets pas trop dans le message. Comme si je voulais juste lui dire que je le sais et que j'en suis triste. Est-ce bien mon objectif ? Je crois que oui. Après quatre minutes d'épisodes lunatiques-végétatifs durant lesquels je fixe aléatoirement le mur adjacent au frigo, mes yeux se tournent vers l'horloge de cuisine. Merde ! Je dois vite me préparer pour le travail.

En arrivant au centre de crise, je constate que je travaille aujourd'hui avec un gars que je ne connais pas encore. Au milieu de notre quart de travail, le premier appel des policiers entre. Ils ont repêché le corps d'une jeune fille dans le fleuve et ils nous demandent de les accompagner pour aller annoncer à la famille le décès de leur fille. Ouf... Exceptionnellement, les policiers viennent nous chercher au centre pour assurer notre déplacement. En entrant dans le véhicule, je m'aperçois que le conducteur, Alex, est un jeune policier que j'ai côtoyé lors de deux ou trois interventions déjà. Je l'aime bien, je le trouve très humain et doux avec les victimes d'évènements malheureux. Je prends en main la mise en place du plan de match. Les policiers annonceront la triste nouvelle, je m'occuperai de la mère tandis que mon collègue s'occupera du père. Pendant ce temps, les policiers se chargeront des autres gens qui arriveront ou des enfants présents sur les lieux le temps que nous soyons disponibles.

En route, un policier nous informe au moyen de son radioémetteur que la fille avait à peine vingt ans et qu'elle vivait en appartement. Une équipe tente de retracer le père, qui n'habite plus avec la mère.

La mère nous accueille, le regard inquiet, en nous demandant d'emblée si un malheur est arrivé à sa fille, car elle tente de la rejoindre à son appartement depuis deux jours. Alex lui annonce directement, mais avec délicatesse, que sa fille a été retrouvée dans le fleuve. La mère s'effondre au sol en criant. Avec mon collègue, nous attendons quelques instants avant de l'aider à se relever pour lui proposer de s'asseoir sur le divan. Elle pleure bruyamment et semble confuse. Alex lui explique en gros les circonstances de la macabre découverte pour ensuite lui demander des détails techniques sur sa fille et le père de celle-ci.

Une assistance immédiate de ce genre reste une intervention de soutien. On tente surtout de contacter la famille et les amis des gens impliqués pour leur annoncer la nouvelle avant qu'ils ne l'apprennent par les médias. Aucune aide thérapeutique profonde n'est possible dans ce type d'intervention. Les gens sont en état de choc trop aigu.

Après que j'aie passé une heure chez cette dame, elle me confie en m'examinant :

— J'ai de la difficulté à te regarder, ma belle enfant.

— Pourquoi, madame ?

Elle se lève pour prendre un objet sur le foyer et revient près de moi sur le divan. Elle tient une photo encadrée de sa fille.

— Elle te ressemble et elle étudiait en psychologie, dit-elle en se remettant à pleurer.

Je regarde la photo de plus près. C'est un peu vrai. La fille semble grande, avec de grands cheveux droits et foncés, des yeux noisette en amande… très bizarre. Les policiers et mon collègue s'approchent lorsque la femme leur montre la photographie. Ils acquiescent aux propos de la dame en faisant un léger signe de tête.

Durant notre intervention, les policiers d'une autre patrouille viennent nous porter une lettre qui a été trouvée dans l'appartement de la jeune fille. Tout porte à croire qu'il s'agit bel et bien d'un suicide. La dame me demande, avant que je ne la quitte, de lui en faire la lecture. Je refuse tout d'abord, en tentant de lui expliquer que ce n'est pas le bon moment et qu'elle pourra la lire plus tard avec le père, mais elle insiste. Je fais la lecture de la lettre à la dame, en tentant de contrôler physiquement le trémolo de ma voix, qui trahit l'émotion que je ressens depuis le début de cette intervention. L'histoire de cette jeune fille qui décrit ne pas trouver le bonheur dans la vie me touche beaucoup.

Nous quittons lorsque la famille de madame commence à arriver les uns après les autres pour la soutenir.

Quand les policiers nous reconduisent au centre de crise, Alex me suggère :

— Je sais que toute cette histoire t'a bouleversée, Mali. Si tu veux qu'on discute ensemble après ton quart, je termine à minuit.

Sans réfléchir, j'accepte :

— Oui, je termine à minuit aussi. Je dois rédiger mon rapport. Rejoins-moi ici quand tu auras fini.

— Parfait !

La psychologue mal chaussée

Lorsque nous entrons dans le petit resto « ouvert vingt-quatre heures », je suis encore un peu troublée. Alex commande un expresso avant de prendre la parole.

— Il y a des soirées comme ça où on se demande ce qu'on doit apprendre là-dedans…

Il a exactement mis le doigt dessus. Depuis la fin de cette intervention, je me demande pourquoi cette étrange situation s'est produite. Le contexte, ça va, j'ai déjà fait ce type d'intervention dans le passé, mais la photo qui me ressemblait et la jeune fille étudiant dans le même domaine que moi… Un peu trop absurde pour ne pas s'interroger. Pourquoi cela devait-il arriver ? Pourquoi a-t-on repêché le corps aujourd'hui ? Pourquoi, sur six équipes d'intervenants, est-ce la mienne qui ce soit rendue là ?

— Bien que je n'étais pas en détresse comme elle, on dirait que je me suis vue sur cette photo pendant une fraction de seconde… durant mon épopée universitaire… Jeune, innocente…

— Cette jeune fille-là manquait peut-être de rêves, propose Alex.

— Ou peut-être qu'elle avait juste de la difficulté à les atteindre… qui sait ? que j'ajoute.

Dans la plupart des cas de mort par suicide, la pire erreur à faire est de tenter de spéculer sur ce qui s'est passé dans la tête des gens avant qu'ils passent à l'acte. Comme la souffrance prend toute la place, le raisonnement et la façon d'évaluer les problèmes de ces personnes sont souvent hypothéqués. Elles ont des distorsions cognitives[1] : pour elles, deux plus deux égalent neuf.

Je discute de tout ça pendant un moment avec Alex. Il me fait du bien. Je me sens comprise, écoutée. Plus le temps s'écoule, plus ma ventilation avec lui libère ma tête de cette histoire troublante. Nous abordons finalement d'autres sujets, tout naturellement. Sa vie de policier… ma vie de professeure… Le temps s'égrène si vite en sa compagnie que, lorsque je jette un œil à ma montre, il est déjà deux heures du matin.

— Je dois rentrer, que je dis en terminant mon café.

---

[1] Les cognitions de nature subjective peuvent conduire le sujet à une vision approximative, déformée, voire totalement inexacte du monde. Chez le sujet dépressif, les distorsions cognitives, c'est-à-dire les interprétations et les représentations biaisées du monde, privilégient souvent une vision négative et pessimiste des choses, rendant ainsi l'individu incapable d'évaluer la réalité de manière positive ou neutre. Le patient ne semble plus capable d'objectivité.

— Moi aussi.

— Merci beaucoup, Alex. Tu m'as fait un grand bien ce soir…

— Toi aussi, Mali. Malgré tout ce que je peux vivre à travers mon travail, les histoires touchant des jeunes m'ébranlent toujours.

— Sûrement…

— À bientôt. Peut-être…

Je l'embrasse chaleureusement sur les joues avant de quitter les lieux pour rejoindre ma voiture dans le stationnement.

Bilan physique et affectif

Cette semaine bouleversante en émotions se termine par la rencontre avec mon cher médecin spécialiste.

— Aujourd'hui, Mali, on fera des prises de sang de routine et une échographie pour voir comment fonctionne la partie de la glande thyroïde restante.

— Justement, docteur, il paraît que je perds mes cheveux, que je prononce avec un ton inquiet.

— Ah oui ? Ta glande doit être en réaction à quelque chose alors, s'interroge-t-il en me regardant, sérieux.

Le tout se passe rapidement et sans douleur. Sauf la piqûre au bras, mais bon. Je quitte l'hôpital en textant les filles pour les convoquer à un « vrai » *meeting* de consœurs, ce soir. Les réponses sont toutes affirmatives. J'ai bien l'intention de remettre les pendules à l'heure. Il faut instaurer un rendez-vous hebdomadaire ou un rituel accommodant, car soit qu'on vive ensemble comme des fantômes, soit qu'il y en ait une qui explose en raison d'un trop-plein. Pas vraiment le rêve imaginé avant notre emménagement. Sacha me réécrit un message texte :

(Je suis en peine d'amour…)

Je lui demande :

(Comment ça ?)

Pas de réponse.

Je m'interroge sur les raisons de cette révélation du jour. Elle semblait en amour, pourtant… Depuis le changement de cap de la consœurie, Sacha s'est tellement investie dans le projet de trouver l'homme de sa vie qu'elle croit chaque fois que c'est *lui*. Un peu intense, notre belle Sacha !

En revenant au *condo*, je me dirige d'instinct vers mon ordinateur. Pfft ! Ce n'est même pas parce que je meurs d'impatience de voir si Bobby m'a réécrit…

Ma boîte de courriel m'apparaît : aucun nouveau message. Sur Facebook, Edward m'a écrit pour me déclarer qu'il aimerait me revoir bientôt. Oui ! J'ai bien aimé mon week-end avec lui, mais je ne roulerai pas mille kilomètres en trois jours pour lui voler un bec gaspésien !

Au retour des filles, nous commençons la rencontre-bilan en force.

— Je suis vraiment une conne finie, juste bonne à se faire croire tout le temps plein de niaiseries ! décrit Sacha, triste.

— Qu'est-ce qui s'est passé en si peu de temps ? se demande Cori, aussi surprise que moi.

— En fait, il ne m'a rien dit officiellement, mais disons que je n'ai presque plus de nouvelles de lui. Il ne répond plus à mes messages textes, il m'a dit être occupé toute la semaine, il se fait distant…

— Tu lui as peut-être fait peur, spécule Ge.

— Je pense que oui. Mais ça allait tellement bien nous deux. OK, on se connaissait peu, mais quand le courant passe entre deux personnes, ça passe, non ?

— Oui, mais certains hommes restent toujours un peu frileux en début de relation. Toi, tu fonces toujours la tête la première. Ça peut être épeurant des fois, que j'explique.

— Je sais, je m'énerve ! avoue Sacha en regardant pour la cinquième fois son téléphone cellulaire.

— T'es surtout déçue, je pense, atteste Ge.

— Mets-en ! Parlez-moi de vos histoires d'amour réussies pour me changer les idées, implore Sacha.

— Ben moi, j'ai rencontré Jason, le candidat militaire *sexy*, confie Ge, plus ou moins excitée.

— Tu ne nous avais pas dit ça ! Et puis ? trépigne Sacha.

— Bien, on a soupé au resto. C'était correct. La soirée s'est terminée là.

— OK… Tu vas le revoir, donc ? juge Cori.

— Oui, demain en plus. Chez lui…

— Oh, c'est du sérieux ! blague Cori.

— Je ne sais pas trop encore. J'espère le voir se dégourdir un peu, il n'est pas très bavard. Verdict de candidat : à suivre, clôture Ge.

Nous passons droit au dossier de Cori et mon frère. Je crois que l'évènement nous paraît encore un peu trop récent pour se permettre d'en discuter allègrement. D'ailleurs, après une semaine bien remplie, je n'ai pas trouvé l'occasion de reparler de tout ça en privé avec Coriande. J'ai décompressé à ce sujet et je veux lui faire part calmement de mon opinion sur cette situation.

Dans un tout autre ordre d'idées, je partage ma constatation désolante :

— Les filles, je trouve personnellement que ça ne marche pas trop bien la consœurie et notre cohabitation.

— Qu'est-ce que tu veux dire ? fait Cori, inquiète.

— Ça fait plusieurs fois que je le mentionne, nous souffrons d'un manque de communication flagrant ! On se voit peu, on chemine chacune de son côté… J'ai besoin de vous plus que ça dans ma vie !

— Si tu fais référence à l'histoire avec ton frère, Mali…, cafouille Cori, repentante.

Je lui coupe la parole :

— Non, pas particulièrement, je parle en général. Je me sens loin de vous autres un peu, c'est tout…

— Moi, je pense exactement comme toi. On croyait que la cohabitation allait nous rapprocher et c'est le contraire, approuve Ge.

— C'est vrai, vous avez raison, déplore Sacha.

— Ouin… Qu'est-ce qu'on peut faire ? s'interroge Cori.

— Se fixer un rendez-vous chaque semaine ? Au moins *un* souper, que je propose.

— Difficile de trouver un jour fixe par contre, souligne Sacha.

— On peut recommencer les dimanches *Tout le monde en parle* ? suggère Cori.

— C'est vrai pour le dimanche, c'est une bonne journée : la semaine recommence, on est souvent à la maison, entérine Ge.

— Et si exceptionnellement une consœur ne peut pas, on le remet à un autre jour ou on trouve une solution de rechange !

— D'accord ! Faisons un pacte ! soumet Ge.

Toutes les filles mettent la main l'une par-dessus l'autre au milieu de la table.

— Bon, on est justement dues pour un bilan intérieur de chacune. Je propose un partage de nos états d'âme par rapport au nouvel objectif, soit trouver l'amour, établi depuis bientôt quatre mois…

— Je commence, étant donné que je vous en ai parlé tantôt, dit Sacha.

— Vas-y, que je l'encourage.

— J'ai vraiment un problème. Je tombe en amour avec tout le monde, et on dirait que je le sais mais que je n'ai aucun pouvoir là-dessus. C'est ressenti, comprenez-vous ? Je ne l'invente pas, c'est dans mon cœur. C'est pire depuis que je cherche enfin une relation de couple stable.

— J'ai beaucoup de misère à te comprendre, explique Cori.

— Quand je rencontre le gars les premières fois, ce n'est pas si pire, mais aussitôt qu'il y a un rapprochement physique, c'est fini : je l'aime ! Au début, avec lui, je niaisais un peu quand je disais : « Je tombe en amour par message texte… ». Après l'avoir vu quelques fois par contre, c'était vrai. Je pensais tout le temps à lui. C'est quoi, mon problème ?

— Moi, je crois qu'il faut que tu te détaches un peu de ton espoir de relation de couple immédiate. Oui, on a réalisé qu'on était prêtes à vivre cela, mais ce n'est pas une obligation non plus. Il n'y a pas d'urgence.

— Mais je veux vraiment être en couple ! précise Sacha.

— Je sais, mais tu veux TROP je pense, commente Cori. Laisse les choses venir à toi un peu et apprends à avoir du recul sur les candidats aussi.

— Hum…, approuve Sacha en regardant son verre de vin.

— Quand je rencontre un gars, Sacha, je me questionne toujours : « Est-ce qu'il a vraiment ce que je veux ? Est-ce qu'il va me faire avancer dans la vie ? », mais pas « Est-ce qu'il m'aimera ? »

— Oui, c'est vrai, je me dis ça : « Faut qu'il m'aime, faut qu'il m'aime… ».

— Mais toi, Ge, au contraire de Sacha, penses-tu tomber en amour un jour ? que je lance pour amorcer une discussion.

— Je ne sais pas, je pense que oui. J'espère du moins… Regardez Cori ! Qui aurait prédit qu'elle trouverait quelqu'un de compatible dans son entourage immédiat ?

Cori me regarde avec des yeux interrogateurs, mal à l'aise, comme si elle m'implorait, non verbalement, la permission de s'exprimer sur le sujet.

— C'est une surprise, je l'accorde, mais ça peut arriver, que je réponds pour lui signifier de verbaliser sa pensée.

— Honnêtement, je n'aurais jamais envisagé une relation amoureuse avec Chad ! Nous nous connaissons depuis si longtemps, comme vous dites…

— La preuve qu'il faut demeurer attentif aux gens autour de soi et qu'il faut surtout prendre son temps. Des fois, ce n'est pas toujours les relations qu'on croit qui méritent d'être investiguées, affirme Ge.

Curieusement, au moment où Ge prononce ces mots, je ne songe pas à Bobby, mais à Alex, le policier avec qui j'ai travaillé. Hé ! Ne pensez pas que j'ai la même maladie que Sacha. Je pensais à lui juste par hasard…

La discussion se prolonge jusqu'à tard dans la soirée. En me couchant, je songe au désir profond de chaque consœur de vivre une relation de couple stable. Chacune semble avoir une vision bien différente de la démarche à suivre pour arriver à ses fins. Ma conception à moi, c'est quoi ? Ah oui ! « tripper » sur mes ex, j'oubliais…

Candidat numéro 3 de Ge : le militaire

« Bonjour Mali, j'espère que tu vas bien. Première rectification, madame la professeure, je n'ai pas de blonde ! Oui, une amie m'a accompagné à la première du *show*, mais je ne suis pas en couple. Deuxièmement, c'est toi qui as voulu qu'on arrête de se voir. Je ne sais pas trop quoi te répondre là-dessus. Tu ne voulais pas de nouvelles ou tu en voulais ? En tout cas, je repars pour l'Europe dans quelques jours. Si tu as le goût de me voir, appelle-moi !

Bobby XXX »

Je relis le message à plusieurs reprises pour conclure, après réflexion : c'est un peu n'importe quoi ! Il ne se mouille pas, ne partage aucune émotion, il est rationnel, direct... Ouache ! J'aurais aimé un peu plus de... vous savez de... je ne sais pas de quoi, mais un peu plus, bon ! Il me précise ne pas avoir de blonde et m'envoie tout bonnement un : « veux-tu me voir avant mon départ ? » Je constate le décalage émotif entre lui et moi. Ma façon de vivre les choses et la sienne semblent à des années-lumière de distance. Il s'en fout. Voilà la réalité !

Je ferme mon ordinateur au moment où je commence à entendre du bruit dans le *condo*. Je décide de cacher ce message aux filles. J'ignore pourquoi, mais je me sens honteuse. J'y réfléchis en prenant une note dans mon livre :

La patiente analyse ressentir une émotion négative de honte face à un courriel. En réalité, le sentiment négatif ici présent découle de sa grande implication émotive dans une relation fusionnelle fictive dans laquelle Mme Allison a cru déceler un potentiel de développement positif. Cependant, dans le cas présent, l'indice de temps, ici de deux ans, arrimé à cette implication affective est, selon mon analyse, la cause première de ce sentiment de honte.

C'est ça ! Honteuse d'avoir autant provoqué de vagues pour ce gars. Honteuse d'en avoir tant parlé. C'était voué à l'échec depuis le début et je m'en rends compte... enfin ! Étrangement, je ne me sens pas triste, juste honteuse. Cori me rejoint dans la cuisine.

— Bon, Mali, on est enfin seules. J'en profite pour t'exprimer ma désolation, mon amie, verbalise-t-elle.

— C'est correct, Coriande ! J'ai réfléchi à tout ça et, dans le fond, je me sentais lésée d'avoir été mise à l'écart de cette histoire, mais je comprends mieux ton hésitation à me l'apprendre.

— Aucune intention de vouloir t'offenser avec cette cachotterie. Je te le jure !

— Oui et, en réalité, je suis bien contente du choix de mon frère ! que je précise en lui prenant l'épaule amicalement.

— On s'aime beaucoup, tu sais, admet-elle en devenant un peu rouge.

— Tant mieux ! que je dis, honnête, en l'observant.

Nous sommes distraites par des rires provenant de la chambre de Sacha. Coriande fronce les sourcils en me regardant, amusée.

— Avec qui est-elle ? me chuchote Cori.

— Je ne sais pas, je me suis couchée avant elle, hier. Elle écoutait un film toute seule en bas.

Comme des espionnes, nous nous approchons de sa porte de chambre, trop curieuses d'entendre ce qui s'y passe. Cori et moi rigolons comme deux gamines en se mettant la main sur la bouche, embusquées près de la porte comme deux commères. Comme de raison, ce qui ne doit pas se passer arrive. La porte ouvre et tout le monde fait un saut.

— Ben voyons ! Qu'est-ce que vous faites là ! crie Hugo en nous apercevant.

— Qui ça ! hurle Sacha encore dans le lit, qui est placé de façon à ne pas lui donner un aperçu de la porte.

Nous trottinons sans bruit pour retourner dans la cuisine.

— Tes amies écoutaient à ta porte ! lui confirme Hugo sur un ton grave, les mains sur les hanches.

Sacha se lève.

— Qui ça ? répète-t-elle, sévère, en venant nous rejoindre à la cuisine.

— Pfft ! C'est complètement faux. C'est Hugo qui hallucine encore, plaide Coriande, sérieuse.

— Vous êtes vraiment « fuckées », vous autres ! déclare Hugo, résigné, avant de se diriger vers la salle de bain.

Je détourne la conversation.

— Qu'est-ce qu'il fait là, lui ? *Encore…*, que je susurre à Sacha en souriant.

— Ouin ! Tu l'as appelé en plein milieu de la nuit ? poursuit Cori.

— Ah ! je dors avec Hugo, c'est tout. Arrêtons d'en parler ! Faites comme s'il n'existait pas…, dit-elle en servant deux verres de jus sans nous regarder.

Au même moment, Hugo beugle de la salle de bain.

— Coudonc ! Je cherche le papier de toilette et je trouve juste des tampons pis des serviettes hygiéniques ici dedans !

— Difficile de faire comme s'il n'était pas là ! que je commente en riant.

Sacha me regarde, l'air découragé, en faisant rouler ses yeux en l'air.

— Prends les super absorbants ! Ça essuie mieux ! se moque Cori en riant.

Hugo est tellement comique. Je fais semblant de trouver cela terrible qu'il dorme avec Sacha, mais la vérité est tout autre. J'aime bien qu'il passe du temps ici. Une union entre ces deux-là pourrait peut-être naître. Ils ont tellement de plaisir tous les deux… et toute cette histoire douteuse de « dormir ensemble »… Je songe à la déclaration de Ge, qui disait : « …souvent, on n'investigue pas les bonnes personnes… ». Je ne m'en mêlerai pas, mais je vais tout de même leur en glisser un mot un jour, individuellement.

Hugo nous rejoint en déclarant :

— En tout cas, si un jour il y a un dégât d'eau dans la salle de bain, tout sera absorbé d'un coup ! Hop là ! Vous ne vous en rendrez même pas compte !

Nous discutons futilement lorsque Ge revient de sa deuxième soirée officielle avec son militaire séduisant.

— Tiens, l'espionne interne du troisième régiment qui revient pour passer aux aveux ! que je lance à la blague.

— C'est vrai, ta soirée hier chez ton militaire ! s'exclame Cori, qui semblait avoir oublié.

— Salut, répond-elle évasivement, sans afficher aucune émotion particulière.

Nous la regardons tous fixement, impatients d'entendre les détails de sa soirée. Elle monte à sa chambre sans rien dire pour ranger ses effets. Elle redescend à la cuisine et commence à se concocter un sandwich en silence. On pourrait entendre une mouche voler dans le *condo*. Trouvant l'ambiance étrange, Ge lève la tête vers nous.

— Voyons ! Vous êtes bien bizarres, commente-t-elle.

— Et puis ? demande Sacha, curieuse.

— Ouin, puis ? répète Hugo.

— Il est donc bien impliqué, lui ! dit Ge en se retournant vers nous en parlant d'Hugo.

— On le sait ! You Go aimerait ça changer de sexe pour faire partie de la consœurie ! blague Cori.

Hugo regarde Ge en faisant « oui » de la tête, les yeux enjoués.

— Ta soirée ? Il y a juste toi qui vis des moments excitants ces temps-ci, que je précise pour l'encourager à nous raconter.

Ge se tourne vers Hugo comme si elle hésitait à décrire sa soirée devant lui. Je lui fais un signe de tête rassurant en disant :

— Hugo fait partie de la famille, Ge...

Elle vient s'asseoir avec nous à l'îlot en commençant son récit :

— Un peu décevant, en fait...

Tout le monde effectue un relâchement d'épaules en soupirant un « Ahhhh... » de déception pour elle.

— Un souper chez lui. Il a cuisiné pour moi, c'était très bon. On a discuté en écoutant de la musique après.

— Ce n'était pas correct ? que j'insinue, surprise.

— Comment dire ? Ce n'était pas fluide. Je ne sais pas trop comment l'expliquer. Une ambiance un peu lourde, des discussions difficiles... Je pense qu'il est un peu traumatisé par la guerre.

— OK, il t'a parlé de ses missions ?

— Presque toute la soirée... Mais ça ne me dérangeait pas, au contraire, j'étais réellement intéressée par toutes ses aventures, mais comme je sentais une détresse chez lui, je suis tombée pour ainsi dire dans un mode « prendre soin » plus que « carottage sensuel », comprenez-vous ? relate Ge.

— Ah ! le syndrome mère Teresa de Coriande ! suppose Sacha.

— Heu ! l'ex-syndrome ! rectifie Cori en regardant Sacha, sévère.

— Et ensuite ?

— Bien, je ne sais pas trop quoi dire d'autre, s'excuse Ge.

— Donc, vous n'avez pas couché ensemble et tu l'as bercé sur le divan ? résume Cori.

— Franchement ! Non ! On a « essayé » de coucher ensemble..., avoue Ge, hésitante.

— « Essayé » ? que je répète, pas certaine de bien comprendre.

— Il était tellement vulnérable et attendrissant, je me suis dit : « Pauvre gars ! Si je peux lui amener un peu de chaleur humaine... ».

— Ge, t'as couché avec lui par pitié ?

— Non non, j'en avais envie. Il me plaît beaucoup physiquement en plus. Mais disons que ça n'a pas « fonctionné », reconnaît Ge, mal à l'aise, en regardant par terre.

— Quoi ? Il a un scoubidou de sous-officier de réserve[2] ? déconne Sacha.

— Niaiseuse..., fait Ge en ne riant pas trop.

— Non, je pense qu'elle veut dire qu'il n'a pas..., bafouille Hugo délicatement.

— Oui, c'est ça... Disons qu'il était super mal à l'aise et moi aussi. Je n'ai pas vécu *ça* souvent dans ma vie, je ne savais pas trop comment gérer *ça* justement. J'ai essayé de dissiper le malaise en inventant que *ça* arrive à plein de gars les premières fois et tout...

— Je comprends l'embarras, que je déplore.

— Et si je peux me permettre un commentaire. J'ai vécu *ça* une fois dans ma vie parce que je n'étais pas dans mon assiette et je me souviens du sentiment poche. Vous autres, vous ne pouvez pas imaginer comment un gars peut se sentir, confie Hugo humblement.

— Je l'ai senti tellement impuissant, continue Ge.

— C'est le cas de le dire ! se moque Sacha avec un demi-sourire.

---

[2] Expression éloquente, à prendre au premier degré, tirée du *Dictionnaire des mots du sexe* d'Agnès Pierron, 2010. Je vous fais confiance pour en découvrir le sens !

— SACHA ! s'insurge Cori en lui assenant un coup sur l'épaule.

— Depuis ce matin, je réfléchis en pensant à la soirée un peu ordinaire et l'attitude du gars en général et je ne souhaite pas nécessairement le revoir, conclut Ge.

— C'est ton droit, que j'approuve.

— Mais là, le pauvre gars, déjà humilié de ne pas avoir bandé, il va croire que c'est pour ça que je mets fin à notre relation ! spécule Ge.

— Oui, j'avoue que c'est la première chose qu'il va penser, fait Hugo.

— Déjà qu'il est plus ou moins heureux dans la vie, c'est vraiment plate, se culpabilise Ge.

— Tu ne peux pas continuer de le voir par pitié non plus, fait valoir Cori.

— Et le pire, l'épisode de baise ratée n'aurait pas été grave dans ma tête si j'avais passé une super soirée, vous comprenez ? analyse Ge.

— Moi je comprends, ça m'est déjà arrivé et ce n'est pas si grave, corrobore Sacha.

— Ah oui ? interroge Ge.

— Avec Carl, mon vendeur de Harley que je fréquentais l'année dernière. Parfois, s'il était trop fatigué, ça ne fonctionnait pas toujours.

— Avec un gars connu et que tu fréquentes depuis un moment, cela doit être moins gênant, réfléchit Cori.

— Bref, je me sens *cheap* de lui faire vivre un échec qui va sans doute lui taper droit dans l'orgueil mâle, termine Ge.

Personne ne dit rien. Situation pas très évidente, c'est vrai. Cela étant dit, je me sens tellement interpellée par sa peur de faire du mal. Un gars un peu vulnérable en plus ! Ge, habituellement pas trop émotive face à ce genre de situation délicate, semble réellement embêtée. Imaginez !

— Je ne veux pas t'imposer mon opinion, Geneviève, mais selon moi, dans certaines situations, toute vérité n'est pas bonne à dire. À ta place, je lui mentirais sur les raisons t'amenant à ne plus le voir, suggère Hugo.

— En lui disant quoi ?

— Heu… au lieu de dire : « Je ne crois pas que nous deux ça peut fonctionner… », j'opterais plutôt pour le passe-partout : « Je suis revenue avec mon ex… », propose-t-il.

— C'est vrai que c'est moins « confrontant » et tellement courant, approuve Sacha.

— Ouin… En tout cas, je vais mijoter tout ça.

Hugo, qui scrute le tableau de communication, nous pose une question.

— Donc, par curiosité, la sentence de Mali pour avoir miaulé toute la nuit à la *playa del* sous-sol, c'est quoi ?

L'ardoise affiche encore le questionnement des filles par rapport à la sentence qu'elles doivent m'infliger pour avoir invité Edward trois nuits consécutives.

— Premièrement, la faute n'est pas d'avoir « miaulé » comme tu dis, mais d'avoir invité un gars à dormir ici plus de deux nuits, que je clarifie pour le mettre dans le contexte.

— Deux nuits max par gars ? Donc c'était ma dernière nuit, chérie, minaude-t-il, triste, en regardant Sacha.

— Par semaine, explique Sacha.

— Ah ! OK ! répond Hugo, content.

— Mais ça ne compte pas pour les amis gais ce règlement de toute façon, le rassure Sacha.

— Elle recommence, fait Hugo en levant les bras dans les airs.

— Je propose d'annuler la sentence de Mali. Avec tout ce qui est arrivé au cours des derniers temps et ayant commis une grave faute moi-même…, amène Cori en parlant de ses cachotteries à propos de mon frère.

— Je suis d'accord, dit Ge en se levant pour effacer le tableau avec un linge.

— Moi aussi ! acquiesce Sacha.

— On repart à neuf !

— Je propose une belle soirée au thaï, ce soir !

— Oui ! oui ! Du chinois ! s'excite Sacha.

— Partante ! convient Cori.

— Moi, je vous laisse entre fe-filles ! Une partie de football en bobettes m'attend ! annonce Hugo.

Ce n'est pas chinois !

— J'avais vraiment le goût de manger du chinois ! radote Sacha avec enthousiasme en allant au resto.

— Heu... c'est zéro chinois ce qu'on va manger, que je rectifie en la regardant, les sourcils froncés.

— Bien oui ! C'est pareil partout ! garantit-elle, désinvolte.

Lorsque nous arrivons sur les lieux, Jy Hong et Suzy Kha semblent bien contents de nous voir. Dans un mouvement collectif d'identification territoriale, nous prenons la même table que la dernière fois. Nous avions passé tellement de temps ici cette fois-là que nous ressentons un sentiment d'aise comme à la maison. De plus, il n'y a que six personnes dans le restaurant. Six personnes... plutôt trois couples. Pendant que nous scrutons le menu, affamées, Sacha fixe un couple au fond de la pièce, assis entre une lampe de papier de riz suspendue et un pot de terre cuite aux couleurs vives, garni de fleurs de plastique décolorées.

— Heu... décroche, Sacha ! lui conseille Cori en la regardant par-dessus son menu de feuilles de papier plastifiées.

Sacha reste muette en soupirant bruyamment, le menton déposé au creux de sa main.

— Les *blues* de quoi, là ? se renseigne Ge en déposant son menu sur la table.

— Les *blues* de ma vie affective plate, du fait que je me suis fait larguer, le tout agrémenté d'une peur de finir mes jours seule dans un trois et demie de marde et d'être encore célibataire à quatre-vingt-dix ans ! déballe-t-elle en fixant toujours le couple.

— Bon ! bon ! bon ! Premièrement, commence par arrêter de les dévisager. La fille risque de te lancer une baguette par la tête en pensant que tu envoies une carotte à son homme, que je conseille en mettant mon menu devant son visage.

— Pourquoi, moi, je ne peux pas être en couple et heureuse ? pleurniche-t-elle.

— Là tu en fais une obsession, ma belle. C'est malsain ton affaire, commente Cori.

— Qu'est-ce que vous mangez ? que je m'informe pour faire diversion.

— Moi, je vais manger mes émotions…, commence Sacha en analysant le menu avec attention. Rouleaux impériaux, soupe won-ton, crevettes sautées et nouilles au curry rouge, voilà !

— Belle stratégie de compensation ! Bravo ! que j'ironise.

Jy Hong vient nous voir pour prendre les commandes et discuter un peu avec nous.

— Grosse réunion sur les hommes ce soir ? questionne-t-il en se souvenant de nos discussions de la dernière fois.

— Encore et encore…, soupire Ge en lui souriant.

— N'oubliez jamais, mesdames : « Celle qui cherche un homme beau, bon et intelligent n'en cherche pas un, mais trois ! » déclare-t-il en se mettant à rire bruyamment.

Nous rions avec lui en lui levant notre verre avant qu'il prenne notre commande sur un minuscule bout de papier. Il rejoint sa femme à la cuisine.

— Il les a, lui, les phrases-chocs tout le temps ! ricane Sacha.

— Tu sais, Sacha, je ne suis pas mieux que toi face aux hommes. Jusqu'à présent, mes *dates* du site de rencontre ont été un échec mur à mur : un gêné-extrême-joggeur-maniaque, un vieux-plein-de-MTS et un militaire-traumatisé-incapable-de-bander..., énumère Ge en prenant une grosse gorgée de vin.

Nous nous regardons toutes silencieusement pendant quelques secondes avant de pouffer de rire.

— C'est vrai, Ge, que c'est un peu pathétique ton affaire !

— Je vous le dis : UNE dernière chance, et ensuite je me déconnecte de ce truc. Mais tout d'abord, je tenterai de revoir le gars de la pêche : J.-F. Question de me donner au moins une bonne soirée de sexe. Peut-être aussi un peu pour me rassurer face à mon irresponsabilité dans l'incident avec le militaire.

— Arrête, Ge ! Tu ne penses tout de même pas être la cause de son problème technique ? s'indigne Sacha.

— Ben, il était avec moi dans le lit ! signale Ge pas trop fort, en jouant avec le sel sur la table.

— En fait, les filles, la seule liaison sérieuse dans la consœurie s'avère celle de Cori. Vous croyez que moi, ça va bien ?

— Non, pas vraiment, hein ? approuve Sacha.

— Non, je suis plus que toute seule aussi !

— C'est drôle, depuis le changement des objectifs de la consœurie, on dirait que c'est pire que pire, un vrai marasme ! soulève Ge.

— J'ai une idée ! s'exclame Sacha.

— Quoi ?

— On est dues pour un beau souper avec le partenariat externe, je pense !

— Oui, j'avoue que ce serait le *fun* de leur faire un bilan du désastre, affirme Ge.

— Au *condo* en plus, elles vont « tripper » !

— On présentera aussi à ma mère sa nouvelle belle-fille, que je déclare en adressant un clin d'œil à Cori.

— Ah ! bien oui, fait-elle, l'air peu convaincu.

Nous tentons tout le long du repas de mettre le doigt sur nos difficultés à rencontrer des hommes adéquats. Sacha soulève un point important pendant le plat principal.

— On ne chasse presque jamais en groupe !

— Effectivement, nos sorties en meute s'espacent beaucoup trop ! acquiesce Ge.

— Quand Mali était en Gaspésie, on sortait plus que maintenant et on habite à Montréal, ajoute Sacha.

— C'est vrai, vous devriez vous remettre à chasser sur des territoires possédant un cheptel[3] intéressant ! affirme Cori. Je n'irai pas avec vous tout le temps, mais je vous accompagnerai parfois, même si je suis en couple.

— Oui ! Il faut ressortir nos carottes et foncer dans le troupeau pour prendre le taureau par les cornes ! Heu… plutôt prendre le

---

[3] Nombre de bêtes répertorié par kilomètre carré sur un territoire précis…

buck par le panache ! exprime Ge, qui semble commencer à ressentir les effets du vin rouge.

— Bien dit, mon amie ! valide Sacha en levant son verre.

Comme le restaurant est maintenant vide, Jy Hong et sa femme prennent une pause en approchant deux chaises pour s'asseoir avec nous.

— Les mesdames cherchent encore les hommes très forts..., explique-t-il à sa femme en s'assoyant pour la mettre dans le contexte.

Elle nous fait un sourire compatissant signifiant : « Pas facile, hein ! » Nous discutons un moment et Jy Hong se lève en disant :

— Comme vous ne trouvez pas d'hommes, je vais vous servir le dessert chanceux...

Il s'éloigne en marmonnant quelques mots en vietnamien et sa femme s'esclaffe de rire. Nous nous observons sans comprendre leurs propos. Ce couple semble très complice. Je regarde amicalement la femme avant de lui poser une question.

— Comment as-tu rencontré ton mari, Suzy Kha ?

Elle sourit.

— Aaahhhh... Longue histoire à cause d'un éléphant dont on lisait la peur dans les yeux...

— Un éléphant ? questionne Sacha, curieuse.

Elle commence alors à nous raconter sa rencontre avec son mari en Thaïlande. Celui-ci avait quitté le Viêtnam pour venir travailler dans un restaurant touristique de Bangkok. Depuis une semaine, les nouvelles annonçaient qu'un des éléphants du royaume s'était enfui du Grand Palace. Le pays étant gouverné par un roi, celui-ci a des éléphants comme le roi d'Angleterre possède des chevaux. Elle nous raconte qu'un matin, très tôt, au moment où elle allait jeter l'eau de sa lessive dans l'égout d'une ruelle qui se terminait en cul-de-sac, elle avait été prise en serre par l'éléphant un peu effarouché par une motocyclette bruyante. Elle nous explique que les éléphants ont un tempérament doux en général, mais qu'exceptionnellement ils peuvent tout de même être en colère. Elle avait poussé un petit cri en laissant tomber son seau d'eau. Elle s'était retrouvée coincée entre le mur de pierre de la ruelle et l'éléphant de cinq tonnes qui avançait vers elle, la peur dans les yeux. À cet instant, un homme était arrivé en gesticulant devant la bête tout en faisant de grands signes avec les bras. Sans que Suzy Kha ne comprenne ce qui se passait, l'éléphant avait tourné les talons et s'était ainsi dirigé vers le chemin. Comme un magicien, l'homme avait enlevé la peur dans les yeux de l'éléphant pour libérer Suzy de cette souricière. Jy Hong avait déjà travaillé comme cuisinier au Viêtnam pour une troupe de spectacles qui amusait les touristes avec des éléphants. Cela avait été sa première rencontre avec lui. Il habitait trois appartements au-dessus de chez elle, dans les terres éloignées de la banlieue de Bangkok.

— Nous ne nous sommes jamais quittés, termine-t-elle en souriant, un peu songeuse.

Nous la regardons toutes, hypnotisées.

— Et comment voulez-vous ne pas croire au Prince Charmant après avoir entendu cette histoire ? que je roucoule, fascinée.

— Ce n'est pas le Prince Charmant. C'était l'homme qui connaissait bien les éléphants…, rectifie Suzy Kha.

— Après « César, l'homme qui parle aux chiens », on a : « Jy Hong, l'homme qui parle aux éléphants », déclare Ge.

— César ? répète Suzy Kha, ne semblant pas comprendre.

— Ah ! c'est une émission de télévision américaine..., que j'explicite vaguement.

— Belle histoire, commente Cori en souriant à la femme.

Nous respectons une minute de silence non planifiée à la suite de ce récit fascinant. Chaque femme assise à cette table réfléchit. Sacha brise ce moment de tranquillité :

— Avez-vous des biscuits chinois, s'il vous plaît ? commande-t-elle poliment avec des yeux d'enfant de cinq ans.

— Ben voyons... ce n'est pas chinois ici, Sacha, que je réplique, un peu gênée.

— Oui, j'en ai. Ce n'est pas vietnamien ni thaï, mais les gens aiment ça, explique Suzy Kha en se levant pour aller au comptoir.

Elle revient avec quatre biscuits chinois dans une petite assiette de porcelaine délicate.

— Oui ! oui ! émettent les filles avec enthousiasme. Je les regarde se ruer sur leur biscuit en réfléchissant.

Parenthèse d'analyse de groupe : notez ici le comportement typiquement féminin de recherche de réponse dans les puissances mythiques ou de révélations provenant de manifestation spéculative du hasard. Cette quête de réponse peut provenir soit de croyances religieuses réellement investies, soit d'un désir d'abandon aux forces surhumaines à la suite d'une déresponsabilisation ou d'un détachement face à l'avenir. Cependant, utilisé avec modération, le comportement en question n'a rien de destructeur et peut même être porteur d'espoir.

Cori ouvre le sien.

— « Vos destins est entre tes mains... »

— Il y a toujours des fautes de traduction là-dedans, hein ? que je mentionne à haute voix.

— « Vous vous achèterez de nouveaux vêtements », lit Ge, beaucoup trop enthousiaste. Bon, vous voyez que je dois aller magasiner !

Je poursuis.

— « Comme la chèvre, vous devez gravir la montagne. » La chèvre ? que je répète, l'air déçu.

Sacha, impatiente et excitée, fracasse le sien énergiquement.

— « Pour votre corps et votre esprit, faites de l'exercice. » Ouache ! Même le biscuit me dit que je suis grosse ! crie-t-elle, frustrée.

— Tu viendras gravir une montagne avec moi et la chèvre, que je rigole en lui lançant un bout de mon biscuit.

Nous sommes toutes crampées de rire au moment où Jy Hong sort du rideau de bambou séparant les cuisines de la salle à manger. Il transporte deux assiettes dans chaque main.

— Comme les dames n'ont pas de monsieur encore, je vous fais le dessert spécial : la banane royale ! Il attire les hommes amoureux...

Nous nous regardons, curieuses. Nous pouffons de rire en chœur lorsque chacune observe de plus près son dessert.

L'assiette est garnie d'une longue banane frite avec deux boules de crème glacée à la vanille placées une à côté de l'autre à l'extrémité de la banane.

— *Wow!* Un beau phallus avec des testicules glacés ! décrit Ge en se léchant les lèvres.

Le couple rit aux éclats, fier de son coup. Un peu gênée, Coriande dit :

— Bien... bon appétit, les filles !

Double invitation à chasser

Le début de la semaine me réserve une surprise. Mardi matin, en me levant, je prends connaissance d'un courriel provenant d'une personne absente de ma vie depuis trop longtemps.

« Salut Mali, j'espère que tout va comme tu veux. Ça fait longtemps qu'on ne s'est pas jasé, mais la vie va si vite. Je me prends à la dernière minute, mais il nous manque une partenaire de chasse à l'orignal dans deux semaines. Je ne sais pas si tu enseignes tous les jours ni si tu peux changer tes périodes d'enseignement, mais bref, tout le monde aimerait ça que tu sois de la partie ! La chasse commence le vendredi matin cette année.

Gros becs, j'ai hâte de te voir !

Cath XXX »

En terminant la lecture de son courriel, j'attrape mon agenda, emballée par sa proposition. Voyons voir ! Je pourrais prendre congé au centre de crise jeudi soir et tenter de changer mon cours du lundi pour le vendredi suivant. Ce groupe n'a jamais de cours le vendredi de toute façon. J'envoie un courriel à ma patronne au cégep pour avoir son accord sur ma potentielle modification d'horaire. J'appelle aussi aux ressources humaines du centre de crise. La femme responsable répond par l'affirmative à ma demande de congé. Youpi ! Ravie, j'ouvre mon compte pour naviguer un peu sur Facebook. J'ai un message dans ma boîte de courrier personnel : Ludovic !

« Bonjour, vive Facebook pour au moins une chose : retrouver des gens intéressants ! Comment te portes-tu ? Qu'est-ce que tu fais de bon ? Pour ma part, je ne travaille presque plus comme travailleur social. Ma carrière de slameur prend de plus en plus de place dans ma vie. J'aimerais bien planifier un souper ensemble un de ses quatre… si tu veux, bien sûr…

Paix,

Ludovic XXX »

Bon ! Une deuxième invitation à chasser, ou quoi ? Deux parties de chasse en une journée ! Je suis touchée par le message de Ludovic, mais je ne sais pas trop quoi en faire. Le rencontrer ? Souper avec lui ? Après tout ce temps et toutes les désillusions éprouvées quand il m'a repoussée à cause d'une fille. Mais je songe tout de même aux scènes paradisiaques du Honduras… Vous dites : « Ouf ! » vous aussi, hein ? En tout cas, aucune obligation de répondre tout de suite à son message. Je suis une femme convoitée, cher Ludovic ! Pfft !

J'écris un truc sur le tableau de communication, avant de me préparer pour mon cours.

Playa del sous-sol : Faites de quoi quelqu'un ???
Date :

Message : Il faut planifier le souper avec le partenariat externe... On fait quoi ? – Cori

Ne pas oublier :
« Une femme qui cherche un homme beau, bon et intelligent n'en cherche pas un, mais trois... » – Jy Hong
Alors j'opterai pour : le beau (Edward), l'intelligent (Ludovic) et le bon (un gros orignal. Mmmm !).

Une surprise à la playa

Vers la fin de la semaine, tout s'officialise. Je pourrai aller à la chasse à Edward… heu… à l'orignal, je veux dire. Mes modifications d'horaire professionnel sont confirmées. Je partirai jeudi matin et je reviendrai dans la journée de lundi. Trois jours de chasse seront suffisants pour faire honneur aux femmes de l'Estrie dans la zone de chasse 01 (territoire de la Gaspésie) ! J'écris un minimessage à mon dieu grec pour lui faire part de mon excursion dans son coin de pays.

(Eille *sexy*, je te confirme ma présence en terre gaspésienne dans deux semaines pour quelques jours ! Au programme : tuer un orignal et dormir avec toi…)

Cinq minutes après avoir largué ce message, je n'ai aucune réponse à mon texto. Bon ! Il doit s'être marié depuis notre dernière rencontre ! Comme la dernière fois, il va tomber amoureux, je parie. Je regarde mon téléphone en attendant impatiemment sa réaction potentielle. On est vendredi matin, il enseignait peut-être aujourd'hui…

Toute la journée, je compulse en regardant mon appareil toutes les trois minutes ! Non mais, vous me comprenez, les filles ! On déteste ça les « non-réponses » à un message texte. Les gars : faites vos suivis, envoyez un accusé de réception, mettez votre timbre sur l'enveloppe, rentrez la noire au coin ! Voyons donc ! Les filles répondent tout le temps aux messages textes, elles ! Même occupées, on explique toujours : « Je suis en auto… » ou encore : « Je te parle plus tard… ». Pas juste : rien !

Je sors faire des courses en fin d'après-midi pour profiter de cette belle journée d'automne ensoleillée. Montréal frétille ! Les gens semblent courir dans les rues pour aller je ne sais où le plus tôt possible. Je me sens hors circuit de cette course contre la montre. Rien au programme pour le week-end, encore une fois… Je texte les filles pour savoir ce qu'elles prévoient pour ce soir. Naturellement, elles me répondent toutes, sauf Coriande. Elle appartient au clan des gars pour ce qui est des messages textes ! Ge ne fait rien ce soir et Sacha non plus. Je leur propose une partie de chasse en ville ! On se disait récemment qu'on devait retourner sur le plancher des vaches ! J'avoue que « plancher des vaches », ça ne laisse pas présager la rencontre de superbes spécimens… Disons plutôt : « plancher des bêtes » !

Quand je reviens au *condo*, tout le monde est là. Même Coriande. En consultant ma montre, je me rends compte que j'ai erré longtemps dans les rues de Montréal. Je pose mes paquets sur le comptoir de la cuisine avant de constater qu'il y a une drôle d'ambiance dans le groupe.

— Qu'est-ce qui se passe ? que je demande en les voyant m'aider à ranger mes aliments avec empressement.

— Regarde, Mali, on va serrer tout ça pour toi, dit Ge en me poussant plus loin.

— Bien voyons ? Je vais le faire, je suis là ! que je réponds, confuse.

— C'est que… Il faudrait que tu ailles dans le sous-sol tout de suite… quelqu'un veut te voir…, annonce Cori.

— Hein ? Qui ? C'est quoi cette histoire ? que je panique.

Sacha me regarde avec des yeux rassurants en me disant :

— Vas-y. On s'occupe de tes choses.

Je les observe, perplexe. Ma tête tourne. Je pense à la même chose que vous ! Bobby est là, en bas ! Merde ! C'est quoi cette manigance ? Elles l'ont appelé pour tenter d'arranger les choses avec lui ? Et lui ? Il a accepté de venir ici ?

Ge me fait aussi un signe de tête affirmatif pour me signifier d'y aller. Bon, je ne le laisserai pas en bas tout seul. Quelle consœurie truffée d'arnaques !

Je descends l'escalier tranquillement, tellement nerveuse que je ne sais même pas ce que je dirai. Je décide dans ma tête de commencer par « Salut ! ». C'est bon, non ? Lorsque j'arrive près du petit salon, la porte n'est pas fermée. Je me lance. En entrant, j'aperçois la silhouette de… mon frère Chad.

— Voyons ! que je crie en m'assoyant sur le divan, à mi-chemin entre une émotion de déception et de soulagement.

— De quoi : « Voyons ! » réplique-t-il, surpris par ma réaction inattendue.

Je soupire avant de dire :

— Je ne pensais pas que c'était toi, c'est tout…

Je prends trois secondes et quart pour reprendre mes esprits. Ce n'est pas Bobby… Ouf ! une chance… Pfft ! La vérité ? J'en suis presque désappointée…

— T'as l'air vraiment contente de me voir…, souligne mon frère.

— Bien oui… ça fait longtemps, que je réplique, l'air sévère, en me souvenant que je suis en colère contre lui et que je ne lui ai pas donné signe de vie depuis presque un mois.

Au même moment, mon téléphone cellulaire enfoui dans ma poche m'annonce la réception d'un texto. Je regarde. Bon, Edward qui sort des limbes ! Pas trop tôt !

(Salut belle fille ! Super pour ton week-end ici, je suis content ! Quand arriveras-tu ?)

Je lui réponds :

(Je te parle plus tard...) Pour ne pas « rien répondre »...

Mon frère, contrarié, réagit sur un ton sarcastique :

— Non mais, si je te dérange, on se reprend !

— Non, ça va. Je t'écoute... tu me dois des explications, je crois.

— T'as raison d'être un peu froide, Mali. Je suis désolé !

— Désolé de quoi ? que je proclame tout sourire, les bras croisés, en regardant le mur droit devant moi.

— Je suis désolé de t'avoir caché ma nouvelle relation avec une de tes meilleures amies !

J'espérais conserver mon attitude de « fraîche-pète-frustrée-au-dessus-de-ses-affaires » un petit bout de temps, mais mon frère me désamorce complètement avec sa franchise désarmante et sa manière incorruptible de nommer les choses. Je dégage mes bras pour me tourner vers lui en position plus ouverte.

— On se dit tout depuis toujours..., que je me lamente.

Il me coupe :

— Mali, Coriande te l'a expliqué. Depuis le début, j'essayais de la convaincre de te le dire en la rassurant que ce n'était pas grave et que tout allait bien se passer, mais elle me répondait : « On attend encore un peu... ». Et voilà, on en est là avec vos hormones « fuckées » et vos peurs refoulées...

— Pfft ! On n'a pas des hormones « fuckées » pis des peurs refoulées, que je balbutie en comprenant très bien de quoi il parle.

— Dans le fond, ce n'est tellement pas grave, mais plutôt tellement heureux ! Ne te concentre pas sur ce qui t'a été dit ou pas pour ruminer des émotions négatives et bouder, m'expose-t-il en souriant.

— Ruminer des émotions négatives ? T'es donc ben psychologue, toi, tout d'un coup ! que je déclare, soupçonneuse.

— Non, pas moi ! Mais ma sœur préférée l'est ! dit-il en m'assenant une poussée amicale.

En regardant ses yeux brillants, je ne peux faire autrement que de sourire. Chad a tellement le tour de me faire changer mon fusil d'épaule en un claquement de doigt ! Depuis le temps, on pourrait croire à mon immunité face à son charisme surabondant, mais non ! Je suis la pire molasse pour flancher quand il m'envoie ses yeux de gars intègre et bienheureux. Je l'aime tant. Je me lève d'un bond pour lui montrer que je ne rends quand même pas les armes si facilement en lui disant :

— Bon ! On rejoint les filles et ta BLONDE en haut ?

— *Yes* !

En arrivant à la cuisine, les filles nous observent comme si nous étions sur le point de faire une déclaration royale devant la presse. Chad lance :

— Relâchez vos omoplates, les filles ! On ne s'est presque pas battus...

En le voyant plaisanter, Coriande échange avec mon frère un regard lumineux reflétant sa satisfaction. En trois secondes et quart, j'aime ce couple ! C'est quand même la première fois que je les vois « ensemble », au sens officiel du terme.

— Bière froide à vendre ! offre Ge en ouvrant le frigo.

— Attends, j'ai une belle bouteille de champagne dans mon auto. Je vais la chercher, annonce mon frère.

— Tu prévoyais que notre rencontre se passerait bien, à ce que je vois !

Il m'envoie un clin d'œil ensorceleur en s'éloignant vers la porte. Cori s'approche pour me serrer dans ses bras, sans rien dire. Je sens une pression sortir de son corps lors de l'accolade. Sacha proclame, solennelle :

— Ce soir, les poules, on sort !

— Oui, madame ! répond Ge en se prenant les seins à deux mains pour remonter exagérément son décolleté.

— Ça fait longtemps, on dirait ! que je souligne.

— Je pense qu'on ira prendre un verre avec vous, annonce Cori.

— Où va-t-on ? demande mon frère, qui revient au même moment.

— Prendre un verre avec les filles ? lui précise Cori, sur un ton interrogatif.

— Mets-en ! Question de dire à tous les hommes s'approchant de ma sœur que je les surveille, annonce-t-il, l'air menaçant.

— *Wow !* Ça va sûrement m'aider beaucoup ! Merci !

La chasse à quoi?

En arrivant au bar, nous allumons notre radar-à-gibier-potentiel. Nous commandons un verre en mirant latéralement l'immense pièce bondée de gens.

— Arrêtez de fixer le monde de même ! Vous avez l'air de trois psychopathes cherchant une victime à torturer dans votre *playa del* sous-sol ! déclare Chad.

— Peut-être que c'est ça qu'on veut ! réplique Ge en montrant ses dents comme un chien à mon frère.

— OK ! OK ! J'en ai déjà une femme qui me torture, ça va ! blague-t-il en regardant amoureusement Cori.

Celle-ci répond : « Honnnn... », le nez retroussé, en lui flattant les cheveux avec un large sourire niais. Comportement typiquement « femme en amour » ! Une onomatopée prononcée sur un ton doux et aigu, suivie d'une surexposition de canines supérieures, le tout agrémenté d'une contraction du muscle *procerus* (le muscle pyramidal du nez) ! On fait toutes ça durant les premiers six mois. La génétique mêlée à l'euphorie nous donnent parfois des airs de quotient intellectuel inférieur à une méduse, mais habituellement, le mec en question trouve ça craquant. Il trouve *tout* craquant, de toute façon, durant six mois... Après ? C'est un autre dossier !

J'observe le couple du coin de l'œil. Mon frère me paraît un peu gaga lui aussi. Ils se disent des secrets, se touchent aux trois minutes, la main, le bras... Ils se regardent... Ils semblent complètement seuls dans ce bar rempli de monde. Ge me sort de ma réflexion en me donnant un coup sur le bras.

— Il est pas mal, lui, non ?

Elle me pointe avec le menton un jeune d'à peine plus de vingt ans.

— Voyons ! Ajuste ton télescope ! La chasse au Bambi n'est pas ouverte !

— Il ne semble pas si jeune que ça...

Au même moment, le jeune homme, qui se sent observé, se met à gesticuler exagérément en poussant ses amis un peu brutalement pour attirer l'attention ou je ne sais quoi. Un de ses amis fait un bond de côté à la suite de cette bousculade et entre en collision avec une jeune fille, qui renverse le contenu de sa « vodka-canneberge » sur sa robe et sur celle de sa copine.

— T'as raison, Ge ! Il semble vraiment mature et pas si jeune que ça ! que j'ironise en me retournant pour m'accouder au bar.

Elle me regarde, le visage déçu, honteuse.

— Me semble que le gibier est jeune ici dedans ! affirme Sacha, mécontente.

— Oui ! Je pense que ce n'est pas l'endroit idéal, confirme Ge.

— On déménage ?

— Ouais !

Discutant les yeux dans les yeux, mon frère et Cori ne voient pas le mouvement de départ qui s'amorce.

— Eh ! Nous changeons de bar. On paraît matantes *overage* ici ! que je leur annonce.

— Ah oui ! se surprend Cori, qui n'a de regard que pour un homme.

— On vous suit ! fait mon frère en posant son verre à moitié plein sur le bar.

Hugo me texte à cet instant.

(Es-tu en ville ?)

Je lui réponds :

(Oui, chéri ! Viens nous rejoindre !)

(Ouin... Je ne sais pas...)

Lorsque nous entrons dans l'autre discothèque pas très loin d'où nous étions, Sacha constate :

— Bon, du gibier arrivé à maturité !

— C'est mieux en effet, que j'observe en souriant à un homme assis au bar qui me regarde un peu fixement en hochant la tête.

En l'examinant plus attentivement, je constate que le visage du gars m'est familier. Bien oui ! C'est Alex ! Le policier. *Wow !* Quelle était ma chance de le croiser ici ? Le destin ? Je vais le voir immédiatement. Il semble en compagnie d'amis, car beaucoup de gens se trouvent près de lui.

— Salut ! que je lui dis en m'approchant un peu de son visage pour qu'il m'entende bien.

— Eh ! je suis content de te voir ! Drôle de coïncidence, hein ?

— Ouais ! Vous fêtez quelque chose ? que je demande fortement en accordant un regard aux gens autour de lui pour être sympathique.

— Oui, c'est la fête à mon *chum* de gars, Bob ! qu'il m'annonce en me le présentant.

— Super ! Bonne fête !

Le gars s'approche pour recevoir des becs. Vous savez à quel point je déteste les contacts faciaux avec des inconnus, mais bon, pas le temps de faire une crise antisociale !

Comme les gens avec lui semblent l'interroger du regard, Alex me présente aux autres.

— Mali travaille au centre de crise de Montréal-Nord !

Les gens font « OK » de la tête. Il fait diligemment le tour de ses amis pour me les faire connaître. J'écoute d'une oreille en sachant que je ne retiendrai probablement aucun nom ! Il termine par :

— Et voici Stéphanie, ma copine.

Ah… Stéphanie… sa copine… Super ! La femelle du gibier est là. Je me sens alors un peu penaude de m'être introduite dans son territoire de chasse et d'avoir jasé de près dans l'oreille de son *chum*. Elle me fait un large sourire sincère en me serrant la main chaleureusement. Je discute avec eux pendant cinq minutes avant de rejoindre les filles.

— T'as miré une bête ? me taquine Ge, emballée.

— Heu ! « j'avais » miré une bête ! Il est en couple…

J'explique aux filles rapidement mon lien avec ce gars avant de constater qu'il me fait un signe de bras pour nous signifier de se joindre à eux.

— Pourquoi pas ! plaide Sacha qui a compris son signe.

— Tant qu'à y être ! que je me résigne.

Tout le monde transporte ses affaires près d'eux et les deux groupes se mêlent de façon aléatoire. Nous consommons avec eux des *shooters* de « bonne fête » et des verres de toutes sortes. Je me retiens de trop regarder Alex, que je trouve bien séduisant en uniforme civil… Sa blonde, elle, m'observe presque sans arrêt, tout sourire. Drôle d'attitude ! Mécanisme de défense ou elle est juste ultra-joviale (ou trop soûle !) ? Bref, je ne sens pas du tout que nous la dérangeons avec notre « incrustation » dans son espace vital. Tant mieux ! Dans la soirée, quelqu'un me prend doucement les hanches par-derrière. Je me retourne :

— You Go ! que je crie en lui sautant au cou.

— Bon, ça fait vingt minutes que je vous cherche partout dans le bar, râle-t-il en décochant une œillade à Sacha.

Je lui présente mon frère rapidement, qui quitte des yeux Cori deux secondes et quart pour saluer mon ami. Hugo, visiblement en forme, commande à la serveuse un double cognac pour bien commencer sa soirée !

C'était donc ça (pour Sacha)

Au matin, je suis réveillée par ma table de chevet qui tremble. En fait, mon cellulaire, sur le mode vibration, oscille sur celle-ci. Quelle heure est-il ? Neuf heures trente. Bien trop tôt pour envoyer des messages textes ! Je le prends tout de même dans mes mains. Edward ! Trois messages ! J'ai oublié de lui répondre hier… Je pouvais bien faire une montée de lait sur les gens qui ne répondent pas aux textos. Oups ! Je l'appelle sur-le-champ.

— Eh ! Excuse-moi sincèrement… Mon frère est débarqué au *condo* et nous sommes sortis en ville, que je m'excuse vaguement.

— Oui, j'entends ça avec ta voix de femme des cavernes !

J'ai une voix rauque naturelle, donc imaginez quand je me lève, après avoir trop fumé et abusé de l'alcool…

— Tu pourrais dire : « ta voix de chanteuse de blues *sexy* » à la place, que je lui suggère en toussotant.

— C'est vrai que j'aurais pu me forcer ! Écoute Mali, je n'ai pas beaucoup de temps pour te parler, je dois partir. Tu viens en Gaspésie ! C'est *cool* ! T'arrives quand ?

Comme il semble pressé, je lui explique rapidement les modalités de mon séjour. Il paraît enthousiaste et me confirme qu'il ira en visite chez ses parents pour le week-end étant donné qu'il n'habite plus la péninsule. Nous raccrochons en convenant de se parler d'ici là.

Lorsque j'entre dans la salle de bain, le miroir me renvoie effectivement l'image d'une chanteuse de blues, mais de soixante-cinq ans ! Ouf ! les restes de ma mise en plis d'hier amalgamée au mascara coulé jusqu'au menton me donnent un air de cantatrice de fond de taverne qui a passé la nuit debout ! Commençons la journée par une longue douche.

Pendant ce temps, Ge entre dans la salle de bain pour aller aux toilettes. On est à l'aise ! On partage déjà notre salle de bain depuis plus de quatre mois ! Assise sur la toilette, elle fait de longs soupirs sans me parler.

— Fffff…

— Oh, le réveil est dur dans le cœur de la guerrière qui a trop bu de tequila…, que je rigole sous la douche.

— Tu dis ! L'alcool heu… c'est… Fffff !

— Fais des phrases complètes, si tu veux converser ! que je lui lance à la blague.

— Fffff ! pas capable…

Je l'entends prendre des aspirines avant de sortir.

En la rejoignant en bas, j'ouvre mon ordinateur en prenant une tasse de café. Cori nous y retrouve avec mon frère. C'est quand même drôle de le voir ici. Je ne suis pas encore habituée à le croiser dans le décor de la cohabitation consœuriale. Il m'embrasse sur le front en me souriant.

— Et la fin de votre soirée ? implore Cori, très curieuse.

Cori et Chad n'ont pas terminé la soirée avec nous, hier.

— Bah ! tranquille, on a continué à discuter avec les amis d'Alex, que j'explique en fixant mon ordinateur qui se branche sur Facebook.

— C'est qui, lui, au juste ? insiste Cori.

— Un policier que j'ai croisé quelques fois à la *job* au centre de crise, que je précise.

— Je pensais que c'était un *prospect* quand je t'ai vue te diriger vers lui à notre arrivée, dit Cori.

— C'en était un ! Jusqu'à ce qu'il me montre sa blonde ! Eille ! J'avais la carotte prête à attaquer, mais il m'a présenté sa « copine » ! que je décris, un air découragé.

— Belle fille, hein ! commente mon frère, les yeux ronds.

— Tu dis ! Elle est comme parfaite, belle, super fine… trop fine même… Hein ?

— Pourquoi tu affirmes ça ? questionne Ge.

— Je ne sais pas, elle me regardait en souriant tout le temps. Elle paraît super attentive quand tu discutes avec elle, elle semble bien intelligente…

— Elle est peut-être juste sociale, spécule Cori.

— Hein ? Alex m'a demandé mon amitié sur Facebook et il m'a écrit un message personnel ? que je déclare, perplexe, en m'approchant de l'écran.

Je le lis à haute voix.

« Salut Mali, belle soirée hier ! On s'est amusés. Je voulais te dire que je t'ai trouvée très belle et encore plus sympathique que je ne le croyais ! À bientôt, j'espère… Alex XXX »

— Ben voyons, lui ! Il me « cruise », ou quoi ? que je demande aux autres.

— Il te « cruise » certain ! approuve Chad.

Les filles s'approchent.

— Va voir son profil ! propose Ge, excitée.

Il affiche officiellement être fiancé avec elle. Je me promène dans les pages garnissant son profil en commençant naturellement par les photos. Quoi ? Ils ont deux jeunes bébés. Beaucoup de photos d'amoureux…

— C'est quoi son problème ? Ils semblent si heureux…, que j'analyse, perplexe.

— Tu l'as dit : « il semble » ! ajoute mon frère.

— Je suis surprise ! que je m'insurge en lui répondant un message à mon tour.

« Salut Alex, oui belle soirée, mais le réveil est difficile pour les troupes ici. Passe un beau week-end ! Mali XX »

Bon, c'est simple, mais adéquat selon moi. Deux becs seulement, comme ça je ne flirte pas. Je suis tout de même curieuse de voir s'il y donnera suite.

Hugo se lève en premier et vient nous rejoindre dans la cuisine, l'air complètement exalté. Naturellement, il a « dormi » avec Sacha !

— On a un *scoop* ! Vous allez capoter !

— Quoi encore ? rigole Ge en lui servant un café.

— Hier ! Notre fin de soirée..., nous met en haleine Hugo.

— Vous avez couché ensemble finalement ! que je spécule, l'air désintéressé.

— Ben non ! Sacha, c'est mon amie lesbienne ! déconne Hugo en chuchotant pour ne pas que Sacha l'entende.

En fait, tout le monde s'est séparé en couple hier : Cori et mon frère les premiers, suivis de Ge et moi (couple au sens figuré ici !), et Sacha et Hugo sont restés là.

— Allez ! C'est quoi le *scoop* ? le presse mon frère, curieux.

— Non, non ! Ce n'est pas moi qui vous raconte ça... Mon amour ! crie Hugo vers la salle de bain où se trouve Sacha.

— Bon ! « Mon amour » maintenant ! que je soupèse en roulant mes yeux en haut.

Sacha nous rejoint en arborant un air sérieux, mais amusé.

— Bon, assoyez-vous bien sur vos bancs ! Je me prends un café et je vous raconte la clé de l'énigme…

— Ça commence bien, je ne te suis pas ! Quelle énigme ? se surprend Cori, perplexe.

— Bon ! Commençons par le début…, déclare Sacha.

Hugo lui coupe la parole, excité :

— Moi, je raconte le début étant donné que c'est mon initiative, propose-t-il en regardant Sacha.

— Accouchez, là ! On a juste signé un bail d'un an ici ! les brusque Ge, impatiente.

— Bon, vous connaissez le *running gag* de votre ami Sacha, ici présente, qui m'appelle toujours « son ami gai » ? expose Hugo en regardant tout le monde.

— C'est ça que t'es…, ajoute Sacha en croisant les bras.

— Arrête ! lui fait Hugo, agacé.

— Je te signale que tu l'as traitée de lesbienne tantôt, moucharde Chad.

— Comment ça, lesbienne ? s'indigne Sacha, expressive, en se tournant vers Hugo.

— On poursuit ! les ramène Ge, pressante.

— Donc là, à la suite de cette blague récurrente de mauvais goût, j'ai dit à Sacha : « T'en veux un ami gai, on va aller à l'arbre t'en cueillir un… », annonce Hugo, fier de son coup.

— Vous êtes allés où ? implore mon frère, curieux de connaître la suite de cette aventure qui semble si croustillante.

Sacha poursuit en levant sa main droite en direction d'Hugo pour qu'il se taise.

— Je vais continuer l'histoire. Donc là, comme on s'emmerdait au bar où on était avec vous, j'ai accepté de suivre Hugo dans son délire. On est allés au bar gai Double Zone ! Vous ne devinerez jamais la scène que j'ai vue ?

— Quoi, Hugo a salué plein de monde ? présume mon frère en me donnant un coup de coude.

— Hé *man, respect* ! conjure Hugo, froissé.

— Je te niaise, le gros ! s'excuse Chad.

— Non, on entre dans le club et on se dirige au bar, pénards, pour prendre un verre. En faisant un tour visuel de la place, j'aperçois un de mes ex se déhanchant langoureusement avec un gars sur une colonne de son…, nous met en haleine Sacha.

— Hein ? Qui ?

— Pas Nicolas ? que je demande, perplexe.

— Non ! Thierry ! aboutit-elle avec de grands yeux.

Toutes les filles font un « Hein ? » généralisé en mettant leur main devant leur bouche. Sacha poursuit :

— Eh oui ! Le gars à la libido d'escargot est gai ou « bi », j'ose croire !

— Hein ? Il frappe de l'autre bord ! s'emporte Ge.

— Il joue dans l'autre équipe ? renchérit Cori.

— Bien oui, les filles ! Il fait des passes par en arrière du but, ajoute mon frère en riant.

— *Oh my god* ! s'exclame Ge sans rien ajouter de plus.

— C'était donc ça…, que je réfléchis à voix haute.

C'était donc ça (pour moi)

Chad et Hugo passent le week-end au *condo*. On organise un tournoi de Wii samedi soir en mangeant une gigantesque pizza maison. Ge est partie voir Jean-François, le gars du voyage de pêche. Entre deux parties de tennis, j'ouvre mon ordinateur. Alex m'a déjà réécrit autre chose.

« Passe un beau week-end ! Une fille comme toi ne doit pas avoir de difficulté à trouver des gens intéressants pour souper avec elle le samedi soir ! T'habites près d'où à Montréal ? »

Bon, c'est confirmé, il flirte ! Du moins, on dirait ! Je lui réponds brièvement encore une fois :

« J'habite pas trop loin du Théâtre St-Denis… À la prochaine ! »

Je ne vais pas lui donner mon adresse, quand même ! Bien que… pour un policier… Pas trop difficile pour lui de la trouver, je pense. Son message m'a fait penser à quelque chose. Je retourne rejoindre le groupe au salon.

— On fait quoi pour le souper avec nos mères ? On ne s'en est pas reparlé…

— Heu… je ne sais pas… Une fondue ? propose Cori.

— On mange toujours ça quand on invite des gens.

— Heu…, hésite Ge.

— Invitez un chef ici, suggère Chad en toute simplicité.

Nous le regardons, surprises de sa proposition, en réfléchissant.

— Ce doit être dispendieux, pense Sacha.

— Un gars que je connais fait ça sur la Rive-Nord. Je peux lui demander, offre Chad.

— De toute façon, juste en échangeant vos bouteilles vides dans le placard de l'entrée, vous aurez en masse d'argent pour faire manger tout le monde ! ironise Hugo.

— Il n'y a pas tant de bouteilles vides que ça ! souligne Sacha, honteuse.

— Pfft ! réplique Hugo.

— Au moins, on les cache ! Durant le cégep, on faisait des meubles avec ! avoue Cori en regardant mon frère tout en retroussant son nez, tout sourire.

Tôt dimanche matin, je profite de la tranquillité du *condo* pour m'accorder une séance de yoga. Très zen, la madame… Pourquoi ne pas écrire dans mon livre, même si je ne me sens pas dépressive ni hystérique.

> *La patiente semble en contrôle de ses émotions et de ses réactions. Elle prend des décisions saines pour elle tout en étant proactive. Le détachement affectif et psychologique que Mme Allison a effectué avec une relation passée commence à donner des répercussions positives dans sa vie. Bravo ! Le cheminement me paraît satisfaisant compte tenu des déficiences sociales et affectives de la patiente.*

Pourquoi ma psy ne peut pas terminer ça avec une tape dans le dos pour une fois ? Mais bon ! Ce n'est pas moi la pro, c'est elle !

Je me décide enfin à répondre à Ludovic par courriel :

« Salut Ludi, en effet, Facebook est super pour ça ! En fouinant sur ton profil, j'ai constaté que ta carrière semblait prendre son envol ! Tant mieux, je suis très contente pour toi ! Tu dois être heureux. Pour le souper, je te laisse ça entre les mains… Appelle-moi si tu passes à Montréal (j'y habite maintenant !). Mali XXX »

Always Ex, hein ? Je suis pathétique ! Une vraie ruminante ! Définition : les ruminants sont des animaux qui sont capables de régurgiter de la nourriture afin de la remastiquer, autrement dit de pratiquer la rumination. Bon, c'est un peu écœurant comme comparaison, mais je fais ça avec les hommes… ou les hommes font ça avec moi. Cela étant dit, je ne sais pas qui remâche qui, mais je vis ce phénomène, et ce, de façon régulière !

Tout le monde se lève tranquillement au moment où un nouveau message entre dans ma boîte de courriel personnel. Probablement Ludovic qui répond… Non, c'est Alex. Encore ?

« Salut, c'est un beau coin de Montréal où tu habites et surtout pas très loin de chez moi. Si ça te tente un jour de venir souper à la maison, Stéphanie et moi en serions ravis. Ma copine t'a trouvée aussi jolie et sympathique que moi… Sans vouloir être déplacé, disons que nous sommes un couple un peu spécial ! Au plaisir, Alex XXX »

— Ah ben ! simonaque ! que je m'insurge, abasourdie.

— Quoi ? demande mon frère en se grattant la bedaine en bâillant.

— Je suis « flabbergastée »[4] ! que j'ajoute en regardant mon écran d'ordinateur, traumatisée.

Mon frère s'approche. Sans rien lui dévoiler, je tourne l'appareil pour lui permettre de bien lire le message. Cori s'avance pour voir aussi.

— Ben voyons ! crie Coriande en se mettant la main devant la bouche après avoir lu le mot du policier.

— Je rêve ou il me demande de faire un *trip* à trois, lui là ? que j'avance, sceptique, un doigt en l'air.

— Pouah ! se tord de rire mon frère sans rien ajouter.

Sacha et Hugo qui se lèvent aussi nous rejoignent à la cuisine.

— Voyons ! Vous riez de quoi ? demande Sacha, l'air endormi.

Je leur fais « non » de la tête, découragée, en leur montrant mon ordinateur sur l'îlot. Ils s'approchent pour lire à leur tour.

— Malade ! Un *trip* à trois avec la belle fille du bar vendredi ! fantasme Hugo.

— Ils sont ben « fuckés », eux autres ! s'étonne Sacha.

Tout le monde rit de me voir dans un état mi-traumatisé, mi-diverti !

— Prends-le comme un compliment, Mali ! rigole Cori.

— Il s'en passe des affaires ici le matin ! s'amuse mon frère.

---

[4] Vient du mot *flabbergasted* en anglais et qui signifie : ahuri, sidéré, les bras m'en tombent… Personnellement, je trouve que ça sonne comme une tonne de briques !

Je conclus tout haut :

— Je me demandais depuis le début pourquoi il m'écrivait ce gars-là. C'était donc ça !

132 Est...

Playa del sous-sol : Réservée pour le « trip » à trois de Mali, et moi je regarde ! – Hugo
Date : Bientôt (j'espère)

Message : Bon séjour, Mali ! Profites-en bien ! – Cori
Chasse le « big buck » ! Je t'aime
– Sacha

Ne pas oublier :
« Chez bien des femmes, la pensée s'élève quand les seins tombent. »
Belfont par Hugo

Ge est là lorsque je quitte le *condo* avec mes bagages, excitée de me rendre dans mon ancienne terre d'accueil. Elle me fait ses recommandations de maman bienveillante.

— Tu as rien oublié ?

— Comment puis-je le savoir Ge, que je rigole en la regardant.

— Bon là, tu vas faire la route d'une seule traite ?

— Oui, je l'ai fait six cents fois, Ge…

— Sois prudente et roule pas trop vite, me met-elle en garde.

— Voyons, Ge ! T'es bien bizarre ! que je commente en la regardant.

— Ben là, tu t'en vas loin, je vais m'ennuyer.

— Je ne pars même pas une semaine !

— Je sais. Mais depuis qu'on vit dans la même salle de bain, tu sais… Bon, je te laisse partir ! Bye-bye, ma chérie ! Je t'aime…

— Il est vraiment temps que tu te trouves un *chum*, toi ! que je lui lance en rigolant.

J'embrasse Ge avant de sortir avec ma poche de hockey pleine (même si je ne joue pas au hockey !). Mon habit de chasseuse nécessite beaucoup d'espace.

Je conduis sur l'autoroute pendant de longues heures avant de m'arrêter manger une bouchée en vitesse. Je revis beaucoup de souvenirs en sillonnant ces paysages. Rien ne change. Je me sens si excitée à l'idée de voir Cath. Lorsque j'entre dans la ville de Carleton, l'émotion grimpe à son comble. Je tourne dans la cour de chez mon amie. Elle me rejoint dehors avant que je n'aie le temps de sortir ma poche du coffre arrière.

— Mon amie ! crie Cath avant de me sauter au cou.

Son *chum* Mario arrive aussi. Quel bel accueil gaspésien ! Comme il est presque dix-neuf heures, la table est déjà mise. Nous planifions notre partie de chasse devant le délicieux spaghetti de Cath.

— On est dix ! me précise Mario.

— OK ! Rock est de la partie ? que je demande.

— Oui, madame ! Et sa blonde Caroline aussi.

— Super !

— Mais comme Caro vient juste d'obtenir son permis de chasse, je crois que tu seras la seule armée. Hein, chérie ? dit Mario en regardant Cath.

— Effectivement, on va être ton équipe de supporteurs, Mali ! J'adore la chasse, mais pas trop les armes. L'an passé, j'ai tiré pour abattre un orignal, mais je n'ai pas vraiment aimé le *feeling*, précise Cath.

— Pas de problème !

— Vous aurez une radio de toute façon. Nous, on se promènera sur les chemins. Ici Mali, on chasse en *pick-up* !

— Vous chassez en auto ?

— Pas en char ! En *pick-up* ! précise Mario avec son accent typiquement local.

Il fait attention lorsqu'il me parle et parfois je m'en rends compte. Il a vraiment un accent plus prononcé que Cath et ses amies.

— J'ai hâte de voir ça ! Je suis tellement contente d'être là ! que je dis en levant mon verre de vin.

Un « big buck » gaspésien ?

Le lendemain matin, mon alarme sonne à quatre heures. Eh oui ! quatre heures ! Malgré l'heure hâtive (ou tardive pour certains !), je me lève du lit fort motivée. J'ai seulement trois jours de chasse, il faut en profiter au maximum. Plusieurs chasseurs rêveraient d'être à ma place. Après un excellent café Baileys (tradition gaspésienne que j'approuve !), nous montons dans le camion de Mario. Une partie du groupe nous suit de près dans un autre camion. Le territoire de chasse, qui appartient aux terres de la Couronne (terre publique), se situe à environ quarante-cinq minutes de route. Nous nous enfonçons dans le bois tranquillement en suivant les chemins de terre battue serpentant dans la forêt très dense. Normal, les orignaux ne se tiennent pas trop près de la civilisation habituellement.

Nous descendons en plein cœur d'une sapinière au relief très vallonné. On peut apercevoir au loin de grandes étendues de terre où des arbres ont été coupés de façon plus ou moins aléatoire. Les bêtes s'y rendent souvent, à ce qu'il paraît.

Mon père m'a expliqué que l'orignal se chasse vraiment différemment du chevreuil dont la vue, l'ouïe et l'odorat sont plus développés. On n'utilise pas un leurre (les fameuses carottes !) pour appâter l'animal. Durant le rut, c'est plutôt une simulation par l'appel communément appelé le *call* qui sert à attirer les bêtes. Cependant, comme cette période est présentement terminée, il ne nous reste plus qu'à circuler en espérant repérer un animal au loin. D'où l'intérêt de se retrouver près d'une étendue de forêt dénudée d'arbres. L'orignal possède une vision médiocre, ce qui le rend moins sensible au mouvement environnant.

Les gars nous donnent un radioémetteur avant de nous souhaiter « Merde ! ». Je pars donc avec Cath et Caro, la blonde de Rock. Les filles, qui connaissent bien le bois pour y être allées souvent, me montrent une clairière dans la forêt en m'expliquant que nous descendrons le long du chemin, jusque-là. Parfait ! Je mets ma carabine chargée, mais verrouillée, sur mon épaule, et nous amorçons notre descente calmement dans le chemin rocailleux.

— Je suis tellement contente d'être là, que je dis à Cath en marchant.

— Moi aussi ! Ça va bien tes cours à Lanaudière ?

— Oui, j'adore ça !

Je lui raconte que le cégep se révèle bien différent de celui de la Gaspésie, et patati, et patata.

— J'ai bu trop de café. J'ai envie de pipi, confesse Caro.

— Moi aussi, que j'avoue.

— Comme on vient de partir, on est mieux de faire pipi ici que près de là où on risque de voir des bêtes, propose Cath.

Les orignaux, qui sont presque aveugles, jouissent tout de même d'un bon odorat. Le soleil commence à se lever petit à petit. Je dépose mon arme au sol, à l'orée du bois, avant de me cacher derrière un arbre. Nous rigolons doucement, les trois filles accroupies dans le bois, en constatant la scène un peu cocasse. Un craquement se fait entendre. Je blague en disant :

— Vite, ce doit être une mouffette !

— Mon *chum* capoterait ! s'amuse Caro.

Rock, son copain, avait eu très peur d'une famille de mouffettes lors d'une chasse à l'ours avec eux, il y a deux ans. Vous vous souvenez ?

Le craquement se fait de nouveau entendre. Caro, qui a terminé, remonte son habit de chasse. Elle est postée à environ une douzaine de mètres de moi dans le chemin. Je sors du bois pour remonter mon immense salopette aussi. Au moment où je remets mon manteau, j'entends Cath murmurer :

— Chut ! Chut !

Elle n'a pas sitôt dit cela que le bruit s'intensifie tout près de nous. Nos têtes se tournent simultanément vers l'orée de la forêt. Sans comprendre ce qui se passe, un immense orignal au panache impressionnant sort du bois en courant. Lorsqu'il perçoit notre présence, ses pattes de devant freinent à la manière d'un cheval qui doit sauter un obstacle dans une course d'agilité. Il reprend sa galopade en bifurquant de façon perpendiculaire vers le bois, de l'autre côté du chemin. Spontanément, je me rue sur mon arme que j'ai déposée par terre. Je déverrouille le frein de sécurité et je pointe ma 30-06 sur l'animal. Malheureusement, comme tout se passe vite, j'aperçois une fraction de seconde la croupe de la bête qui s'enfonce à toute vitesse dans la forêt.

— *Fuck* ! que je dis tout haut, abasourdie.

Les filles me regardent, traumatisées. Premièrement, d'avoir vu un orignal aussi immense de si près et, deuxièmement, parce que nous n'étions nullement prêtes à vivre tout ça maintenant, les culottes presque encore aux genoux.

— Ben voyons ! Les orignaux foncent sur les gens ici ! que j'exagère en baissant mon arme.

— OK ! Il y a beaucoup de bêtes en Gaspésie, mais je n'ai jamais entendu une histoire pareille ! s'étonne Cath, les yeux ronds.

Nous sommes là, plantées au milieu du chemin, silencieuses. Je m'en veux ! Je n'étais pas prête du tout. Un camion s'amène. Ce ne sont pas les gars qui chassent avec nous, mais d'autres gens de la Gaspésie connus des filles. Les gars ont une chaise de fortune, installée dans la boîte du *pick-up*. Cath, encore sous l'adrénaline, leur gesticule que nous venons de voir une grosse bête. Les gars partent en trombe pour tenter de la croiser plus loin.

— Je n'en reviens pas encore ! dit Caro.

Nous continuons à marcher. Moins de cinq minutes plus tard, nous entendons une série d'environ six ou sept coups de feu.

— Ils viennent de l'avoir ! que je prédis en accélérant le pas.

Finalement, en nous rendant près d'eux, nous constatons que les gars ont effectivement abattu un animal, mais ce n'est pas le même.

En dînant devant un feu avec notre groupe de chasseurs, les gars ricanent en entendant notre récit.

— Les filles, êtes-vous certaines que c'était un orignal ? taquine un des amis de Mario.

— Ben oui, voyons ! Il se tenait à cinq mètres de nous, insiste Cath, offusquée.

— Pourquoi Mali n'a pas tiré, alors ? fustige un autre.

— Mon arme était par terre, je remontais mon habit de chasse, que je déplore.

— Comment ça ? s'étonne Rock.

— On venait de faire pipi dans le bois…, ajoute Caro, un peu honteuse.

Les gars rient maintenant aux éclats.

— Ben voyons, les filles, vous ne nous ferez pas gober que l'orignal, qui a senti votre odeur d'urine, s'est jeté sur vous ! s'insurge l'oncle de Mario.

— C'est vrai ! crie Cath.

— Bon ! bon ! bon ! Les histoires de chasse ! lance un autre gars en levant les yeux au ciel.

— En tout cas, nous on le sait, hein les filles ! que je garantis en voyant le scepticisme des gars.

— Méchante *gang* de chasseuses…

Frisson d'automne

Edward vient me rejoindre chez Cath après notre journée de chasse. On soupe tous ensemble. Cath m'offre de l'inviter à dormir chez elle, étant donné notre départ encore très tôt le lendemain matin. Il accepte avec joie ! Après le souper, il me propose de se balader au bord de la mer, qui se trouve à une rue de chez Cath. Je m'habille chaudement compte tenu de la température froide en cette fin de mois d'octobre. Lorsque nous arrivons sur la petite plage, une grande émotion de plénitude m'envahit. Les vagues, bruyantes, frappent violemment sur les rochers d'une falaise, à quelques mètres de nous. Je m'assois sur un tronc d'arbre qui semble croupir sur la plage depuis déjà une décennie. La mer noire, traversée d'une immense rayure blanchâtre droit devant nous, m'hypnotise. En fait, le reflet de la lune éclaire de façon plus ou moins définie l'étendue d'eau. En remontant mes genoux sur ma poitrine, je m'emmitoufle dans mon grand châle de laine tout en cachant mes mains du froid en les enroulant dans l'épais tissu comme dans un manchon. Mes sens se gavent copieusement de cette atmosphère typique d'un bord de mer. Ce qu'elle m'a manqué... Furtivement, Edward me regarde humer son coin de pays les yeux à demi-clos.

— T'es belle..., me susurre-t-il en s'approchant de mon oreille pour s'éloigner aussitôt.

Je sors un peu de mon état fusionnel avec la nature pour lui faire un petit sourire en guise de merci.

— Tu t'es ennuyée de mon chez-moi...

— Oui, c'est drôle, parce que si la Gaspésie n'était pas aussi loin des gens que j'aime, je vivrais ici pour toujours.

— Mali, tout le monde vivrait ici si la Gaspésie n'était pas à l'extrême est du Québec !

— Sûrement...

— En tout cas, si tu habitais ici, ça ferait longtemps que je t'aurais demandée en mariage !

— Pouah ! c'est ça...

Je n'ai pas le temps de terminer ma phrase qu'Edward me prend délicatement le dessous du menton avec une main pour m'embrasser. Un frisson me transperce le corps des orteils jusqu'à la nuque. Je ne sais pas trop si c'est le vent de la mer ou l'homme venant de près de la mer qui a émoustillé mon système nerveux de la sorte. Je sors mes mains de leur cachette pour flatter doucement ses cheveux. Nous nous embrassons pendant de longues minutes sur ce tronc d'arbre, sans dire un mot. Nos yeux s'ouvrent de temps à autre, l'instant de quelques secondes, pour se regarder avant de se refermer pour apprécier ce moment de tendresse dans l'obscurité. Tout naturellement, nous cessons de nous embrasser pour admirer au loin la mer en silence. J'appuie ma tête de côté sur son épaule.

— C'est beau le décor que j'ai orchestré pour te rendre émotive et pour que tu m'embrasses, hein ? murmure-t-il avec des yeux enjôleurs.

— Tu es un concepteur d'images fabuleux !

— Oui ! C'est comme dans le film *La Grande Séduction* ! Je me suis organisé avec tout le monde dans la ville pour te convaincre de rester ici.

— T'habites même plus ici ! que je souligne.

— Si tu restais, je reviendrais…

— Edward, on se connaît à peine…

— Je sais, je déconne ! Je fais mon romantique. Nos objectifs de vie sont trop différents de toute façon… femme hybride !

Il fait référence à mon non-désir d'avoir des enfants. Il m'a répété si souvent qu'il voulait une famille…

— Bon ! On marche un peu ? que je propose pour changer de sujet.

Nous crapahutons adroitement entre les roches et les souches d'arbres sur la plage pour nous rendre sur un petit quai non loin de là. Edward crée beaucoup de rapprochements physiques : il fait semblant de me pousser dans la mer en me tenant par le bras, il replace mes cheveux qui volent dans tous les sens à cause du vent, il m'embrasse de nouveau... Nous ressemblons au couple dans le vidéoclip de la chanson *Hélène*, de Roch Voisine, qui est tellement *trop* amoureux sur un quai je ne sais où ! Un peu plus, il me faisait le coup des bras dans les airs comme Leonardo dans *Le Titanic* ! Edward semble être un grand romantique. La femme qu'il rencontrera (la « pas-hybride » qui acceptera de lui faire des enfants) sera heureuse. À moins que... Est-ce que je veux des enfants, moi ? Holà ! Stop l'élan de passion, Mali ! On se ressaisit l'émotivité un peu ! Une note sera à prendre là-dessus.

> *La patiente, encore vulnérable, a une dépendance affective latente et semble remettre en question certains objectifs de sa vie. Dans le plan de traitement de Mme Allison, il est clairement identifié qu'elle doit rester intègre à elle-même malgré les situations passionnelles. Elle ne doit pas modifier ce qu'elle est pour maintenir ou acquérir cette forme temporaire de stimulation affective.*

En revenant chez Cath, nous constatons que tout le monde semble dormir. Edward se dénude complètement avant de me rejoindre dans le lit. Je l'observe à la lueur de la petite lampe trônant sur la table de chevet de la chambre d'amis. Tout nu, il porte bien son nom de dieu grec ! Ouf ! peut-être lui faire *un* enfant... juste un petit ! Bon, ça y est, je délire !

Nous faisons l'amour silencieusement, avec une douceur et un abandon de soi total. La dernière fois que j'ai eu des rapports sexuels, c'est avec lui au *condo*, il y a déjà plusieurs semaines. Son odeur m'est familière et sa façon de me toucher aussi. Deux corps qui se reconnaissent, malgré le temps qui passe. Nous nous assoupissons finalement, enlacés comme deux spirales s'emboîtant parfaitement l'une dans l'autre.

Ce fut si court...

En arrivant au *condo* exténuée de la longue route, je me sens nostalgique des beaux moments passés là-bas. Tout d'abord de Cath et Mario, parce que je les adore, et ensuite d'Edward, qui semble partout à la fois : dans ma tête, dans mon corps, dans mon cœur... J'ai entendu trois cent soixante-douze fois la chanson *L'amour voyage* de Bobby à la radio durant mes longues heures de conduite et je me sens en contrôle face à lui. L'éloignement fait progressivement son travail et cela facilite mes efforts de détachement. Mon dieu grec aidant peut-être...

Ge m'aide à monter mes bagages à l'étage en me demandant des détails sur mon week-end.

— Et la chasse ?

— On en a vu un le premier matin, mais malheureusement, je n'étais pas prête à tirer. Les deux seules autres bêtes que j'ai vues durant le week-end sont l'orignal abattu par l'oncle de Mario dimanche matin et un gros *buck* aux belles fesses nommé Edward..., que j'évoque tristement en regardant par la fenêtre.

— Oh, un peu tristounette de revenir ici, mon amie ?

— Un peu nostalgique, oui. Comme enivrée par les beaux moments que j'ai eus avec lui. On a vraiment passé le week-end collés l'un sur l'autre, on a ri, on s'est trouvés beaux...

— Ah ! pourquoi il a merdé au début, lui ? Vous êtes bien trop loin l'un de l'autre. Et tu ne déménageras pas encore ! N'y pense même pas !

— Je pourrais peut-être aller lui faire un petit bébé là-bas ?

— Eille là ! On se calme ! Tu ne vas pas nulle part et tu ne fais pas de bébé à personne ! rigole Ge en sachant que je déconne.

— Je sais bien ! Je suis juste un peu absorbée par toute cette fin de semaine si agréable, que je rectifie, rationnelle.

— Ici, ce fut tranquille…

— Comment t'en es-tu sortie avec le militaire, finalement ?

— Ah ! la semaine dernière, je lui ai balancé la suggestion d'Hugo, explique-t-elle.

— Le truc de l'ex ?

— Oui. Il n'a pas trop réagi et m'a souhaité bonne chance dans ma relation.

— T'as revu Jean-François ?

— Oui, deux fois. C'était le *fun*. Léger ! Il me fait du bien. Nous n'avons pas des grandes conversations à tout casser, mais bon, j'aime bien passer du temps avec lui. Il aurait été un super candidat pour l'ancien objectif de la consœurie, mais pour le BB, je ne suis pas certaine…

— Bah ! le BB ? Je me demande si ça existe. Deux personnes, amoureuses, qui ont les mêmes objectifs, les mêmes buts… Cibole ! Je me questionne si ça se peut ?

— Je ne sais pas trop ! Je ne suis pas la plus motivée à t'encourager face au projet. Je me demande aussi si j'y crois…

— Mais il faut y croire !

Je soupire en regardant Ge prendre l'initiative de vider ma poche de vêtements sans donner suite à mon affirmation.

Évènements à l'horaire

Playa del sous-sol : Moi et le BB que je vais trouver bientôt... – La grosse Sacha désespérée

Date :

Message : Souper avec le partenariat externe samedi prochain !

Ne pas oublier :

« Le véritable amour est comme l'apparition des esprits : tout le monde en parle, mais peu de gens en ont vu. »

– Mali

Un souper presque parfait !

— Déjà la mi-novembre ! Ça se peut-tu ! se plaint la mère de Sacha en regardant la mienne assise à l'îlot.

— Tu dis ! On n'arrête pas le temps, hein ? compatit ma mère en levant les sourcils.

C'est ce soir que nous recevons le partenariat externe pour une consultation de groupe. En réalité, ma mère et celle de Sacha. La mère de Ge est décédée quand elle était petite et celle de Coriande habite l'Ontario. Bref, le chef invité est une surprise. Elles ne sont pas au courant.

Finalement, nous avons engagé le gars connu de mon frère et il nous a planifié une belle table d'hôte parfaite, à un prix raisonnable par personne. C'est un peu plus cher qu'au resto, mais depuis que nous vivons ici, tout le monde respire financièrement, donc on se gâte un peu ! En plus, avec les caisses de bières vides échangées, nous avons payé quelques bouteilles de vin ! Les alcooliques qui se paient de l'alcool avec les profits ! Eille ! On s'est un peu déguisées pour aller changer les bouteilles, Ge et moi. Casquette, lunettes de soleil… Ouf ! le gars à la caisse a commenté : « *Oh boy* ! Gros *party* ! » Et Ge de répondre, honteuse : « On fait les commissions pour tout le voisinage ! Ha ! ha ! ha ! » Il a rajouté : « Ben oui… c'est ça… » avec une face de jugement. Quand un petit gars de dix-sept ans, la bouche pleine de *piercings* et arborant un tatouage « *Fuck the world* » sur l'avant-bras, nous trouve *heavy*, c'est qu'il est temps de s'interroger.

Bon, le chef arrivera d'une minute à l'autre.

— Les filles, je ne veux pas me mêler de votre vie, mais voulez-vous de l'aide pour préparer le repas ? Il est déjà presque seize heures trente, offre ma mère, inquiète de nous voir toutes assises à ne rien faire.

— Non ! Vous ne vous occupez de rien ! Pas de problème ! que j'insiste en échangeant un sourire entendu avec Ge qui a pris place devant moi.

— Personne ne s'occupe de rien ce soir, assure Cori, les épaules en l'air.

La sonnette de la porte retentit.

— Ah bon ! voilà la surprise ! annonce Sacha, enjouée.

— Vous avez commandé au resto ? se surprend la mère de Sacha en semblant un peu déçue.

Sacha et Coriande rejoignent le cuisinier dans l'entrée pour l'aider à transporter les sacs. C'est un repas de congrès « clés en main » ! Les courses sont comprises dans le prix.

Les filles reviennent avec le cuistot. Il les devance pour entrer dans la pièce sans gêne.

— Bonjour, mesdames, je m'appelle Tristan ! C'est un plaisir pour moi d'être à votre service ce soir.

Sacha, qui marche derrière lui, lui fixe le derrière intensément. Je lui fais un signe discret des sourcils, signifiant : « Ouais ! Beau gibier, le cuisinier ! » Mon regard se dirige vers les mamans, fières de notre coup. Contre toute attente, je sens un malaise dans le regard de la mère de Sacha.

— J'apporte tes sacs où ? demande Sacha.

— Heu ! juste sur le plancher par là, je m'occuperai du reste, répond Tristan.

— Il va se changer là ? s'inquiète la mère de Sacha, très expressive.

— Il va quoi ? l'interpelle Sacha.

Nous nous regardons, confuses de son commentaire.

— Je reste habillé comme ça, madame, assure-t-il, tout sourire, à celle-ci.

— Maman, c'est un cuisinier. Il nous prépare le repas !

Elle pouffe d'un rire bruyant en se mettant la main devant la bouche.

— Heu… un instant ! Moi, je veux vraiment entendre de sa bouche à quoi elle pensait en disant ça ! que je revendique en me doutant bien de la réponse.

Elle fait « non » de la tête en riant aux éclats, rouge comme une tomate, les yeux pleins d'eau.

— Je ne danserai pas pour vous ce soir, madame, mais je cuisinerai ! explique Tristan en lui faisant une moue adorable.

Tout le monde éclate de rire ! La maman de Sacha se cache maintenant le visage à deux mains.

— T'as pensé ça ? l'interroge la mienne sans trop comprendre.

— De toute façon, l'heure pour les danseurs érotiques, c'est toujours autour de seize heures, seize heures trente, hein ? que je proclame en regardant tout le monde, ironique.

— Excusez-moi, se ravise-t-elle en regardant le cuisinier, repentante.

Tristan fouine dans ses sacs avant de revenir avec quelque chose de caché derrière son dos.

— Écoutez, madame, presque chaque fois qu'il s'agit d'une surprise, les femmes pensent que je suis un danseur à mon arrivée, donc ne vous sentez pas mal. Je ne vous séduirai pas en dansant ce soir, mais je peux tout de même vous offrir ceci..., qu'il précise en tendant à la mère de Sacha une vraie carotte !

L'hilarité générale reprend encore de plus belle. Nous sommes toutes conquises par le beau Tristan. Il est assez beau bonhomme en plus. Pas très grand, mais mince, cheveux châtain pâle, yeux bleu clair, *look* très *fashion*, même qu'on dirait plutôt qu'il sort en ville ce soir au lieu de faire la cuisine à un groupe de femmes ! Nous voilà toutes l'eau à la bouche... Pour le repas à venir, bien sûr !

— Le chef a reçu de l'information secrète sur la consœurie je pense, prétend Sacha en lui faisant un clin d'œil.

Chad a dû lui suggérer de nous faire cette blague de carotte. Très drôle ! Il nous regarde en levant les bras en l'air en guise de non-culpabilité.

— Bon, je me mets au travail ! Détendez-vous, mesdames !

Sacha lui envoie un regard *sexy* avant de prendre place à l'îlot. Bon, voilà une chasseuse à l'affût ! Je prends mon cellulaire pour lui envoyer un texto. J'écris :

(Laisse le cuisinier travailler ! Il s'embourbe dans toutes les carottes que tu lui lances par la tête depuis tantôt !)

Elle lit mon message sans même faire un sourcillement dans ma direction. Elle répond :

(Regarde-moi bien aller ! Lui, il reste à coucher ici ce soir !)

Je ne peux m'empêcher d'esquisser un large sourire en lisant son message. Ma mère me donne une tape sur le bras en disant :

— Laissez votre bébelle tranquille ! Vous parlez à vos candidats comme ça ?

— Non, non, non ! Pour moi, zéro homme dans ma vie ! Rien ! Personne ! crie presque Sacha, non subtile, en regardant discrètement le cuisinier qui nous tourne le dos, affairé devant l'évier.

Les filles comprennent sa manigance.

— Ah ouais ! suppute ma mère.

Autour de dix-neuf heures trente, nous nous attablons pour le premier service. Un énorme brie fondant avec fraises et croûtons maison. Le *condo* sent bon ! Ma mère lève son verre de vin.

— Merci sincèrement, les filles, pour la belle invitation et la belle soirée.

— On a besoin de vous, alors on a mis le paquet ! explique Ge en souriant.

— Justement, on est prêtes pour la consultation…

— Que se passe-t-il ?

— Comme vous avez eu vent, la consœurie a changé de cap en venant s'établir dans le *condo*, amorce Ge.

— Oui, et j'approuve votre décision. C'est beau la pluralité, mais ça ne fait pas des enfants forts, ajoute la mère de Sacha.

— Exactement. Donc, bref, c'est difficile. Seulement une consœur a trouvé chaussure à son pied dans une relation stable, que je conclus en regardant Coriande.

— Ah bon ? laquelle de vous ? implore ma mère, curieuse.

— Moi, dit Coriande, la tête basse en posant sa fourchette.

— Présente-nous le chanceux ! demande ma mère, excitée et enthousiaste.

— Heu… il est beau, grand, intelligent… Vous le connaissez…

Elle hésite un peu.

— Il s'appelle Chad ! déclare Cori en regardant maman droit dans les yeux.

— MON CHAD ! crie-t-elle, très surprise, en laissant tomber sa fourchette.

— Oui, maman. Une consœur a trouvé l'amour et ton fils aussi du même coup, que j'ajoute.

Ma mère se lève de table en jubilant.

— Mon dieu ! Mon dieu ! que c'est une belle nouvelle ! en s'approchant de Coriande pour la prendre dans ses bras.

La réaction de celle-ci émeut tout le monde. Même le cuisinier se retourne pour voir la scène. Naturellement, Sacha en profite pour lui envoyer un sourire. Ma mère souhaitait que mon frère rencontre quelqu'un depuis si longtemps.

— Que je suis contente ! proclame ma mère en levant son verre de retour à sa place.

Coriande raconte un peu leur histoire, les débuts, avec le développement de leurs sentiments réciproques. Elle est belle à voir.

— Quelle inspiration pour les autres membres ! soulève la mère de Sacha.

— Oui, tout à fait ! Mais c'est difficile de trouver, affirme Ge. Moi, par exemple, j'ai concrètement investi le projet de trouver le BB en m'inscrivant sur un site de rencontre.

— Ah oui ! sur le Web ! J'ai deux compagnes retraitées qui sont inscrites là-dessus aussi, explique la mère de Sacha.

— Ouf ! maman ! Je ne suis pas sûre que ce soit rassurant pour Ge, souligne Sacha.

— Ah non ? fait celle-ci en ne comprenant pas trop le commentaire de sa fille.

— À ce jour, mon expérience s'avère un fiasco total ! confirme Ge.

Elle explique, en rafale, les trois candidats en donnant les raisons qui lui font qualifier le résultat de « fiasco ». Elle relate ensuite le cas de Jean-François, en précisant qu'il ne correspond pas tout à fait à ses attentes chez un homme.

— Ouin..., ajoute succinctement la maman de Sacha en guise de commentaire.

Le deuxième service arrive. Une crème de légumes-racines. Miam !

— Merci ! mon beau Tristan ! jubile Sacha, langoureuse, en recevant son bol.

Elle est terrible !

— Toi, ma belle fille adorée ? Il se passe quoi ? demande sa mère en la regardant.

— Ah ! c'est le désastre ! J'ai beaucoup trop hâte d'être en couple, donc tout se brouille dans ma tête. Je crois à chaque fois que c'est le bon, mais je vis échec par-dessus échec depuis plus de six mois.

Sacha fait le tour des derniers hommes qui ont passé dans sa vie, en commençant par l'histoire de Thierry et la découverte de son orientation sexuelle.

— Dieu du ciel ! Homosexuel ! commente ma mère en avalant une cuillerée de potage.

— Alors là, je dois prendre mon temps, m'écouter, arrêter d'espérer..., dit-elle en se retournant encore vers Tristan.

— T'es bien partie ! que je murmure en faisant allusion à son attitude de la soirée envers le seul homme dans la place.

Elle me répond d'une grimace en se levant pour ouvrir une autre bouteille de vin.

— Excuse-moi..., fait-elle en le frôlant pour atteindre l'ouvre-bouteille sur le comptoir.

— Les filles, c'est bien de tenter de trouver l'homme que vous cherchez, mais attention de ne pas le mettre trop en avant-plan de vos vies, amène maman, rationnelle.

— C'est vrai ! Vous êtes jeunes, belles, et surtout vous jouissez d'une amitié exceptionnelle toutes les quatre. L'homme va venir agrémenter tout ça, mais il n'est pas garant du bonheur, comprenez-vous ? poursuit celle de Sacha.

— Oui, on le sait, mais on a hâte ! Ça fait plus de deux ans ! ajoute Sacha.

— Et toi Mali, le beau Bobby ? demande la mère de Sacha avec excitation.

Vous vous souvenez qu'elle est *groupie* raide dingue de ce chanteur. La question doit lui brûler les lèvres depuis le début de la soirée.

— C'est terminé ! que j'annonce.

Ma mère me regarde, les sourcils froncés. Je poursuis.

— Cette relation ne menait à rien de toute façon, jamais ce gars ne s'engagera de façon sérieuse. Mais je revois celui rencontré en Gaspésie, il y a deux ans, que j'enchaîne pour ne pas m'étirer sur le « dossier Bobby » trop longtemps.

— C'est loin un peu, souligne ma mère.

— Les retours en arrière traînent parfois de lourds boulets, philosophe celle de Sacha.

— Malheureusement, j'ai une petite tendance naturelle vers les « retours en arrière ». Mais bon, c'est le seul gars dans ma vie présentement.

— Mali ! Si t'ouvrais ton esprit un peu, tu pourrais en avoir un autre dans ta vie, précise Ge.

— Qui ?

— Mali se fait offrir des *trips* à trois régulièrement ! exagère Ge en regardant les membres du partenariat externe.

— Avec deux gars ? questionne ma mère, l'air dépassé.

Je la regarde, ambivalente, pas certaine de vouloir aborder ça. Bon, est-ce normal que je ne sois pas très à l'aise actuellement ?

— Non, non ! Un beau petit couple de Montréalais qui ont trouvé Mali pas mal de leur goût, poursuit Ge.

La main devant le visage, en regardant la nappe, je raconte timidement l'histoire d'Alex.

— Arrête d'être mal à l'aise ! Tout le monde faisait ça dans notre temps ! La belle époque des communes ! s'exclame la mère de Sacha, qui semble déjà un peu réchauffée.

— Maman ! crie Sacha.

— Bien quoi ? Vous êtes là à raconter vos histoires croustillantes avec les hommes… Sachez qu'on a eu une jeunesse nous aussi, les filles ! rajoute celle-ci en examinant la mienne qui rit.

— Est-ce que ma mère est vraiment en train d'avouer à la consœurie avoir fait des *trips* à trois ? implore Sacha en nous observant, scandalisée, tout en montrant du doigt sa mère de côté sans l'affronter du regard.

Celle-ci ne répond pas en souriant. La mienne lève alors son verre pour faire un tchin-tchin complice avec elle.

— Ouache ? Pas toi aussi ! que je beugle avec du dédain dans les yeux.

— Ben non, calme-toi ! J'ai rencontré ton père à seize ans. C'est le premier homme avec qui j'ai couché, me rassure-t-elle.

Sacha se retourne vers sa mère, les yeux pleins d'interrogations. Celle-ci s'amuse un instant de la réaction de sa fille avant de dire :

— Ben non ! Moi aussi, j'ai connu ton père jeune… Je n'ai pas fait de *trip* à trois, mais on avait connaissance que ça se passait, fait-elle en regardant ma mère qui approuve d'un signe de tête.

— Eille ! Nous autres on se pense *heavy* avec nos histoires de gars ! C'est de la petite bière à comparer aux *baby-boomers* débauchés ! réfléchit Sacha, amusée.

Voilà le troisième service maintenant, des feuilles d'endives garnies d'un ris de veau. Pour le menu, je lui avais au départ mentionné ce que nous voulions comme repas principal et, pour le reste, je lui avais juste suggéré des lignes directrices. Le ris de veau faisait partie de nos demandes d'entrée. Les seules petites choses que nous avions exclues du menu étaient les tartares (je déteste), les sushis (je ne suis pas encore arrivée à les aimer), les plats trop tomatés (à cause de Coriande), les trucs avec un goût d'ail ou d'oignons (pour moi également), pas de courge ou d'aubergine (c'est dégueulasse), pas de gaspacho (c'est froid ?), pas d'huîtres (incapable de les avaler), de mets contenant des avocats (c'est comme gluant) et pas de dessert trop au chocolat (je ne suis pas une *fan*) ni à la noix de coco (ma mère déteste). Voilà les seules limites que nous lui avions données pour l'élaboration de son menu. Bon, j'avoue que je suis responsable de la plupart des restrictions, mais que voulez-vous ! Quand j'étais enfant, j'appréciais réellement environ six aliments, en comptant le lait ! Je me suis améliorée depuis.

— C'est vraiment bon ! souligne Coriande en regardant Tristan.

— Merci, fait celui-ci en se retournant.

— Le meilleur ris de veau que j'ai mangé de TOUTE ma vie ! ajoute Sacha, survoltée.

Je lui fais un signe discret de la main pour lui signifier de se calmer les hormones un peu. Ge semble bien silencieuse au bout de la table. Ma mère, qui le remarque aussi, lui prend le bras. Ge la regarde avant de prendre la parole.

— Ça me fait drôle chaque fois que vous êtes là…

— À cause de ta mère ? suggère la mienne.

— Oui, dit-elle, songeuse, l'air triste.

La mère de Geneviève est décédée lorsque celle-ci avait presque trois ans. Un virus des neurones qui l'avait affaiblie en à peine quatre jours. Ge a été élevée par son père et par ses tantes qui l'aidaient. Elle ne se souvient pas d'elle réellement.

— Je vous observe ensemble, rire, être complices, et je trouve ça beau. Je me demande à quoi elle ressemblerait, quel genre de relation nous aurions. C'est bizarre parce que je n'ai pas de peine à cause d'un souvenir, mais à cause d'un genre de manque…, explique-t-elle.

— Je peux visualiser, même si je ne peux pas comprendre. Je crois que seulement les gens ayant vécu ce genre de manque peuvent réellement saisir tes sentiments, imagine la mère de Sacha sans penser à Cori.

— Bien moi, j'ai vécu ça et je ne partage pas le même sentiment que toi. Ma mère, je la hais ! Elle nous a sacrés là j'avais à peine dix ans. Moins elle me parle, mieux je me porte, spécifie-t-elle, un peu agressive.

Personne ne soulève son commentaire. Coriande souffre énormément de cet abandon, mais chaque fois que je tente d'en discuter avec elle, elle se braque et ferme sa coquille. Quoi faire de plus ? Ça lui appartient, après tout. Il y a des rosiers épineux dans chaque jardin secret…

— C'est vous autres, mes mamans ! Deux pour le prix d'une pas bonne, c'est encore mieux ! conclut Cori en levant son verre.

Malgré la souffrance palpable de Cori, personne n'en fait de cas et tout le monde lève son verre en souriant.

— On vous adopte toutes les deux, mes chéries, ajoute ma maman en douceur.

Tristan arrive avec le plat de résistance : des cuisses de canard glacées à l'érable sur un lit de mesclun avec des poires farcies au fromage bleu.

Farouche, le chef !

Ma mère, qui a dormi dans mon lit, me réveille lorsqu'elle se lève de très bonne heure. Un peu étourdie, je la rejoins en bas.

— Le chef se chargeait des courses, du repas, mais pas de la vaisselle, hein ? commente-t-elle en commençant à ranger tout ça.

— Chut ! pas trop fort ! Il est peut-être ici, que je souligne, le doigt sur la bouche.

— Tu crois qu'il a cédé ? me demande-t-elle, curieuse.

— Je ne sais pas, il regardait Sacha en tout cas !

En allant au frigo, j'obtiens notre réponse sur le tableau de communication.

Playa del sous-sol : Moi et le BB que je vais trouver bientôt... – La grosse Sacha désespérée

Date :

Message : Souper avec le partenariat externe samedi prochain!
Merci tout le monde, ce fut très agréable! Vous êtes superbes! On se reprend pour un souper à deux, ma belle Sacha (514) 585-4432 Tristan XXX

Ne pas oublier :
« Le véritable amour est comme l'apparition des esprits : tout le monde en parle, mais peu de gens en ont vu. »
– Mali

— Il n'est pas ici, que je révèle à ma mère.

— Comment tu le sais ?

— Regarde sur le tableau.

Ge et Cori nous retrouvent dans la cuisine en nous abordant avec la même question.

— Il est encore ici, le chef ?

Je leur désigne le tableau en guise de réponse.

— Quand je suis montée me coucher, ils étaient à discuter les yeux dans les yeux sur le divan, résume Cori.

— Pour Sacha, tu veux dire les yeux dans le même trou ! se moque Ge en riant.

— Arrêtez de parler de moi ! crie Sacha de sa chambre d'une voix rauque.

— Hé ! la fille qui tente de se faire farcir par le chef ! Lève-toi !

En nous rejoignant, elle déclare :

— Vous voyez comment je suis grosse et moche, même Tristan n'a rien voulu savoir de moi. J'étais presque rendue à lui offrir de le payer pour qu'il dorme ici.

— En effet, quand je suis montée me coucher, tu tentais de le convaincre de danser sur la table du salon contre dix piastres, révèle Ge en riant.

— Aaaahhhh ! je suis une grosse charrue ! pleurniche-t-elle, découragée.

— Je suis certaine qu'il veut te revoir, que je lui prédis.

— T'es malade ! Jamais je ne ferai de tentatives pour revoir un gars avec qui j'ai eu l'air si désespéré, ajoute-t-elle.

— Pas besoin de faire les premiers pas, il les a déjà faits, que je réplique en lui montrant le tableau.

Elle s'approche, le front plissé.

— Vous niaisez ! C'est vous qui avez écrit ça !

— Ben non ! Regarde comme il faut, c'est vraiment une écriture de gars ! spécifie Cori.

Sacha s'emballe en sautant sur place à pieds joints.

— Hein ? il veut me revoir ! Ah ! je le savais qu'on était amoureux ! Mais je vais devenir encore plus grosse si je *date* un chef…

Tout le monde lève les yeux en l'air avant de continuer à ranger la cuisine.

Vendredi, 2 semaines plus tard…

Aujourd'hui, je rencontre encore mon médecin. Il a rappelé il y a deux semaines pour me dire de revenir passer des tests. Bon ! Que se passe-t-il encore ?

— Bonjour Dr Paré ! que je lance avec entrain en pénétrant dans son bureau.

Il lève à peine les yeux vers moi. Il scrute un dossier (probablement le mien), les sourcils froncés. Environ deux minutes plus tard, il dirige enfin son attention vers moi.

— Allô… Bon, il faut voir de plus près ce qui se passe là-dedans.

— Ce qui se passe là-dedans ?…

Belle paraphrase[5] de psy !

— Je ne sais pas encore, Mali. L'échographie révèle un genre d'amas de cellules près de la moitié de la glande thyroïde qu'il te reste, mais c'est minuscule, détermine-t-il en me désignant une chaise.

Il me montre le résultat de l'échographie sur une grande feuille plastifiée où l'on peut distinguer des dégradés en noir et blanc.

— Tu vois ici…

Hein ? Voyons, lui ! Je ne vois absolument rien dans ces tâches pêle-mêle.

— Heu… à moins que tu veuilles me faire un test de Rorschach[6], je ne vois rien là-dedans…

— Ha ! ha ! ha ! Non ! Pas trop mon dada, la psychiatrie !

— Mais là, quelles sont les hypothèses ?

---

[5] Technique d'entrevue en psychologie clinique consistant à répéter les derniers propos de la personne sous la forme interrogative afin d'en apprendre davantage.

[6] Outil clinique de l'évaluation psychologique de type projectif élaboré par le psychanalyste Hermann Rorschach en 1921. Il consiste en une série de planches de taches d'encre symétriques et qui sont proposées à la libre interprétation de la personne évaluée.

— Un autre nodule indépendant ou encore tes cellules cancéreuses qui se réveillent… Je ne sais pas encore. On va faire une IRM. Tu sais ce que c'est ?

— Une belle imagerie par résonnance magnétique, Docteur, que je définis, peu enthousiaste, comme si la question me paraissait trop simple.

— Exactement ! Avec ce test, on verra les nouvelles cellules et tous les signes d'envahissement potentiel dans les régions environnantes.

— OK.

Vous vous souvenez qu'il m'avait expliqué que mes cellules cancéreuses se trouvaient en quelque sorte dans une enveloppe ? L'étape des fameuses « métastases » survient lorsque lesdites cellules sortent de leur poche pour se propager dans l'organisme en s'attaquant aux autres organes du corps. Dans mon cas, le potentiel de propagation des cellules semble incertain depuis le début…

À la fin du test, il m'explique que les résultats doivent être analysés, donc il me rappellera à ce sujet.

En sortant du bureau, je ressens une grande ambivalence. Je suis inquiète, mais en même temps, je me demande pourquoi mon cancer se développerait maintenant. Puis, qu'est-ce que je peux faire ? C'est la situation de ma vie dans laquelle j'ai le moins de pouvoir. Ça n'arrivera pas… Voici un beau mélange de lâcher-prise accompagné d'une légère déresponsabilisation saupoudrée d'une pointe de pensée magique ! Voilà la recette gagnante contre l'anxiété ! Notez-la…

Je m'arrête chez mes parents, pas trop loin de là, pour passer l'après-midi avec eux. Cori m'envoie un message texte en après-midi :

(Salut ! Julie vient souper à la maison ce soir avec bébé Victor ! Je m'occupe de tout.)

Je lui réponds :

(Parfait, je serai là !)

Vous vous souvenez, Julie notre amie d'enfance, nouvellement maman, qui réside à Québec avec son *chum* ? Ce dernier, qui joue au hockey, doit avoir une partie à disputer dans la métropole.

Quand passe la cigogne

Lorsque j'entre dans le *condo*, elle s'y trouve déjà.

— Allô ! que je fais en m'approchant d'elle pour la serrer dans mes bras.

Je me dirige vers le salon où se trouve son petit garçon, entouré de Cori et de Ge qui font des bruits douteux et aigus avec des peluches dans les mains.

— Bonjour, petit cœur, que je murmure sur un ton doux en lui flattant le bras.

Victor a un peu plus de neuf mois : craquant, joufflu, avec de grands yeux curieux. Il nous regarde toutes accroupies autour de lui et sourit largement.

— Honnnnnnnnnnnnn ! font toutes les filles en même temps en le voyant sourire.

— Tes matantes sont un peu folles, Vic ! déclare Julie en nous trouvant trop enthousiastes, mais en regardant son fils les yeux inconditionnellement pleins d'amour.

— J'en veux un ! pleurniche Ge.

— Trouve-toi un *buck* géniteur ! que je rétorque, comme si c'était simple.

— Moi aussi, j'ai tellement hâte, annonce Cori.

— Bien oui, faites des bébés, mon frère et toi ! Moi, c'est à ça que j'ai hâte !

— Les filles, bien que Victor soit le plus sage bébé du monde, je vous jure que c'est du sport être maman ! proclame Julie.

— T'es encore en congé de maternité, que je déclare en sous-entendant qu'elle a tout son temps.

— Oui, mais je vous le certifie : je manque de temps, explique-t-elle.

— Pour vrai ! J'imaginais le congé de maternité au premier bébé comme des vacances ! confie Ge.

— Moi aussi : la maman donne le boire, elle prend ensuite un long bain, elle va prendre une marche tranquille, le bébé fait une sieste, elle écoute un bon film…, décrit Cori.

— *Oh boy* ! Non ! Vous oubliez les repas, le ménage, les nuits blanches, les crises de pleurs, les rendez-vous… Je peux déjà imaginer ce que ça sera avec deux bébés, fait valoir Julie en semblant découragée.

— Vous en voulez un autre ? s'enquiert Ge.

— Oui, et bientôt, on veut les avoir rapprochés…

Sacha arrive et nous rejoint dans le salon. Contrairement à nous, elle n'adopte pas la position « matante gaga » à quatre pattes avec le petit, mais elle prend place sur le divan en regardant Victor en souriant. Sacha aime les enfants, mais elle n'est pas encore certaine d'en vouloir. Cela étant dit, elle ne se sent pas à l'aise avec les bébés. Elle n'a jamais eu la chance dans son enfance de côtoyer des poupons. Lorsqu'elle gardait à l'adolescence, c'étaient des enfants plus vieux. J'ai l'impression qu'elle a peu confiance en ses moyens, comme plusieurs gens, devant les tout-petits. Je m'approche de bébé Victor avec l'intention de le prendre dans mes bras. Comme je me trouve déjà près de lui depuis un moment, il ne devrait pas pleurer. « Viens ici, mon petit coco »... Super, il sourit.

— On s'aime, nous deux ! que j'improvise en m'assoyant près de Sacha, le petit sur les cuisses face à moi.

Mon quotient intellectuel régresse alors de plusieurs niveaux d'un seul coup. Paf !

— T'es beau toi ! Tatatatata ! Bébébébéb Vivivivictor... Brbrbrbrbr...

— Arrête de parler de même, il te regarde bizarrement, me suggère Sacha.

— Ben non... Le beau garçon est content, content, content..., que je réplique en gardant mon ton de voix aigu un peu débile.

Le petit me regarde mi-indifférent, mi-captivé par ma boucle d'oreille, qu'il tente d'attraper.

— Moi aussi, j'en veux un ! que je chigne en le rapprochant de moi.

— S'il y en a une qui devrait avoir des enfants ici, c'est bien toi, Mali ! Tu les aimes tellement ! insinue Ge qui m'observe.

Je ne réponds pas et je continue de regarder Victor, un immense sourire sur le visage. Je spécule déjà sur ce que je rédigerai dans mon livre.

La patiente revendique ne pas vouloir d'enfant depuis longtemps. Cependant, les émotions ressenties par celle-ci lors du contact avec cet enfant la rendent euphorique. Madame pourra-t-elle contrôler ses pulsions maternelles qui ne feront que croître plus elle prendra de l'âge ?

Durant le souper, nous nous occupons de bébé tout en mangeant ensemble. Julie, nous observant, lance une proposition.

— Les filles, dans deux semaines on doit revenir à Montréal, car mon *chum* participera à un autre tournoi de hockey. Je vous laisserai Victor pour le week-end, si vous voulez voir c'est quoi la vie avec un bébé.

— OUI ! que je crie, heureuse.

Les filles tapent dans leurs mains, aussi heureuses que moi.

— Vous verrez, c'est du sport ! commente Julie, amusée de notre réaction.

— Bah ! on sera quatre ! Y a rien là ! avance Cori.

Un malaise ? Voyons ! Pourquoi ?

Durant mon quart de travail au centre de crise, mon collègue me résume la situation pour laquelle nous venons de recevoir un appel.

— Un cas de violence conjugale. L'homme et la femme semblent avoir un problème de santé mentale, m'explique-t-il en raccrochant le téléphone.

— Bon ! On ne sera pas trop de deux ! que je réponds en prenant la trousse d'intervention.

La trousse contient deux cellulaires, un bottin des ressources de la région de Montréal, un index des différents numéros de téléphone importants et des blocs-notes avec crayons. Je prends ma carte d'intervenante avec photo, mon manteau et je glisse deux bouteilles d'eau dans mon sac.

En arrivant sur les lieux, j'aperçois Alex qui se tient debout dans le salon de l'appartement, les deux mains sur sa ceinture (le genre de position classique de tous les policiers du monde entier !).

— Bonjour, me dit-il poliment.

— Salut.

— La dame se trouve dans la chambre au bout du corridor. Elle nous a appelés de là, mais elle refuse de sortir, nous décrit Alex.

— C'est une crisse de folle ! crie l'homme agité en arpentant le salon.

L'autre policier présent sur place lui fait signe de se calmer.

— J'y vais…, que je dis aux deux policiers.

Après quinze minutes de négociations avec la dame à travers la porte, elle accepte de me laisser entrer. À première vue, ses blessures semblent superficielles : elle a des marques sur le visage et sur son bras droit. Elle m'explique le comportement de son mari en me donnant des exemples. J'en déduis rapidement que l'homme, probablement atteint d'un trouble psychotique, a régulièrement des délires de persécution lorsqu'il est intoxiqué aux drogues. Il croit être espionné par les Forces armées canadiennes pour qu'on l'envoie de force à la guerre… Lorsque sa femme, en dépression majeure depuis quatre ans, l'affronte pour le diriger à l'hôpital, il devient colérique et violent. Elle termine son discours en me disant :

— Je ne veux pas le quitter… Je l'aime.

Je comprends donc qu'elle ne veut pas porter plainte. Je l'interroge tout de même directement et elle confirme mon hypothèse. Elle paraît également d'accord avec mes spéculations sur l'état de santé mentale de son conjoint. Je fais un « oui » de la tête empathique avant d'aller rejoindre les policiers dans le salon.

Alex me demande :

— Elle porte plainte ?

Je ne lui réponds pas et je m'approche de son conjoint.

— Vous allez venir à l'hôpital avec nous, monsieur, que j'impose, directive, mais avec sollicitude.

— Je ne vais pas nulle part et surtout pas à l'hôpital, tabarnak ! Vous ne pouvez pas me forcer…, me nargue-t-il, arrogant.

Je m'avance près de lui encore, convaincante.

— Non, je ne vais pas vous forcer. Vous le ferez de vous-même, parce que je viens de discuter trente minutes avec votre femme et que celle-ci m'a confié que vous n'alliez pas bien. Elle ne portera pas plainte parce qu'elle vous aime et, si vous l'aimez aussi, vous viendrez avec nous, que je suggère avec une voix forte, en ne le quittant pas des yeux une seconde.

L'homme baisse la tête au sol sans rien dire avant de la relever, car le bruit de la porte de la chambre vient de se faire entendre. Sa femme se tient debout dans l'embrasure en pleurant. L'homme, l'air résigné, sort de l'appartement sans adresser la parole à sa femme.

L'arrivée d'une autre voiture de police permet d'escorter lui et sa femme dans deux véhicules différents. Alex et moi reconduisons la femme à l'urgence, dans un établissement de santé autre que celui où la seconde équipe transporte son mari. Dans la salle d'attente, alors que je remplis un rapport d'incident pour le cas de madame, Alex me demande :

— Il n'y a pas de malaise entre nous, hein Mali ?

Je songe dans ma tête à lui répondre : « Un malaise ? Juste parce que tu m'as demandé de m'envoyer en l'air avec ta blonde et toi, un de ces soirs, après avoir couché vos deux jeunes bébés de moins de trois ans ? Voyons donc ! Jamais ! »

Je me limite plutôt à :

— Bien non ! tout en m'éloignant pour téléphoner à mon collègue afin de lui préciser que je prendrai un taxi pour retourner au bureau.

N'importe quoi ! Le malaise s'étend partout autour de nous… Il envahit la ville de Montréal au grand complet, le malaise !

Je salue rapidement Alex avant de sortir de l'hôpital.

La faute du destin…

Playa del sous-sol : Jamais utilisée : je propose de la louer pour faire de l'argent !
Date :

Message : Pourquoi je n'ai pas de « chum » ?
a) parce que je suis grosse…
b) parce que je suis folle…
c) parce que je ne le mérite pas…
d) toutes ces réponses
– Sacha

Ne pas oublier :
« Le véritable amour est comme l'apparition des esprits : tout le monde en parle, mais peu de gens en ont vu. »
– Mali

Nous soupons toutes les filles ensemble, vendredi. Comme c'est le *statu quo* depuis un certain temps concernant la vie affective de la plupart des consœurs, nous passons plus de temps tous les quatre au *condo*.

— Cori, est-ce que tu vois mon frère ce week-end ? que j'amorce en mettant un rôti de palette au four.

— Non, il est parti au football à Boston avec des amis, explique Cori.

— Il est souvent parti. Ça ne te fait pas suer ? déplore Sacha, comme déçue pour elle.

— Des fois j'aimerais ça le voir, c'est certain, mais en même temps, moi aussi je suis souvent occupée, justifie-t-elle.

— Tant mieux si vous êtes tous les deux indépendants. Il n'y en a pas un qui attend tout le temps après l'autre, évalue Ge.

— Moi, je capoterais, avoue Sacha.

— L'indépendance est plutôt mon genre aussi. Jean-François commence à me demander de rendre des comptes et je trouve ça un peu achalant, rouspète Ge.

— Par rapport à quoi ? que je questionne.

— Rien de précis, mais tu sais du genre : « On se voit ce week-end ? », « Non, je suis occupée... », « Tu fais quoi ? », « Heu... pas de tes affaires ! » C'est un peu le début du contrôle dans la relation à deux, vous comprenez. Au début, tu ne sais pas toujours ce que l'autre fait et avec qui, mais au fil du temps, tu commences à connaître ses amis, ses activités, et là s'ensuivent les questions et le contrôle, explique Ge, un peu du genre à aimer sa liberté comme moi.

— Moi, je sais presque toujours où est Chad et avec qui il est, avoue Cori.

— C'est ça, donc la journée où tu ne sauras pas où il est pour X raisons, tu te poseras des questions, émet Ge.

— Peut-être, oui, réfléchit Cori.

— Moi aussi j'aime ça connaître le train de vie de mon amoureux ! En couple, j'appelle souvent mon *chum*, confie Sacha.

— Pas plusieurs fois par jour ? que je critique, stupéfaite.

— Oui, affirme-t-elle en l'assumant.

— Chad et moi, nous nous parlons tous les jours, confesse Coriande.

— Je suis incapable de ça ! que je mentionne, catégorique.

— Moi non plus ! m'approuve Ge, inflexible.

— Au début, je comprends l'ennui, la fusion, mais par la suite les appels doivent diminuer et demeurer « utilitaires », selon moi, pour donner des nouvelles importantes : « J'ai eu mon contrat au bureau ! », « Je vais rentrer très tard… » ou encore « Achète-moi des Doritos… », que j'explicite.

— Bien voyons, toi, si t'as le goût de parler à ton *chum*, t'as le goût ! préconise Cori, un peu opposante.

— Oui, mais je me remémore certaines de mes relations passées où on avait une espèce de routine téléphonique qui s'installait, du genre tous les soirs à vingt-trois heures quinze… et souvent on n'avait rien à se dire. Et quand on se voyait deux jours plus tard, on n'avait encore rien à dire étant donné qu'on se parlait tout le temps au téléphone. Moi, je n'ai pas besoin de tout savoir de la vie de mon mec. C'est *sa* vie !

— Je suis bien d'accord ! moi, les appels qui ont comme contenu : « Qu'est-ce tu faaaaaaiiis ? », « J'écoute le hockey. Toooooiii ? ». Eille ! *Get a life* ! s'emporte Ge.

— Bah ! moi, j'aime ça que mon *chum* « punch » ! Chacune sa façon de vivre ça, précise Sacha en désaccord avec Ge et moi.

Je change de sujet.

— Parle-nous du « suivi client » avec le cuisinier, toi, Sacha !

— Je ne l'ai pas rappelé encore, probablement demain…

— Eille ! Ça m'est complètement sorti de la tête ! Chad m'a parlé de lui. Il est en couple et pas mal « courailleux », à ce qu'il paraît ! dévoile Cori, désolée d'avoir omis de dire ce détail crucial avant.

— Hein ? Zut ! c'était mon seul espoir à court terme, soutient Sacha en se laissant tomber sur le divan.

— Une chance que vous m'avez fait penser à lui ! Je voulais écrire une note sur le tableau pour être certaine de ne pas oublier de t'en parler et je ne l'ai pas fait. Petite mémoire…, précise Cori.

— Deux belles poches extra larges de carottes gaspillées, ça ! rigole Ge en me faisant un clin d'œil.

— Je lui ai à peine tendu une mini-carotte entre le plat principal et le dessert ! exagère Sacha en plissant le front.

Les filles roulent toutes des yeux en riant.

Sacha change de sujet en se rendant au tableau.

— Vous n'avez même pas répondu à la question de la semaine ! s'insurge-t-elle.

— Parlant de ça ! T'as un problème d'estime personnelle qui pointe à l'horizon, Sacha, que je souligne en faisant allusion à son choix de réponses pas très flatteur.

— Pensez-vous que ce sont mes grosses fesses ou le fait que je suis folle qui occasionne mon célibat ? Moi, je réponds : D ! lance-t-elle, sérieuse et réfléchie.

— T'es parfaite, ma chérie ! Arrête de capoter ! *Timing is everything* ! l'encourage Ge, motivée.

— *Timing* ! *Timing* ! qui le gère ce *timing*-là ? s'exclame Sacha, l'air choqué.

— Euh... le destin, là, bafouille Ge la cartésienne, qui semble y croire plus ou moins.

— Je veux juste faire des lunchs à un gars qui m'aime... Des lunchs, c'est tout..., pleurniche Sacha.

— Ah ! juste ça ! Faire des lunchs ! Fie-toi au destin, il t'arrangera ça... et, en attendant, fais-m'en un pour lundi ! Comme ça, tu te feras la main ! rigole Cori comme s'il s'agissait d'une faveur pour Sacha.

Pfft ! Ce n'est pas ce que tu crois

Seule à la maison, je navigue sur Internet en sautillant aléatoirement de Facebook à des sites de voyages. Depuis mon escapade en Gaspésie, je « chatte » avec Edward presque tous les deux ou trois jours. Contre toute attente, je ne me sens pas si excitée que cela lorsque je lui parle. Je suis contente, mais sans plus. L'extase, présente à mon retour de la péninsule, s'effrite plus le temps passe. Un peu comme un ballon d'anniversaire qui dégonfle tranquillement à la fin du *party* et qu'on retrouve quelques semaines plus tard ratatiné derrière le canapé.

En terminant la conversation avec lui, je me rends sur le site Internet de mon chanteur, sans trop réfléchir. C'est drôle, je me sens un peu mal à l'aise de faire ça. Je n'ai navigué que deux petites fois sur son site. La première, après sa rencontre il y a déjà longtemps, et la deuxième, maintenant. J'ai comme l'impression de l'épier dans son dos. Mais là, comme il n'est plus dans ma vie, je me le permets. Voyons voir… Il y a des photos de lui et de ses amis prises lors d'un *party* de course automobile ou quelque chose du genre. Des photos et des vidéos de tournées. Des dates de spectacle… Mon cellulaire sonne. Merde ! Il est resté dans ma chambre, en haut. Je cours le chercher. C'est ma mère. Elle me questionne sur mes résultats médicaux que je n'ai pas encore reçus. Elle me raconte un peu les nouvelles du jour.

— Allô ! Y a quelqu'un ? sonde Ge qui entre dans le *condo*.

— Je suis en haut, au téléphone ! que je lui précise.

Je termine ma conversation et je rejoins mon amie en bas.

— Salut ! que je lance, heureuse, en entrant dans la cuisine.

Ge, penchée devant mon ordinateur, fixe l'écran. En relevant la tête, elle me dévisage en adoptant une expression faciale mi-penaude, mi-inquiète.

— Ben quoi ? Ce n'est pas ce que tu crois ! J'étais juste curieuse de voir… Puis, de toute façon, on s'en fout ! que je justifie en fermant rapidement la page du site de Bobby.

— Franchement, Mali ! J'ai l'impression de surprendre mon ado de quinze ans en train de regarder de la porno en cachette sur le Net…

— Pfft ! C'est toi qui me fais une face, là…, que je souffle en guise de réponse.

— Tu t'ennuies, hein ?

— Des fois, un peu, mais sur le site, je voulais juste voir si…

Elle me coupe la parole.

— Arrête, Mali ! Ça faisait plus de deux ans que tu voyais ce gars-là ! T'es tombée amoureuse de lui et tout s'est terminé en queue de poisson. Ne tente pas de me faire accroire que tu voulais juste voir si son nouveau spectacle se vendait bien. Tu voulais voir des photos de lui, des vidéos, avoir des nouvelles parce qu'il te manque et c'est bien normal. Depuis l'épopée de la revue avec la photo, tu n'en parles jamais ! *Niet* ! Ça n'existe pas dans ta vie. Tu veux croire en l'amour d'Edward parce que t'as passé du bon temps avec lui, mais tout ça est faux.

Je ne dis rien. Je la fixe. Cibole ! Elle a beaucoup trop raison pour que je réplique quoi que ce soit. Et moi, je tente de me rendre crédible sous une fausse identité d'indifférente. Elle poursuit :

— Tu veux faire la fille orgueilleuse avec lui, parfait ! Mais pas avec nous, s'il te plaît !

Sans dire un mot, je retourne à mon ordinateur. En fait, je n'ai pas envie d'en parler. Oui, je suis triste, oui je m'ennuie de lui, mais je dois tourner la page. À cause de mon attitude peu volubile sur le sujet, Ge ne m'en reparle pas.

Un peu plus tard, j'appelle Hugo.

— Allô mon ami ! Je veux te voir ! que je revendique en guise d'introduction.

— Ça ne va pas, mon cœur ? vérifie-t-il.

— Oui, mais je veux te voir toute seule. On soupe ensemble ?

— Ouais, on va au resto thaï près de chez toi ?

— Super. On dit vers dix-huit heures trente ?

— OK ! Bye.

Comme je m'emmerde au *condo*, je me rends un peu avant l'heure convenue pour prendre un verre de vin tranquille. Quand Hugo arrive, je me lève pour le serrer fort.

— T'es certaine que ça va ? réitère-t-il.

— Oui, je suis juste un peu nostalgique ce soir. Je m'ennuie de toi !

— On se voit souvent pourtant !

— Je sais, mais je m'ennuie d'être toute seule avec toi, de discuter avec toi…

— Je comprends, Mali, moi aussi…

Jy Hong arrive à la table avec un air un peu exalté. Il m'envoie trois, quatre clins d'œil peu discrets en me disant tout bas, la main devant la bouche :

— La banane royale provoque ça…

— Quoi *ça* ? que je répète en chuchotant la tête penchée.

— La rencontre avec les hommes, me lance-t-il en se retournant vers le mur pour ne pas qu'Hugo entende.

— Ha ! ha ! Malheureusement, Jy Hong, je ne veux pas contredire ta superstition, mais Hugo est un ami, que j'annonce en lui tapotant l'épaule.

— Hoooo ! Pardon, madame ! fait-il en serrant la main d'Hugo avant de repartir vers la cuisine.

— Heu… c'est quoi son problème ? s'enquiert Hugo, perplexe.

— Tu sais comment c'est : on est venus ici deux fois, on a pris du vin, on leur a raconté nos déboires de long en large et là, lui et sa femme sont comme « impliqués émotionnellement » dans notre vie affective, tu comprends ? que je précise.

— OK ! Donc il se passe quoi de neuf dans ta vie, mon amie, que je m'implique un peu aussi ! me demande Hugo, se doutant qu'une difficulté explique probablement mon besoin de rapprochement avec lui.

— Bah ! rien de neuf, justement. Je trouve ma vie ennuyante, morose, grise…, que je me lamente.

— Les *blues* de l'amour ! Je les ai un peu aussi, commente-t-il.

— Justement You Go, j'aimerais éclaircir quelque chose avec toi…

— Je m'en doute, mais vas-y !

— Sacha ? que je nomme sans rien dire de plus.

— C'est ce que je pensais… Qu'est-ce que tu veux savoir ?

— Je ne sais pas, c'est quoi votre histoire ?

— Je ne le sais même pas moi-même ! réfléchit-il en riant.

— Des amis ? que je lance en sous-entendant une question.

— Ben, je ne sais pas trop… Toi, t'es mon amie et on ne dort pas ensemble trois fois par semaine ! amène-t-il.

— Justement, d'où la raison pourquoi je te parle de ça !

— On ne couche pas ensemble, mais depuis sa rupture avec l'autre, je t'avoue la présence de certains rapprochements…

— Tu l'aimes ?

— Oui, je l'aime beaucoup, mais de là à dire que je suis amoureux, non. Je niaise avec ça, je la fais rire, mais je ne crois pas à un projet d'avenir avec elle. Elle m'appelle son ami gai tout le temps ! Voyons, on s'entend que sa démarche semble assez claire.

Jy Hong arrive à notre table pour prendre les commandes. Sans trop le prévoir, nous changeons de sujet.

— Sinon, toi, tu ne penses pas trop à Bobby ?

— Voyons ! Qu'est-ce que vous avez tous à me parler de lui aujourd'hui ? que je réplique, un peu irritée.

— Eh ! eh ! Mords-moi pas ! Je prends des nouvelles de toi, c'est tout, proteste-t-il du tac au tac.

Je reste muette en jouant avec le récipient de sauce soya sur la table, consciente de ma réaction inadéquate.

— Visiblement, t'as l'air de te sentir super zen face à lui ! décrit-il à la blague, en me voyant compulser en bougeant nerveusement l'objet de gauche à droite.

— Ben oui, je pense à lui ! Ben oui, je suis triste ! Ben oui, je me trouve conne de rester accrochée…

— Bien que j'aie déjà dit le contraire, je la trouvais belle, moi, votre histoire. J'étais certain de vous voir ensemble un jour, me confesse-t-il.

Bon, ça me fait du bien cette révélation ou non ?

— Je t'avoue que moi aussi je l'ai pensé, mais visiblement pas lui, que je souligne.

— Oui, j'ai manqué des grands bouts de l'histoire. Qu'est-ce qui s'est passé à la fin ?

— Tu sais quoi ? Changeons de sujet. Je veux passer à autre chose et ce n'est pas en ruminant ça que j'y arriverai.

— Comme tu veux !

Nous restons au restaurant à discuter pendant longtemps de notre vision du futur, de l'amour et des relations homme-femme en général. À la fin du repas, Hugo me suit jusqu'au *condo*. Sacha l'a texté pour l'inviter à « dormir » avec elle.

Je ne peux pas y croire

Depuis deux semaines, je songe à la platitude de ma vie. On s'étend en longueur dans cette scène du début de ma trentaine… l'action, le suspense, les explosions ? Proposez-moi un scénario attrayant, je me charge des culbutes !

Mon médecin m'a appelée pour me proposer un rendez-vous vendredi, en début de journée, afin de discuter un peu. Ouin… Pour contrer ma vie plate, j'aspirais plutôt à des activités excitantes, à des rencontres inattendues, à des projets exaltants, mais pas à ce cancer de malheur. De plus, j'ai un mauvais pressentiment…

En arrivant à l'hôpital, je n'ai pas mon air enjoué de la dernière fois.

— Allô, que je dis en m'assoyant rapidement.

— Comment ça va ? Ton enseignement, ton immersion à Montréal ?

En le regardant, je songe que ce n'est pas vraiment le temps d'entamer une conversation d'usage.

— Tout va très, très bien… Donc, il se passe quoi ? que j'insiste, impatiente de connaître le motif de la rencontre.

L'autre médecin qui l'assiste dans le dossier pénètre dans le bureau.

— Bonjour, Mali.

Il regarde le Dr Paré en disant :

— Fais-lui le topo, je vais voir le patient à côté pendant ce temps.

Le Dr Paré se tourne vers moi après le départ de son collègue.

— Pas des bonnes nouvelles, Mali. Ton cancer s'est réveillé, mais la diffusion des cellules est lente. Et je m'empresse de te signaler que le cancer de la glande thyroïde fait partie de ceux ayant le pronostic de rémission le plus efficace.

J'ai la main devant la bouche. Pour la première fois depuis le début de mes problèmes de santé, je pense à la fatalité.

— Les chances que je ne m'en sorte pas ?

— Oh ! Non, non ! Mali, on ne parle même pas de ça. Enlève-toi ça de la tête tout de suite, je t'en prie.

— Certain ?

— Absolument ! T'es trop jeune, la diffusion trop lente, c'est impossible ! Je ne me prononce pas comme ça d'habitude, mais là je le fais.

Il me regarde droit dans les yeux. Je le crois. Mes épaules se détendent un peu.

— Le plan d'attaque pour le combat, c'est quoi ?

— Plusieurs étapes. La première : je dois te réopérer pour enlever la moitié de la glande thyroïde restante et ensuite on fera un traitement à l'iode radioactif. On verra ce que l'IRM nous dira par la suite. Selon moi, ça sera suffisant pour neutraliser les cellules.

— Combien de temps pour toutes ces étapes ?

— C'est ce que je voulais aborder avec toi. Tu resteras à l'hôpital un minimum d'une semaine et demie, mais si je dois effectuer un curage ganglionnaire, ce sera plus long. Prévois une convalescence entre un mois, voire pas plus de trois mois, selon le déroulement.

Merde ! C'est long. Comme je suis chargée de cours, je n'ai pas d'assurance collective. Qu'est-ce que je ferai ?

— Quand voulez-vous m'opérer ?

— Il n'y a pas d'urgence extrême, mais disons d'ici un mois. Je te laisse le soin de choisir la semaine, si tu veux.

Bon, je suis quand même chanceuse pour ça.

— Heu… je ne sais pas trop…, que j'hésite en tentant de tout prévoir dans ma tête.

— Regarde, prends le temps d'assimiler tout ça et appelle-moi en début de semaine.

— C'est bon…, que je marmonne, toute triste, en regardant par terre.

— Mali…, prononce-t-il doucement en se levant pour venir s'asseoir sur le bureau devant moi.

Il me prend l'épaule. Je relève ma tête.

— Je comprends que tu sois ébranlée, mais ne crains rien, tout ira bien.

Après un long silence, je me lève.

— Parfait, on se parle en début de semaine.

— Au revoir.

Je me retiens de pleurer en sillonnant les corridors mauves de l'hôpital. Je marche vite, trop vite. Je veux juste quitter cet endroit. Je fonce dans un homme qui tourne le coin d'un couloir en même temps que moi.

— Excusez-moi, que je bredouille sans le regarder.

En entrant dans ma voiture, je me couche la tête sur le volant et j'éclate en sanglots. Impossible… qu'est-ce qui m'arrive ? Tout se bouscule dans ma tête : comment vais-je payer le loyer ? Je vais perdre mes deux emplois ! Les traitements seront douloureux… Qui prendra soin de moi ?

Je pleure en conduisant. C'est probablement encore plus dangereux que de parler au cellulaire. L'étape que je crains le plus s'avère encore une fois l'annonce à mes proches. Mes parents... Les filles... Bordel ! Je reprends tranquillement le contrôle de moi-même en arrivant près de Montréal. Je réfléchis à ce qui pourrait bien m'apaiser à court terme. Dès que je franchis la porte du condo, je souris en entendant les gazouillis de bébé Victor...

Bébé d'amour

J'avais oublié que c'était déjà ce vendredi. Quel bonheur de me retrouver avec petit Victor dans les bras ! En me regardant avec ses grands yeux émerveillés, c'est comme s'il me disait : « La vie est tellement belle, Mali ! » Je décide de ne pas lancer la grenade tout de suite aux filles. Rien ne presse. Pour l'instant, nous sommes très drôles à voir, toutes les quatre autour du bébé, comme stressées d'être en charge de lui pour le week-end. Julie est déjà partie. Bien qu'elle soit au centre-ville de Montréal, elle a dit aux filles avant de quitter :

— Je vous appellerai demain *une* fois, pour voir comment ça va. J'ai promis à mon *chum* qu'on décrocherait tous les deux. De toute façon, il ne peut rien arriver, vous êtes quatre !

Les consœurs l'ont rassurée avant qu'elle ne quitte les lieux.

Nous jouons avec Victor pendant un moment avant de préparer le souper. Sacha demande :

— Où mettra-t-on le parc de bébé et qui se lèvera la nuit ?

— Moi, ça ne me dérange pas du tout ! déclare Ge en regardant le petit dans mes bras.

— Moi non plus ! que j'assure.

— Moi, je travaille à l'hôpital ce week-end… Faudrait que je dorme bien, confesse Sacha.

— On mettra le parc dans ma chambre ! annonce Ge.

— Bien oui, tu te lèveras ce soir et moi demain.

— Parfait ! De toute façon, Julie a dit qu'il ne se levait presque plus la nuit, précise Cori.

— Oui, mais comme il n'est pas chez lui, il faut s'attendre à l'inverse, que je spécule en sentant tout à coup une odeur nauséabonde dans l'air ambiant.

Je tends Victor à Sacha, en souriant.

— Quoi ? interroge-t-elle en accueillant un peu maladroitement le bébé dans ses bras.

— Tu ne te lèveras pas cette nuit, donc tu t'occupes de cette belle couche pleine ! que je décide.

— Hein ? Bien oui, toi ! Le gentil bébé a fait un beau cadeau à matante…, comprend-elle, dédaigneuse, en tenant le petit à bout de bras.

Les filles rigolent en la voyant dépourvue.

— Je ne sais pas comment faire ! avoue-t-elle en faisant pitié.

— Viens ! Je te donnerai ton premier cours de « caca 101 » ! propose Cori, amusée.

— Ark ! Je vous ai dit que je voulais faire des lunchs. Pas changer des couches ! nuance Sacha, nauséeuse, en suivant docilement Cori jusqu'à la salle de bain.

Toute la soirée, chaque fois que Victor émet un son, nous sommes là toutes les quatre sur le qui-vive. Assurément, ce bébé ne manquera de rien.

Vers vingt-trois heures, je lis dans ma chambre lorsque bébé se réveille pour la première fois. Ge le promène dans ses bras lorsque je la rejoins. Elle me sourit en me voyant entrer en tentant de calmer les pleurs du petit. Après une dizaine de minutes, il se rendort et je retourne à ma chambre.

Bébé se réveille trois fois durant cette première nuit. Étant donné mon sommeil léger, je rejoins Ge chaque fois que j'entends des pleurs.

Au matin, Sacha est partie travailler et Cori, l'air reposé, se trouve à la cuisine lorsque je me lève.

— Il ne s'est pas réveillé, hein ? présume-t-elle, enjouée.

— Heu… rectification : il s'est réveillé trois fois, mais Ge et moi on se ruait sur lui dès qu'il ouvrait la bouche, donc vous n'aviez pas le temps de l'entendre.

— Ah oui ! se surprend-elle, le front plissé.

Ge arrive avec le petit dans les bras, les yeux cernés, mais souriante.

— C'est lui le beau bébé d'amour, que je murmure doucement en le prenant de ses bras.

— Je comprends Julie lorsqu'elle dit que c'est de l'action ! communique Ge, les prunelles dans le même trou, en se servant un café.

Je texte Hugo pour qu'il vienne voir notre « nouveau coloc » en avant-midi. Curieux, il arrive presque aussitôt.

— Hein ? Laquelle de vous quatre a accouché ? Est-ce que c'est Sacha ? Je suis papa ? clame-t-il en s'approchant doucement de Victor et moi.

— Heu… non, vous ne couchez pas ensemble, à ce qu'il paraît ! rappelle Cori, les mains en l'air.

— Je ne sais pas comment se font les bébés de toute façon ! déconne Hugo, en fixant attentivement Victor.

Je lui tends le petit.

— Eille ! Petit homme… il était temps que j'arrive. Tu devais être en train de virer dingue tout seul de mâle avec une *gang* de lesbiennes !

— Franchement ! Ne le corromps pas avec tes stupidités ! Il n'a même pas un an.

Hugo s'assoit au salon avec le petit, l'air heureux.

— Il est vraiment craquant ! commente-t-il.

— Tu veux des enfants, Hugo ? le questionne Ge, curieuse.

— Oui, c'est sûr, j'aimerais bien ça.

Nous le regardons toutes, attendries devant l'homme tenant dans ses bras un petit bébé. Je crois que toutes les femmes du monde ressentent une émotion en voyant un moment de tendresse masculine de la sorte.

Notre seul projet de la journée est de faire l'arbre de Noël synthétique de Cori dans le salon tout en câlinant bébé.

Dimanche matin, Ge et moi sommes encore plus cernées que la veille. Victor s'est encore réveillé deux fois cette nuit. Nous l'avons tour à tour bercé pour l'apaiser. Lorsque Julie arrive avec son *chum* à midi, Cori a l'air en super forme, tandis que Ge et moi arborons un visage « double nuit blanche ».

— Facile de voir que mon petit loup s'est réveillé quelques fois, prononce-t-elle avec une petite voix en prenant son fils dans ses bras. Son *chum*, amusé, nous lance :

— Puis, les filles, c'est pour quand les grossesses ?

Cori s'exclame :

— Demain ! Pas de problème !

— Moi, je récupérerai pendant un an et ensuite on verra, plaisante Ge.

Julie se tourne vers son *chum*.

— Les filles me disaient justement, il y a deux semaines, qu'un congé de maternité c'était des vacances…

— Exactement comme vous l'avez vécu ce week-end, blague-t-il, conscient que sa blonde passe souvent ce genre de nuit.

— Mais il est si adorable que ce n'est pas grave, que je justifie en pinçant doucement son gros mollet dodu.

Après nous avoir chaleureusement remerciées, le couple quitte le *condo* pour retourner dans la Capitale-Nationale. Nous nous affalons, Ge et moi, sur le divan avant de nous endormir trois secondes plus tard…

La bombe du dimanche soir

En me réveillant quelques heures plus tard, j'entends les filles qui chuchotent à la cuisine.

— Mmmm... ça sent bon, que je constate, le nez en l'air.

— Sauce à spaghetti d'avant-Noël : spécial Coriande !

Sacha est revenue du travail durant notre sieste. Bon ! Bébé parti, la nouvelle qui aura l'effet d'une bombe revient dans ma tête. Je m'assois à l'îlot.

— Les filles, j'ai été voir mon médecin vendredi...

Les filles arrêtent de bouger pour se retourner vers moi, toutes plus sérieuses les unes que les autres.

— Ça ne va pas bien. Ils doivent me réopérer.

— Pourquoi ? me conjure Ge en semblant avoir peur de la réponse.

— Le cancer s'est réveillé...

Sacha met sa main devant sa bouche. Cori et Ge restent là en position de statue, muettes.

— C'est le bordel, je n'ai pas d'assurance maladie... mon médecin parle de peut-être plusieurs mois de convalescence... de la radiothérapie... je capote !

Sacha a les yeux pleins d'eau. Contrairement à elle, je ne suis pas en mode tristesse, mais en mode panique.

— Et je dois l'apprendre à mes parents en plus ! que je m'exclame, découragée.

— Oui, tu dois leur dire et vite… comme aux autres gens près de toi d'ailleurs, conseille Ge.

— Pour l'argent, on s'arrangera…, me rassure Cori.

— Tu te fais opérer quand ?

— Autour du vingt décembre, que j'annonce.

— Tu passeras Noël à l'hôpital ! Ce n'est pas humain, ça ! crie Sacha, scandalisée.

— C'est *ma* décision cette date, je dois confirmer avec mon médecin demain, que je déclare.

— Hein ? Pourquoi tu as choisi ça ? implorent les filles en chœur.

Si je suis zen ?

Toute la semaine, je me concentre à planifier cette convalescence de malheur. J'ai annulé les deux cours pour lesquels j'avais postulé pour la session d'hiver. Ma patronne a compris et m'a spécifié que cela ne changerait rien à ma cote d'ancienneté. Le centre de crise inscrira dans leur dossier que je serai non disponible à partir de cette semaine, et ce, pour toute la durée de ma convalescence. J'ai dû signifier à ma mère, au milieu de la semaine, d'arrêter de tenter de me convaincre de changer ma date d'opération. Étant dans les préparatifs des fêtes depuis quelques semaines, elle ne gère pas bien le fait que je serai à l'hôpital pour cette période. En fait, j'y entre dans cinq jours top chrono… Je n'ai pas le temps de trop y penser avec la tonne de corrections que je dois faire à cause de la session qui s'est terminée mercredi.

Fiou ! Disons que je me suis réglée en mode « automate efficace » qui ne possède pas la fonction « réflexion émotive »...

La date de l'opération a été fixée au vingt-deux décembre. Vous aussi vous vous dites : « Pourquoi ? » Ne vous inquiétez pas, je ne fais pas d'autoflagellation pour me punir de quoi que ce soit ! La raison est fort simple : en comptant trois mois de convalescence (la pire des options), je serai juste à temps pour le début de la session d'été. Si j'avais attendu après les fêtes, je n'aurais pas pu prendre de cours pour l'été. La faillite personnelle serait alors moins dommageable. De toute façon, même si je m'étais fait opérer quelques jours plus tard, qu'est-ce que cela aurait changé ? J'aurais dû subir sans vraiment m'amuser tout le début des fêtes, ainsi que l'anxiété et la pitié de mon entourage, les silences, les malaises... Non merci ! De plus, vous vous souvenez qu'habituellement je pars en voyage durant le temps des fêtes ? C'est un peu la même chose, sauf que là le rhum coco, la plage et la musique rythmée ne feront pas partie de l'aventure. Est-ce que je suis vraiment en train de comparer mon intervention chirurgicale à un tout compris à Cancún ? J'ai un problème... Vite, mon livre !

La patiente éprouve beaucoup...

Aaaaaah ! Je suis incapable d'écrire dans mon livre. Ma tête va trop vite...

En transmettant les notes de mes étudiants par courriel vendredi en fin d'après-midi, je me rends compte qu'à partir de maintenant je n'ai rien d'autre à faire sauf attendre mon opération. Je ne suis pas zen du tout. Je n'ai pas envie de voir personne. La pression vécue cette semaine pour organiser tout ça, m'a rendue irritable. Tout le monde m'énerve. Les filles semblent me courir après depuis le début de ladite semaine de *rush*. « Ça va Mali ? » « Veux-tu ça Mali ? » « Est-ce que je peux t'aider Mali ? »

NON ! Je suis capable de gérer ma vie ! Bon ! Et les conseils de tout le monde me tapent sur les nerfs : « Tu devrais t'occuper... Faire du yoga... Prendre un bain chaud... Lire un bon livre... ». NON ! NON ! et RE-NON ! Laissez-moi tranquille ! Je sais ce que j'ai à faire... Heu... non, ce n'est pas vrai, je ne sais pas... Mais bon, laissez-moi « ne pas savoir quoi faire » en paix !

Sacha vient me voir dans ma chambre en fin d'après-midi.

— Salut, Hugo veut que tu l'appelles.

— OK...

Je lui donne à l'instant même un coup de fil en redoutant qu'il veuille lui aussi me faire une thérapie préopératoire structurée.

— Salut, que je commence, assez bête.

— Eille ! Est-ce que t'aurais le goût d'être toute seule, toi, par hasard ? me lance-t-il sans me saluer.

— Tu dis ! Mais c'est plate, je vis en cohabitation multiple, que j'analyse, bougonneuse.

— On change de place ! Viens chez moi, j'irai chez toi !

— Pour vrai...

— Ouais, j'en ai parlé avec Sacha et c'est quand tu veux. Je t'attends.

En raccrochant, j'en déduis que Sacha a dû contribuer à lui décrire ma mauvaise gérance d'émotions. Comme Hugo m'a vue m'isoler en Gaspésie lors de ma première opération, il a dû en conclure que ça correspondait probablement à mon besoin actuel. Réaction de repli sur soi avec agressivité sociale !

Très primitif comme mode de réaction, mais bon, que j'en vois un ou une me le dire !

La Compostelle à Montréal

Je passe trois jours seule chez Hugo avec, comme seul ami, mon ordinateur portable pas très bavard. Ça fait du bien. En réalité, je ne passe pas beaucoup de temps à l'intérieur de son loyer, car je marche presque depuis deux jours complets dans les rues de la « Belle ». Avec deux paires de *leggings* superposées, mon casque de poil, mon manteau de *snowboard* (je n'en fais même pas) et deux mitaines dépareillées (j'en perds toujours une), je marche, marche et marche. Réaction possiblement en lien avec le fait que je perdrai une grande autonomie dans mes déplacements pour les semaines à venir. En prenant en filature les fentes de trottoir sales de la ville, je rumine les moments angoissants, j'anticipe les potentielles douleurs (que je connais déjà), je visualise mon séjour à l'hôpital...

Ma colère des derniers jours cède doucement la place à une acceptation de la réalité : Qu'est-ce que je peux faire de toute façon ? L'impuissance est difficile à gérer dans le cœur de la guerrière qui veut toujours connaître la suite ! Est-ce que je suis prête ? Oui ! Heu... non ! Je ne sais pas ! Comment l'être ? En étant calme et sereine ? Ouf ! un peu utopique pour une personnalité anxieuse comme la mienne. Je tenterai de vivre tout ça comme ça vient, sans m'imposer d'être adéquate ou parfaite. Je crois qu'il n'y a pas de façon idéale de faire face à la maladie, juste plein de moyens d'adaptation afin de rendre le tout moins pénible. Je tenterai de faire du mieux que je peux. Une chose est certaine, je me battrai. En étant positive ? Peut-être pas... Mais en étant moi-même ? Assurément...

La marche m'aide à réfléchir et à me préparer. Je rentre au *condo* dimanche sans avoir averti Hugo au préalable. Tout le monde est présent lorsque j'arrive. Personne ne fait allusion à mon hospitalisation et la vie se déroule normalement. J'ai moins envie de mordre les gens. Déjà un bon début…

Lundi, je prépare ma valise. J'explique ensuite à Edward sur le Net que je dois me faire opérer sans lui fournir trop de détails. Il me souhaite bonne chance en me demandant de lui donner des nouvelles le plus rapidement possible. J'ai décidé de ne pas dormir chez mes parents avant mon entrée à l'hôpital, même s'ils n'habitent pas très loin du centre hospitalier. Ils sont nerveux et je veux m'éloigner des éléments potentiellement anxiogènes. Ma mère désire être là à mon réveil, donc elle viendra me rejoindre directement là-bas. Mon père, qui a mal au cœur à la seule idée que je me fasse opérer, m'a appelée hier pour me dire « merde » à son tour. Hugo m'a embrassée trois fois sur le front avant de quitter le *condo* lundi soir : « Un pour que tout se passe bien, un autre parce que t'es belle et le dernier pour grandir… » ! Cher You Go… Les filles viennent me voir à tour de rôle le matin de mon départ, sauf Ge, qui me reconduit. Voilà ! Tout le monde qui m'aime pensera à moi. Je suis prête !

Sur la route, Ge me demande :

— Est-ce que tu l'as dit à Bobby ?

— Ben non ! que je banalise, catégorique, en regardant par la fenêtre.

Silence…

— Quand je vais pouvoir sortir, tu viendras me chercher ? Je veux être au *condo* pour ma convalescence, que je communique à mon amie en sachant déjà la réponse.

— Ouais ! C'est certain. Avec le projet de recherche, j'ai vraiment une grande liberté d'horaire, me spécifie-t-elle.

— Super !

En se stationnant, Ge m'annonce :

— Je resterai jusqu'à ton réveil.

— Tu n'es pas obligée…

— J'y tiens !

J'entre dans l'hôpital par la porte centrale, nerveuse de la suite. Je me dirige au département des chirurgies après avoir fait une accolade à Ge qui projette de se rendre au centre commercial le temps de l'opération. Assise dans la salle d'attente, je regarde par la fenêtre : la neige tombe doucement. Je suis calme, mais anxieuse. Quelqu'un dérange ma séance de relaxation préopératoire.

— Hé ! J'ai failli te manquer. J'ai fait le tour de l'hôpital quatre fois !

— Chad !

— Tu ne pensais tout de même pas affronter ça sans recevoir le *good luck kiss* de l'homme qui t'aime le plus au monde…

Je me lève pour le serrer doucement dans mes bras. Je reste blottie là un moment. Je sens beaucoup d'émotions chez mon frère, silencieux, qui me serre très fort en me caressant le dos.

— Moi, je suis de tout mon cœur avec toi et tout va bien se passer, je te le garantis.

— Merci…, que je balbutie en le serrant de nouveau, les yeux pleins d'eau.

— Madame Allison en salle 3, annonce une dame à l'interphone sur un ton machinal.

Mon frère me prend fermement par les épaules.

— T'es courageuse. Je t'admire tellement.

Il me donne deux becs sur le front avant de me regarder en souriant. Je lui renvoie son sourire en répétant :

— Merci…

Lorsque j'entre dans la fameuse salle, tout se passe rapidement. Pendant que l'anesthésiste m'explique les composantes de la potion magique qui m'endormira pendant trois longues heures, mon médecin surgit de nulle part, habillé de son bel habit de chirurgien bleu.

— Salut, Mali. T'es prête ?

Couchée sur la table d'opération, je lève mes deux poings devant mon visage.

— J'ai mes gants de boxe dans les mains.

Il me déclare :

— Moi aussi ! en cognant doucement sur mes mains comme le font les boxeurs avec leur entraîneur avant un important combat.

— Merci, que je prononce doucement en lui souriant avant de le voir passer la porte automatique.

Ma tante, qui travaille avec mon médecin (vous vous souvenez, c'est grâce à elle que j'ai eu accès au meilleur spécialiste de la région), entre à son tour. Elle descend son masque pour me dire :

— Ça va ?

— Oui, que je réponds sereinement, un peu amortie par le calmant qu'on m'a déjà administré.

— On va t'endormir dans une minute, me signale-t-elle avant de retourner préparer le matériel pour la chirurgie.

L'anesthésiste, qui regarde ses instruments, s'adresse à moi :

— On y va, Mali. Tu t'endormiras dans cinq, quatre, trois…

Premier « round »

Dans mon rêve, je prends conscience de l'aspect moelleux de mon lit, c'est mou. Je semble enveloppée d'un voile blanc, comme si je portais un diadème de mariage avec le voile devant les yeux. Les murs paraissent recouverts de ouate blanche également. Je suis bien, semi-endormie…

Tranquillement, quelqu'un s'approche de moi en me demandant d'une voix douce :

— Bonjour, madame Allison. Vous vous trouvez dans la salle de réveil. Je vous fais à l'instant une autre injection de morphine.

Je ne sens même pas la piqûre et, d'un seul coup, le voile épais et blanc s'épaissit, mes yeux se ferment. Je ne suis pas en train de rêver, je suis complètement *stone* ! Un beau paradis artificiel aux opiacés, sans jugement social en plus ! Je reste là, oisive, je ne sais combien de temps. Peu à peu, ma tête retrouve une certaine lucidité et mon corps se réapproprie un semblant de perceptions sensorielles normales. Une petite douleur au cou apparaît, mais rien de trop souffrant. L'infirmière m'annonce :

— On vous ramène à votre chambre. Avez-vous de la douleur ?

— Bah… un peu…

— Je vous donnerai une autre injection d'antidouleurs en arrivant dans votre chambre.

« Si vous insistez… », que je songe dans ma tête sans prendre la peine de répondre.

Deux préposés me transfèrent de lit dès que j'arrive dans ma chambre « privée » (mon médecin + ma tante = mes héros !). Ma mère et Ge font leur entrée sur la pointe des pieds pendant que je reçois ladite injection.

— Salut, que je leur dis en souriant.

— Ça va ? s'inquiète ma mère.

— Ben oui… ben oui…, que je bafouille en articulant peu.

— Hé ! beau *trip* de morphine, hein ? observe Ge en me voyant l'air.

— C'est gratuit ! En voulez-vous ? Je connais la fille qui en vend dans la place…

Les deux rigolent en s'approchant pour replacer adéquatement l'appareillage médical qui m'entoure. Mon médecin entre.

— Bonjour, ça va ?

— Oui, que je bredouille, peu bavarde.

— Pas trop de douleur, j'espère ? Tu sais, Mali, ici on évite la souffrance au maximum pour les prochains jours, donc n'hésite pas à demander ton injection aux quatre heures. Ça t'aidera à dormir de toute façon…

— Inquiétez-vous pas, docteur, elle a compris tout ça je pense, explique ma mère en faisant des yeux ronds.

Je m'endors…

Mon cadeau du père Noël

Depuis deux jours, je constate de façon expérimentale la tolérance rapide que le corps développe face aux différentes drogues appartenant à la famille des opiacés. Je suis beaucoup moins abrutie par les médicaments. Ils diminuent la douleur, mais sans transformer mon univers en nuage blanc ! Je décide de marcher un peu aujourd'hui. Les infirmières me conseillent de bouger pour permettre à mon corps de former une cicatrice réelle et adaptée aux mouvements de mon cou. J'ai un poteau de soluté (comme dans les films) que je roule près de moi. Vous vous demandez comment va mon moral ? Bien ! Je dors beaucoup et je me sens calme. Bon, les calmants ont quand même un effet psychologique d'apaisement. Cependant, je suis un peu temporellement désorientée : je ne sais pas trop quelle date on est, je dors le jour, je me réveille la nuit…

En marchant, je rencontre une jeune fille d'à peu près six ou sept ans qui avance vers moi.

— Salut, que je lui envoie, sympathique.

— Joyeux Noël ! répond-elle en me souriant.

Ah bon, c'est Noël.

— Je vais voir le père Noël en bas. Mes parents s'en viennent me rejoindre, m'annonce-t-elle, heureuse.

— Ah bon ? je t'accompagne si tu veux, que je propose.

Nous marchons tranquillement comme deux grands-mères de quatre-vingt-dix ans à mobilité réduite. La petite ne parle pas et sourit. Lorsque nous arrivons en bas, beaucoup d'enfants et de parents s'y trouvent. Cet évènement festif a été organisé afin de rendre Noël un peu moins pénible pour les jeunes patients se voyant refuser une permission de sortir pour ladite fête. Je m'assois dans un coin, silencieuse, observant la scène de loin. Les parents de la petite font leur apparition. Celle-ci pousse un cri en leur faisant un lent signe de la main. On dirait un CPE, mais au ralenti, sans les cris trop stridents et les courses folles des marmots. De toute façon, l'appareillage médical présent dans cette pièce ne permet pas beaucoup de mouvements rapides ! Les gens paraissent tous tellement calmes et zen, et ce, malgré la situation physique difficile de plusieurs enfants. Je me sens apaisée par la vue de ces enfants malades, mais joyeux. Je reste là dans mon recoin sans parler à personne. Tout à coup, je constate que les adultes s'animent spontanément.

— Ah ! mon dieu ! Bonjour ! s'étonne une femme, excitée, en regardant vers la porte.

Je me retourne en direction de son regard.

— C'est gentil de venir ici pour Noël, s'exclame une autre.

Je suis stupéfaite ! Bobby se tient là, debout, dans la porte de la salle commune. Il sourit poliment aux gens qui le regardent avant de poser ses yeux sur moi. Il salue au passage quelques parents en se frayant un chemin jusqu'à moi. Je l'observe avancer, médusée. Les enfants plus jeunes ne réagissent pas vraiment à sa présence. Les adultes, en le voyant se diriger vers moi, comprennent qu'il n'est pas venu pour les enfants, mais bien pour rendre visite à quelqu'un d'hospitalisé qu'il connaît.

Mon cœur se serre tout d'un coup. Je le regarde près de moi, muette. Il n'y aurait pas une infirmière disponible pour une dose de morphine supplémentaire ?

— Salut, me dit-il doucement.

Je reste bouche bée, je l'examine en replaçant discrètement ma super jaquette d'hôpital bleu ciel. Mais, attention, elle a des petits pois bleus plus foncés pour lui procurer un semblant de design intéressant. Je ne suis vraiment pas à mon avantage dans cette tenue et, imaginez, j'ai un drain dans le cou muni d'un réceptacle pour accumuler le sang qui s'écoule de ma plaie. Dégueulasse ! Je ne suis même pas autorisée à « penser » lui envoyer une carotte accoutrée de la sorte.

Il prend une chaise et pose un sac par terre.

— Mali, je voulais me rendre à ta chambre et j'ai entendu des bruits venant de cette pièce. J'ai jeté un coup d'œil en passant et je t'ai aperçue.

Sans reprendre son souffle, il poursuit :

— Ge m'a téléphoné, il y a quelques jours, pour me raconter ce qui t'arrivait et je pense à ça tout le temps. Pourquoi tu ne m'as pas appelé ? Pourquoi tu ne m'as pas mis au courant ?

Bon, qu'est-ce que je réplique ? « Parce que je t'aime, et comme tu ne veux pas de blonde, je t'ai rayé de ma vie pour être heureuse sans toi… »

Intense un peu, non ?

— Je ne sais pas, on ne se parlait plus..., que je cafouille plutôt.

— On ne se parlait plus parce que tu ne voulais plus me parler. Je le sais que tu as rencontré quelqu'un, mais j'aurais quand même aimé être au courant, ajoute-t-il d'une voix douce.

Hein ? Il sort ça d'où, lui ?

— Heu... non ! Je n'ai pas rencontré quelqu'un...

Il me regarde, perplexe.

— Ah non ? C'est ce que j'avais compris en lisant ton courriel : « je dois prendre du temps... réfléchir... plein de renouveau dans ma vie ». En plus, par la suite, je t'ai invitée pour te revoir et tu n'as jamais réécris...

Une femme s'approche de nous.

— Excusez-moi de vous déranger. Est-ce que je pourrais vous demander un autographe pour ma mère ? Elle vous aime beaucoup.

Bobby sourit en signant le bout de papier avant que la femme ne s'éloigne, contente.

— Allons à ma chambre, que je propose, en commençant à ressentir une douleur plus vive dans mon cou.

— Parfait, acquiesce-t-il en m'aidant à me relever avant de prendre son sac pour me suivre.

Une autre femme vient vers lui pour lui parler. Je l'attends dans l'embrasure de la porte pendant qu'il prend une photo. Je patiente finalement pendant quelques minutes, car plusieurs personnes décident de profiter de l'occasion pour avoir un cliché avec lui. Quand il me rejoint, j'entends un homme lui dire :

— Bon courage à ta blonde et à toi !

Nous lui sourions avant de quitter la pièce. Lorsque nous arrivons à la chambre, je suis embêtée. J'ai envie de pipi et j'ai besoin d'aide. J'appuie sur le bouton pour appeler l'infirmière.

— Tu as besoin de quelque chose ? offre-t-il.

— J'ai besoin d'aide pour la salle de bain..., que j'avoue, gênée.

Au moment où il semble vouloir me proposer son aide, l'infirmière qui entre s'arrête net en l'apercevant.

— Bonjour, se paralyse-t-elle, tout sourire.

En me voyant me diriger vers les toilettes, elle comprend et me suit. Non mais, quand même, il n'allait pas jouer au préposé aux bénéficiaires en baissant mes petites culottes pour m'aider à m'asseoir sur le siège des toilettes ! Franchement ! Qu'il enlève mes sous-vêtements c'est une chose, mais dans ce contexte-là, on s'entend que c'en est une autre !

En sortant, je me rends compte que la douleur s'intensifie. J'ai droit à ma dose de morphine avant que la femme ne parte. Bon, ça va me détendre du même coup ! Nous discutons un peu de ma situation médicale avant de revenir dans le vif du sujet. Je suis à l'hôpital, le teint vert, le cou meurtri, couchée et à moitié givrée, pourquoi ne pas être claire avec lui pour une fois ? Ma condition ne peut pas être pire de toute façon...

— Tu sais, on s'est mal compris depuis le début, je pense. Quand je suis allée chez toi au mois de mars dernier, après avoir signé le bail du *condo*, ce que j'essayais de te dire, c'était que je commençais à ressentir des sentiments pour toi et que je ne voulais plus de relation ambiguë…

— OK, ce n'est pas vraiment ce que tu as dit en passant. Tu disais que les choses changeaient, que tu ne respectais plus les clauses du contrat… Ce n'était pas clair !

Bon, c'est moi qui n'étais pas claire maintenant ! Bah… peut-être, mais pas cette fois-ci.

— Bref, je ne veux plus de relations futiles, de fréquentations… J'aimerais bâtir une relation qui a une perspective d'avenir. C'est ce que je voulais te demander à l'époque, mais comme tu n'as pas été réceptif du tout, j'ai abandonné…

— OK…

C'est tout : « OK ? » Bon, je fais quoi, là ! Il me regarde, on est mal… J'ai comme une envie de siffloter ! Mes yeux se promènent aléatoirement dans la chambre. Il regarde le plancher en ne disant rien. Pauvre gars ! Il devra dire à la fille cancéreuse en plein traitement qu'il n'a jamais voulu de relation sérieuse avec elle.

— Bonjour ! Bonjour ! s'exclame ma mère, beaucoup trop joyeuse, en l'apercevant dans la chambre.

Bon, il ne manquait plus que ça !

Il se lève pour lui tendre la main.

— Bonjour, enchanté, prononce-t-il.

— Bonjour, maman ! que je nomme en regardant Bobby du coin de l'œil afin qu'il comprenne de qui il s'agit.

La discussion entamée avec lui, mais perturbée par l'arrivée de ma mère, en reste là.

Deuxième « round »

Mon médecin entre dans ma chambre très tôt ce matin.

— Bon matin, Mali !

J'ouvre les yeux tranquillement.

— Tu ne déjeunes pas ce matin, on commence ton traitement à l'iode radioactif. Je pensais débuter juste demain, mais finalement on attaque aujourd'hui. La mauvaise nouvelle c'est : pas de visite pour quatre jours. Tu seras radioactive. Appelle tes proches pour leur dire de ne pas venir et je reviendrai te voir plus tard.

J'appelle en rafale mes parents et les filles. Tout ce beau monde m'a visitée hier de toute façon. Si vous aviez vu la tête de Sacha et Cori lorsqu'elles ont constaté que Bobby se trouvait dans ma chambre… Ge, quant à elle, m'a envoyé un clin d'œil satisfait. Sacrée Ge ! Ratoureuse, va !

Drôle de moment ! Si Bobby nous avait chanté un rigodon, je me serais crue dans un vrai *party* des fêtes ! Il a quitté l'hôpital le premier pour se rendre dans sa famille en Estrie, comme chaque année. Il est parti en disant : « Prends soin de toi, ma puce ! À la prochaine », en me donnant un baiser sur le front.

À son retour, mon médecin m'explique que le traitement se prend sous forme de comprimés. Pas trop d'effets secondaires, mais le plus difficile reste l'isolement. Je change de chambre et d'étage temporairement pour éviter d'irradier inutilement des gens. Pour mon déménagement, je n'apporte rien. En sortant, je remarque que le sac de Bobby est resté sur le plancher, près de la chaise. Je m'approche de celui-ci pour voir. Il y a un cadeau à l'intérieur. C'est probablement pour moi, mais je n'ose pas l'ouvrir. Je le laisse là avant de sortir.

Pilule 1 : *Wow !* Un astronaute m'apporte ma première gélule d'iode dans un récipient de plomb. Moi, je dois avaler ce truc ? Je me muterai sûrement en énergumène très laid avec plusieurs bras et des pustules géantes dans le visage. J'ingère mon comprimé. À peine deux heures plus tard, je me sens drôle, j'ai mal au cœur et j'éprouve certains étourdissements… Une infirmière revêtue de son discret uniforme de scaphandrière me confirme que c'est normal. Tous les gens du personnel médical s'aventurant dans cette aile sont vêtus d'un vêtement blanc du genre combinaison de voyage pour aller sur la Lune ou pour désamorcer une bombe bactériologique d'une organisation scientifique terroriste. Et moi, je suis là, avec ma mince jaquette bleue laissant voir par l'ouverture à l'arrière mes petites culottes de coton rayées rose et orange. Ils ne pourraient pas inventer un modèle sans courant d'air pour les gens qui doivent porter ça pendant un long séjour ? J'écoute pour la troisième fois en deux jours une émission de mariage en direct au réseau Canal Vie. Je m'emmerde… c'est long. Au moins, dans mon autre chambre, je pouvais me promener, recevoir de la visite.

À l'heure du repas, quelqu'un que je ne vois pas glisse un plateau par terre, à travers une trappe, près du plancher. Je suis en prison ou à l'hôpital ? J'ai tué douze personnes à mains nues ou j'ai le cancer ? C'est très bizarre comme sentiment, d'être isolée et contrainte de la sorte…

Le deuxième jour de ma quarantaine, mon médecin arrive avec ladite combinaison de guerre pour discuter avec moi.

— Bienvenue ! Bienvenue ! que j'applaudis, excitée d'entrer en relation avec une forme de vie quelconque.

— Tu tiens le coup ? demande-t-il avec une voix grave et bizarre en parlant dans son protège-bouche.

— Luc, je suis ton père ! que je l'imite sur un ton solennel en faisant référence à la citation populaire de Darth Vader dans *Star Wars*.

Je me redresse dans mon lit en riant.

— Ha ! ha ! ha ! Oui, on doit prendre ces précautions pour éviter tout contact avec la substance.

— C'est quoi le danger ?

— Ouf ! c'est complexe à expliquer, mais disons que sur la Terre, il y a un taux de radioactivité naturelle acceptable qui est non dommageable pour l'être humain. Cependant, dans le département ici, le taux est plus élevé que la norme permise à cause des traitements des différents patients. Les conséquences directes sont difficiles à évaluer, mais en se référant à Tchernobyl, on sait maintenant que les problèmes engendrés sont surtout d'ordre génétique.

— OK ! Je vais me taper une mutation génétique progressive ?

— Bien non ! La quantité n'est pas assez élevée et surtout le traitement ne dure pas assez longtemps. Les risques sont surtout en lien avec la quantité et l'exposition dans le temps. Comme les gens qui travaillent ici sont en contact tous les jours avec la radioactivité, on se protège comme ça.

— Donc, la suite, c'est quoi ?

— Quand tu reviendras en bas, dans deux jours, on fera des tests, entre autres une scintigraphie, c'est-à-dire un examen d'imagerie qui permet de localiser les régions du corps où l'iode radioactif se concentre.

Il m'explique un peu le fonctionnement avant de me dire :

— Donc, je continue ma tournée des patients, on se revoit bientôt. Bye.

— Bye ! Vous repasserez, je ne suis pas sorteuse ! que je déconne en le voyant passer la porte.

Un vrai sac à blagues !

Dans le coin rouge, Mali, et dans le coin bleu…

Le lendemain, après le dîner, une infirmière vient me parler en ouvrant une trappe de la porte.

— Madame Allison, j'ai quelque chose pour vous. Le docteur m'autorise à vous transmettre ceci : il y a un enregistrement sur un CD et une lettre. Mais si vous prenez la lettre dans vos mains maintenant, vous devrez la jeter après. Donc, je vous propose de vous lire la lettre d'ici. Pour le disque, vous pourrez l'avoir en sortant de cette chambre.

— Oui, c'est bon ! C'est quoi ?

— Je ne sais pas…

Curieuse, je m'approche de la porte même si je ne vois presque rien. Un petit orifice à la hauteur des yeux permet au personnel d'avoir un accès visuel rapide sur le patient sans ouvrir la porte.

— Allez-y…

— « Salut, ma puce… », commence-t-elle.

Ma puce ? C'est Bobby, ça ! Elle poursuit :

— « …je me suis pointé à l'hôpital ce matin et on m'a dit que tu étais en quarantaine pour des traitements, donc impossible de te voir. J'ai croisé ton médecin qui m'a reconnu et je lui ai posé des questions. Il m'a proposé de te faire parvenir une lettre. Je suis présentement assis dans la cafétéria fuchsia de l'hôpital à tenter de trouver les mots pour t'écrire de façon claire ce que je veux te dire… »

La jeune infirmière prend une pause naturelle dans sa lecture.

Mon cœur bat vite ! J'ai peur ! Il me dira qu'il ne m'aimera jamais… Je m'accroupis par terre, le dos appuyé contre la porte qui me sépare de cette lettre.

— «… Depuis que je t'ai vue à Noël, je réfléchis, réfléchis, réfléchis… Je ne fais que ça depuis et j'ai réalisé une chose : je ne veux pas te perdre. Je ne veux pas que tu sortes de ma vie. J'ignore quelle sera la suite, mais je veux que tu sois près de moi. Ça me fait peur, mais en même temps, c'est la peur de te perdre qui me fait remettre en question mes désirs de célibat. En Europe, pendant que je te croyais en couple, je pensais à toi en projetant comment ça pourrait être si on était réellement ensemble. On partage les mêmes angoisses, les mêmes peurs face au couple, donc peut-être que ce serait un match parfait pour vivre une relation autrement… »

Hein ? Je suis émotive, les yeux pleins d'eau. J'ai peine à y croire…

— « …Tu me fais avancer, tu me fais me questionner dans la vie, t'es spéciale, Mali ! Je n'ai jamais vécu ce genre de relation auparavant avec une fille, et surtout pas aussi longtemps ! Le fait qu'on ne s'est pas parlé depuis plusieurs mois m'a aussi fait comprendre que, si je veux te garder dans ma vie, je devrai m'engager avec toi, sinon tu partiras et je ne veux pas ça.

Finalement, je crois que c'est plus facile pour moi d'écrire que de parler… Donc voilà ! »

La jeune infirmière ajoute :

— C'est pas signé…

Silence… J'entends le papier se plier doucement. Je suis là, stoïque, à fixer le plancher verdâtre, dans une position peu avantageuse compte tenu de ma jaquette « courant d'air » d'hôpital. L'infirmière, gentille, me propose :

— C'est très beau… Si vous voulez, je dois aller chercher quelque chose dans ma voiture durant ma pause. Je peux écouter le CD et vous dire ce qu'il contient.

— Oui ! Oui ! Oui ! S'il vous plaît ! que je clame en me levant debout, pour ensuite approcher mon visage tout près de la porte, afin d'apercevoir la fille à travers l'orifice de grillage métallique. Malheureusement, je ne distingue qu'une tache blanche qui s'éloigne.

— Je reviens dans une vingtaine de minutes, me promet-elle, motivée.

Qu'est-ce qui se passe dans ma vie ? Je suis très touchée et contente, mais en même temps, j'ai peine à y croire. Est-ce ma maladie, mon séjour à l'hôpital qui lui font vivre des émotions trop intenses ? J'éprouve une certaine méfiance à l'égard de ses nouveaux sentiments avoués. Est-ce réellement son désir profond ? J'ai mal au cœur… Je vais vomir.

Fffff ! En m'essuyant la bouche, je me demande si c'est le traitement qui me rend malade ou la lettre de Bobby. Peut-être un amalgame des deux : « les traitements radioactifs combinés à une déclaration d'amour occasionnent des réactions de nausées chez les sujets dans une proportion de 50 %. La prévalence augmente à 90 % lorsque les patients sont isolés et impuissants ».

J'aurais envie d'écrire dans mon livre, mais je ne pouvais pas l'apporter. Assise sur mon lit, j'attends le retour de la fille. Elle revient finalement trente minutes plus tard.

— Excusez-moi, ç'a été plus long que prévu, se repentit-elle.

— Pas grave, voyons, que je la rassure, reconnaissante de son geste.

Je m'approche de la porte pour bien saisir ce qu'elle me révélera.

— Je l'ai écouté dans ma voiture. C'est le chanteur… (elle ne dit pas Bobby, c'est un surnom de moi, vous vous souvenez ?) dans une sorte d'entrevue avec une Française.

— OK, l'entrevue dit quoi ?

— Je ne me souviens pas de tout par cœur, mais il lui explique l'inspiration ayant servi à l'écriture de la chanson *L'amour voyage…*

Son intonation révèle clairement son incompréhension quant au lien entre le contenu du disque et la lettre.

— Il lui explique quand il l'a écrite ? que j'augure afin d'avoir plus de précisions.

— Non, il confie qu'il l'a écrite pour une fille qu'il aime beaucoup, mais qui s'éclipse souvent... je ne sais pas trop. Ensuite, il joue la chanson en direct au complet. Et après c'est tout, rien d'autre. Le gars doit t'avoir donné le CD parce qu'il contenait cette chanson romantique ! Elle est si belle, dit-elle, sans saisir que c'est réellement Bobby qui a écrit la lettre.

— Merci beaucoup, c'est vraiment gentil, que je dis, très touchée du geste de cette jeune fille.

— C'est une histoire comme dans les films, je trouve ça vraiment *cute*...

« Moi aussi, je trouve ça VRAIMENT *cute* », que je songe en regagnant mon lit pour m'y blottir, un sourire béat sur le visage.

Victoire par K.-O.

Quelques jours plus tard, après avoir subi ce fameux test de scintigraphie, mon médecin m'annonce que tout semble sous contrôle et il me signe mon congé. J'ai mal au cou. Par chance, j'ai ma drogue en comprimés *take out* pour me soulager. Je dois revenir toutes les semaines pour quelque temps. Ma mère semble tellement déçue que je n'aille pas à la maison pour ma convalescence. Bien qu'elle m'ait revendiqué son droit de mère de me soigner, j'ai envie d'être au *condo* dans mes affaires. Ge vient me chercher pour me ramener à la vraie vie. En arrivant près des portes automatiques menant à l'extérieur, je ressens une grande plénitude.

Lorsque je sors, toute ma « zenitude » s'envole avec la rafale violente de vent accompagnée de neige qui me fouette le visage.

— Simonaque ! que je blasphème en faisant attention de ne pas glisser sur une plaque de glace.

Ge me prend le bras en souriant pour m'éviter de tomber, car j'ai quand même encore les facultés affaiblies. En entrant dans la voiture, je la supplie :

— Ramène-moi dans ma chambre d'hôpital et reviens me chercher au printemps finalement…

— Bien non ! Tu vas être super bien au *condo*. On a organisé la *playa del* sous-sol juste pour toi.

— Ouin, que j'accepte en regardant dehors.

La dose de morphine reçue avant de quitter le centre hospitalier m'a assommée. Je dors une heure durant le trajet. En me réveillant, je vois Ge qui texte sur son cellulaire en conduisant. Elle m'annonce :

— Bobby sera au *condo* à notre arrivée.

— Ah ! bien oui ! Dans votre relation de mauvais coups derrière mon dos, vous vous textez maintenant ! dis-je en l'observant avec un air mesquin.

— Il était temps que quelqu'un se mêle un peu de votre histoire. Ne viens pas me dire que tu n'étais pas contente de le voir à l'hôpital le 25 ! jubile Ge, fière d'elle.

— Merci, Ge ! Ton intervention a eu probablement plus d'impact que tu pensais…

— Pourquoi ?

Comme l'infirmière m'a remis la lettre, je lui en fais la lecture.

— Je le savais ! commente-t-elle, excitée.

— Il te l'avait dit ?

— Non, mais j'aurais parié qu'il était amoureux de toi !

Je songe au CD. Je fouille rapidement dans mon sac pour le sortir. Étant donné que j'ai le cerveau engourdi, ça m'était sorti de la tête. Je le mets dans le lecteur. Ge me regarde, le front plissé, se demandant de quoi il s'agit. On écoute...

C'est intégralement ce que la fille a raconté : une entrevue à Paris durant sa tournée de promo. Il décrit avoir rédigé la chanson pour une fille qui partait tout le temps. « Tout le temps », il exagère !

Ge m'envoie, l'air exalté :

— T'as un *chum* là, ou quoi !

— Oh ! oh ! Du calme, une longue conversation s'impose. Ça fait dix jours que je suis complètement gelée ! J'ai peut-être des hallucinations !

— Bien non ! T'as un *chum* ! T'as un *chum* !

— Hé là ! Les gros mots..., que je fais en souriant tout en regardant la neige tourbillonner le long de l'autoroute.

Bobby m'attend effectivement à la maison lorsque j'entre en marchant précautionneusement dans le *condo*. J'ai une mobilité un peu réduite en raison de mon immense bandage au cou, et la plaie me fait souffrir lorsque je bouge trop vite. Je suis en jogging, pas peignée, pas maquillée, avec en prime mon nouveau teint verdâtre ! Super ! Tous les éléments sont réunis pour lui faire prendre conscience en deux secondes qu'il regrette déjà de m'avoir déclaré son intérêt à être en couple avec moi. Il s'approche, je me recule en lui souriant.

— Je ne peux toucher personne pendant les dix prochains jours et je dois vite laver mes vêtements pour éviter de vous contaminer avec la substance radioactive.

— Pour vrai ?

Il me fait un drôle de regard teinté de stupéfaction et d'une pointe de dégoût. C'est très vrai ! Les règles sont claires : pas de contact direct avec des enfants et des femmes enceintes, laver tous les trucs ayant été en contact avec moi durant mon séjour à l'hôpital, ne pas partager la salle de bain et, surtout, pas de *French kiss*… Ah oui ! j'oubliais : pas de projet de bébé pour la prochaine année non plus. Je communique cette nouvelle à mon « peut-être *chum* » :

— Et on ne peut pas faire de bébé non plus…

Il rigole en me narguant :

— Ah ! ben, dans ce cas-là, je suis désolé, je ne pourrai pas attendre, blague-t-il en se levant et en feignant de partir.

— Pfft ! que je souffle en le « zieutant », amusée.

Ge nous rejoint avec le sac que Bobby a oublié à l'hôpital lorsqu'il est venu me voir.

— Tu avais laissé ça dans la chambre de mademoiselle. Bon bien, je vais dans la mienne, décide Ge, l'air coquin, en déposant le sac près de lui avant de monter l'escalier.

Nous la regardons grimper à l'étage en nous envoyant la main. Je suis assise sur le divan et Bobby à l'îlot de la cuisine. *Le silence se fit et la vache se mit à rire*… Nous sourions comme si nous étions mal à l'aise dudit malaise. Il faut aborder cette déclaration écrite. Pour détendre l'atmosphère, je sifflote en scrutant le plafond. Mauvais, hein ? J'enchaîne avec un :

— Ouais ! Ouais ! Ouais !

Bon ! Les onomatopées maintenant !

— Ouais…, qu'il répète en voyant bien qu'il doit se lancer. Au départ, je voulais t'envoyer un télégramme chanté par un clown…

— Bien, ça m'a été lu par une infirmière-astronaute, ce n'est pas rien !

— Ha ! ha ! Quand même !

Long silence…

— Tu sais, Mali, je suis sincère dans ce que je t'ai écrit, mais je reste moi-même dans tout ça. Le gars qui a peur, qui est bien tout seul…, commence-t-il.

— Je sais, d'où ma surprise.

— Bien, on n'est jamais certain de rien dans la vie, mais on peut essayer… en douceur, à notre façon.

— Eh oui ! En ne mettant pas la peau de l'ours en avant des bœufs !

Il fronce les sourcils, amusé, en ajoutant :

— Il ne faut pas faire traverser la charrue sans être arrivé au pont !

Nous nous fixons, complices, en riant timidement. Il me révèle :

— Mais ton traitement bousille tout mon *set-up* romantique ! On serait censés s'embrasser maintenant…

— On amorcera en grand notre vie à deux par dix jours d'abstinence sexuelle, c'est bon, hein ? On peut rien faire de normal, nous deux, de toute façon !

— Tiens, voilà ! C'était pour toi le cadeau, en fait, déclare-t-il en venant déposer le sac près de moi sur le divan, puis en retournant s'asseoir dans la cuisine d'un pas pressé comme si j'avais réellement la lèpre.

Je sors du sac un cadeau de la taille d'une boîte de chaussures. En déchirant le papier d'emballage aux motifs de « père Noël en Ski-Doo », je constate qu'il s'agit réellement d'une boîte de chaussures. Entre chaque étape de dévoilement, je jette un coup d'œil dans sa direction, gênée. En ouvrant le couvercle de carton, je déplace les papiers de soie pour découvrir… un beau chameau en peluche. Je rigole.

— Il est beau !

— Il s'appelle Boris ! Je l'avais acheté à Kandahar pour toi !

On se regarde de loin intensément, sans rien dire. Je perçois à cet instant sa sincérité. Je le crois, c'est vraiment sa volonté. *Oh my god* ! J'ai un *chum*… et un chameau !

J'ai un chum !

Playa del sous-sol : Transformée en « convalescence room »

Date : Pour le temps que cela prendra...

Message : Re-bienvenue, Mali chérie !
— Cori

Ne pas oublier : « Si la vie vous jette par terre, levez les yeux : il y a des étoiles au-dessus de vous. » Guy Finley par Sacha. Je t'aime XXX

Les filles ont installé un lit au sous-sol. J'ai le sommeil complètement troublé. Je me réveille toutes les trois ou quatre heures, j'ai des douleurs, ça pique, je gigote. Le mois de convalescence sert à rétablir un équilibre de vie autant qu'à guérir ma plaie. Sacha vient me retrouver en se levant, car elle m'entend écouter la télévision à six heures du matin.

— Allô ! Je suis si contente de te voir. Tu dormais à mon arrivée, hier. Comment ça va ?

— Bien, j'ai le moral.

Je lui raconte mon traitement, les derniers jours d'hospitalisation, les tests, l'attente pour connaître les résultats du traitement… Je termine en lui balançant :

— …et j'ai un genre de *chum* !

— C'était ma seconde question, justement. On a assisté Ge dans sa démarche de réconciliation, mais je ne connaissais pas la conclusion.

Je lui raconte tout ça en rafale. Cori nous rejoint en plein milieu de mon histoire.

— Allô, Mali, dit-elle d'une voix douce.

— Allô…

Je reprends les faits du départ étant donné sa curiosité. C'est long, car je parle tranquillement. Ma voix a un peu changé également. Le médecin m'a avertie que ça pouvait être permanent. Ma voix est encore plus grave qu'avant.

Sacha lit à haute voix la lettre de Bobby.

— *Wow !* Tout un changement de cap, se réjouit Cori.

— Oui ! D'où la raison pourquoi je veux rester consciente que rien n'est acquis. On est deux instables, apeurés par le mot « couple », on s'apprivoisera là-dedans petit à petit. Moi la première, je devrai gérer certaines amertumes entretenues à son égard. Une démarche personnelle pour empêcher que des démons viennent tout le temps empoisonner mes perceptions de lui et mes émotions.

— T'en es consciente au moins. C'est ce qu'il faut.

— Regardez, il m'a donné un chameau ! que je fais en leur montrant mon nouvel ami.

— Hein ? Qui est-ce qui avait écrit sur le tableau au sujet de Bobby : « On ne rassasie pas un chameau avec une cuillère... » ou quelque chose comme ça ? se rappelle Cori, qui a une bonne mémoire.

Sacha réfléchit :

— C'est Ge. Il me semble que ça disait : « ...en le nourrissant à la petite cuillère »...

— C'est drôle comme hasard, hein ? que je me remémore.

— Bon, j'appelle Hugo, il voulait savoir quand tu rentrerais.

— Ah, ton *chum* Hugo...

— Hein ? Tu es complètement dans le champ, rétorque Sacha avant de sortir sans rien ajouter.

Je fais un clin d'œil à Cori, qui me répond par des yeux en l'air.

— Si tu as besoin de quelque chose, crie... Ah non ! c'est vrai, tu ne peux pas ! réfléchit Cori.

Elle lève un doigt en l'air pour me signifier « une minute » en montant rapidement à l'étage. Elle revient avec une cloche en métal, ornée d'un dessin de la tour Eiffel.

— Sonne ça !

— Ça sort d'où, cet objet ? que je dis en le regardant.

— Ma grand-mère me l'avait donné quand j'avais huit ans à son retour d'un voyage en France. Avec ça, on t'entendra si tu as besoin de nous.

Je ricane en posant l'instrument devant moi sur la table.

— Bon, je vais me préparer pour aller travailler. Bye !

Trois secondes après qu'elle ait quitté la pièce, je sonne énergiquement la cloche en question. Elle revient immédiatement :

— Oui ?

— Je faisais un test. C'est efficace ! Merci, mon amie !

Elle sourit en s'en retournant.

— Y a pas de quoi !

Je m'assoupis. Quelques heures plus tard, j'ouvre les yeux, car je sens une présence près de moi.

— Salut ! s'exclame Hugo, un peu trop enthousiaste compte tenu de mon état.

— Hé ! You Go ! Il est quelle heure ?

— Midi trente ! J'ai pris mon après-midi pour venir te garder !

— Voyons, toi ! Me garder !

— Je te ferai des *grilled cheese*, une canne de soupe aux tomates et je vais te divertir, là !

— Ma mère me cuisinait ça quand j'étais malade.

— Toutes les mères du Québec ont réconforté leurs enfants avec cette recette élaborée…

Je me place doucement sur les avant-bras pour me redresser en position assise. Mon médecin m'a dit de me mouvoir un peu tous les jours pour favoriser la guérison. Hugo me crie presque par la tête :

— Ben voyons ! Bouge pas de même !

— Eille, le « stresseur » ! Gère tes émotions ! Calme tes nerfs ! Je suis capable de me lever.

— Excuse-moi, on dirait que ça me rend nerveux de te garder !

— Innocent ! Ouch ! Fais-moi pas rire..., que j'implore en me prenant le cou tout en riant une fois debout près de lui.

Il s'approche pour me faire une accolade.

— Non, non ! Touche-moi pas, je suis encore radioactive. N'utilise pas la toilette du premier étage non plus.

— Ark ! T'es dangereuse ?

— Non, mais ce sont des précautions à suivre pour une durée de dix jours.

Je parle à ma mère au téléphone avant de rejoindre Hugo à la cuisine. Elle m'appelle tous les jours. Maman trouve toujours aussi difficile que je ne passe pas ma convalescence à la maison familiale. Bien que j'aurais été traitée aux petits oignons chez mes parents, je lui répète chaque fois que je suis bien dans mes affaires.

Hugo me concocte le menu décrit précédemment en me racontant des blagues tout en rigolant. Pendant que je déguste sa fine cuisine, il agrippe trois pommes dans le plateau de fruits sur le comptoir et tente de jongler avec. Il effectue correctement quelques tours avant de tout échapper par terre. Je le dévisage, découragée. Il se lance ensuite dans une pétarade de pets de « dessous-de-bras ».

— De « quessé » que tu fais ? que je formule, complètement figée par sa stupidité.

— Je veux faire comme Patch Adams et te guérir par le rire !

— Heu… t'es pas Patch Adams. Et *by the way*, les pets de « dessous-de-bras » ça a été drôle environ cinq à dix minutes dans les années quatre-vingt ! que j'explique, comme si je parlais à un enfant de quatre ans.

— OK, se résigne-t-il en feignant un air déçu.

Je lui relate l'histoire à propos de Bobby et il semble très content pour moi. Il me souligne même :

— Bravo d'avoir dit le mot « *chum* » sans bégayer.

— Je suis bonne, hein ! Je me suis pratiquée, que je confie en sourcillant.

En allant au frigo, je lis ce qu'il y a d'écrit sur le tableau.

Playa del sous-sol : Transformée en « convalescence room »

Date : Pour le temps que cela prendra…

Message : Re-bienvenue, Mali chérie !

— Cori

La radioactivité va me faire ratatiner les testicules ! – Hugo

Ne pas oublier : « Si la vie vous jette par terre, levez les yeux : il y a des étoiles au-dessus de vous. »
– Guy Finley par Sacha. Je t'aime XXX

T'es une poète, mon amour ! – Hugo

Oui, je le veux !

Cela fait maintenant deux semaines que je suis sortie de l'hôpital. Ma vie me semble, comment dire, jalonnée d'évolution (au chapitre de ma santé) et de stagnation (au chapitre de mon mode de vie) ! Un amalgame de pas vers l'avant et de piétinement sur place ! J'ai retrouvé une mobilité adéquate, mais je commence à m'ennuyer d'être toujours au *condo*. Je fais parfois de courtes balades à l'extérieur, mais je ne conduis pas encore ma voiture par peur d'avoir à faire rapidement un angle mort et de me blesser. Je ne prends plus de médication et j'ai réintégré ma chambre en haut à temps plein. Je n'ai plus besoin de prendre de précautions contre la radioactivité : fini la vaisselle en carton et les ustensiles en plastique, et les filles peuvent utiliser la même salle de bain que moi. Je ne constitue plus un danger national !

Ce soir, Ge et Sacha soupent avec moi avant de sortir en ville. Cori est partie chez mon frère. Bobby viendra me rejoindre plus tard dans la soirée. Je ne l'ai pas vu depuis quelques jours, il se produit en spectacle depuis mercredi.

— Ce soir, on rencontre l'homme de notre vie nous aussi ! spécule Sacha, convaincante, en levant son large couteau de chef.

— Ne les menacez pas à l'arme blanche quand même ! que je fais en m'éloignant d'elle comme si j'avais eu peur de l'instrument.

— Dans mon cas, il devra se dépêcher, l'homme de ma vie de ce soir, car j'ai rencontré un nouveau candidat sur le site de rencontre, introduit Ge.

— Tu ne vois plus Jean-François ? que je suppose en me rendant compte que j'ai perdu un bout de la vie des filles.

— Non, durant Noël, j'ai mis un terme à cette relation compliquée. Il était un peu *control freak*. On ne s'était même pas vus dix fois, imagine !

— Montre-nous le nouveau chanceux, alors ! que je m'exclame.

Elle ouvre son ordinateur avec empressement.

— Voilà, dit-elle en cliquant sur son profil.

Nous scrutons avec attention les photos de James, un grand gaillard assez bel homme.

— Il fait quoi dans la vie ? demande Sacha.

— Il est massothérapeute, déclare Ge.

— Ah ! bon parti ! Invite-le ici pour qu'il traite mes atrophies musculaires postopératoires, que je blague.

— Je testerai son expertise manuelle avant, si tu le permets, souligne Ge en souriant.

— Et là, vous discutez depuis quand ? interroge Sacha.

— Quelques jours… Mais là, c'est vraiment le *last call* de mon *membership* à ce site. Si ça « floppe » encore, je tire ma révérence, assure Ge.

Je vais sur Facebook pendant que les filles terminent la préparation du repas. Je n'y suis pas allée depuis plusieurs jours. C'est drôle, quand on a quelqu'un dans notre vie, on dirait que les réseaux sociaux perdent de l'intérêt, hein ? Edward m'a écrit :

« Salut Mali, je n'ai pas eu de nouvelles depuis ton intervention… Comment vas-tu ? Pour ma part, ça roule, je vais peut-être aller à Montréal bientôt. Je te fais signe. Porte-toi bien ! Je t'embrasse,

Ed XXX »

Je fais un tour rapide des nouvelles des derniers jours sans répondre à Edward.

— Vous sortez juste toutes les deux ce soir ? que je m'informe aux filles.

— Oui !

Après le souper, je me loue un film sur la chaîne payante en attendant mon mâle. Heu… mon *chum*, excusez-moi ! Je me peigne légèrement et je revêts un jeans pour faire changement de mon jogging. Non mais, la passion nécessite un entretien continu ! Je suis la pire « pas *sexy* » de la terre depuis plus de deux semaines, alors…

Lorsqu'il arrive, mon film n'est pas encore terminé. Il s'assoit sur le divan en face de moi et écoute les quelques minutes qui restent. Il pose trente-six mille questions, comme s'il voulait comprendre le long métrage en ne regardant que les trois dernières minutes. Il paraît physiquement épuisé.

— T'es fatigué ? que je constate en souriant.

— Tu dis ! Quatre spectacles en ligne, c'est beaucoup…

Il me raconte quelques anecdotes de ses spectacles. Je l'écoute d'une oreille distraite, car je n'ai qu'une chose en tête : l'embrasser. Je le peux maintenant ! Je change de divan pour m'asseoir près de lui.

— Hé ! hé ! Tu veux me donner ton scorbut, ou quoi ?

— Franchement ! Le scorbut ! Je ne suis pas un matelot de Christophe Colomb quand même ! que je m'indigne en riant.

— Ton médecin t'autorise les rapprochements maintenant ? décrète-t-il en prenant une couette de mes cheveux entre ses doigts.

— Ouais… Il m'a dit que si je me mariais, je pourrais embrasser le marié…

Nous nous observons un peu sans nous avancer. Quel moment intense ! Comme si nous allions par ce baiser officialiser la décision que nous avons prise, soit être vraiment ensemble. Il prend une voix sérieuse en disant :

— Madame Allison, voulez-vous tenter de former un couple avec moi, le super mec viril ici présent ?

— Oui, je le veux ! que je confirme en le regardant dans les yeux, amusée, mais timide.

— Bonne réponse ! s'anime-t-il en posant sa main à plat sur le côté de mon visage avant de m'embrasser.

Nos lèvres se touchent pendant de longues secondes avant qu'il ne s'écarte de moi pour me rassurer :

— Tu ne goûtes pas trop l'« huile à batterie », ricane-t-il en ramenant le moment trop émotif à la plaisanterie.

J'espère ! J'ai mâché environ trente-six gommes depuis le début de la soirée pour que ce baiser soit parfait.

— Tu as mangé ça souvent, toi, de l'« huile à batterie » ? que je rigole.

La tournure de la soirée ne surprend personne. Comme nous sommes seuls, nous faisons l'amour exactement là où nous nous sommes embrassés. Doucement (j'ai une mobilité physique réduite), mais avec tout de même une certaine fougue dans les yeux digne de plusieurs jours d'abstinence. C'est tout simplement exquis. L'amour, afin avoué et vécu dans un consentement mutuel, apporte à l'acte sexuel une perspective unique jamais égalée. Je suis comme une boule d'émotion effervescente qui s'effrite plus les rapprochements s'intensifient. Comme les pastilles de vitamine C qu'on mélange avec de l'eau, je bouillonne en craignant de disparaître en même temps que j'atteindrai l'orgasme. Après ledit moment de transe corporelle, j'appuie ma tête sur le divan en émettant un « Ouf… » de satisfaction.

— J'aime ça te voir jouir… t'es belle…

Je ne réponds pas. Mon corps semble tout engourdi, lourd. Il pose aussi sa tête sur le canapé à l'opposé de moi. Après quelques minutes, comme je crains de m'endormir là, je lui propose de me suivre dans ma chambre. Nous nous couchons sans discuter, enlacés, heureux. Du moins, pour ma part…

Deux connes...

Au matin, il quitte le *condo* assez tôt pour aller chez lui. Comme il n'est pas souvent à sa maison, il m'explique avoir un horaire du jour chargé aujourd'hui. Quoi, exactement ? Je ne sais pas ! SA vie...

Naturellement, nous ne nous appelons pas tous les jours. Je ne sais pas à la minute près ce qu'il fait et c'est bien comme ça. Une belle relation à notre image d'indépendants chroniques !

La patiente semble avoir trouvé chaussure à son pied dans une relation stable, mais non fusionnelle. Elle ne ressent pas le besoin de tout savoir sur la vie quotidienne de son homme et celui-ci non plus. Elle se sent en confiance, comme si toute son anxiété s'était volatilisée d'un seul coup. Est-ce que l'attitude adéquate de madame perdurera dans le temps ou est-ce que celle-ci utilise un mécanisme de défense pour vivre sainement cette relation ? La situation est trop récente pour que je me prononce sur la question...

Sacha se lève la première. Elle semble de bonne humeur ce matin.

— Oh, t'as une face de bonheur, toi ! que je remarque en supposant qu'elle a fait une rencontre intéressante hier.

— Ah bon ! contente de savoir que j'ai choisi un beau modèle dans le sac à faces ! blague-t-elle.

— Le sac à faces ! Ha ! ha ! C'est le fantasme à Coriande, qui dit ça tout le temps... non ?

— Oui, en effet... je pense que je plagie Louis-José Houde ce matin...

Elle me raconte sa soirée. Contrairement à ce que je croyais, elle n'a pas rencontré de mec intéressant, mais les filles ont eu beaucoup de plaisir. Elle me chuchote, en venant s'asseoir près de moi :

— Eille ! On va vraiment rire ce matin. Hier, il y a un gars super fatigant qui nous a achalées toute la soirée. Un genre de Gino Camaro beaucoup trop confiant de son *pas* de potentiel…

— Eh là…

— Avant de partir, je lui ai donné le numéro de cellulaire de Ge en disant que celle-ci « trippait » ben fort sur lui… Il va la contacter ce matin, c'est certain ! se tord-elle sur le divan.

— Franchement ! T'es certaine qu'il va l'appeler ? que je ris.

— Il était fou raide quand je lui ai donné son numéro à trois heures du matin !

— Pouah ! C'est chien !

— Ben non, on va s'amuser…

Ge descend quelque temps plus tard, son téléphone à la main.

— Salut ! que je dis en tentant d'avoir l'air normal.

— Allô, répond-elle, un peu endormie.

Nous l'observons, aux aguets, pour voir si elle a reçu un message ce matin. Elle ne dit rien. Trente minutes plus tard, nous regardons *Salut, bonjour week-end* lorsque son téléphone retentit. Elle regarde le message texte qu'elle vient de recevoir en fronçant les sourcils, mais sans rien dire. Sacha et moi échangeons un regard complice en se retenant d'éclater de rire. Elle réécrit quelque chose. Une minute plus tard, un autre message entre. Perplexe, elle nous dit :

— Ben voyons ! Y a un gars qui m'écrit et je ne sais même pas qui c'est ?

— Hein ? As-tu donné ton numéro à quelqu'un hier ? que je questionne, l'air innocent.

— Non ! Ce club était loin de contenir du gibier potentiel ! réfléchit-elle, les yeux rivés sur son cellulaire.

Son téléphone sonne de nouveau. Elle nous fait la lecture à haute voix :

— « On pourrait aller déjeuner ensemble ce matin ? » Hein ? Il se pense donc bien impliqué dans ma vie, lui ? Il doit se tromper de numéro de téléphone, nous commente Ge en réécrivant un message.

Sacha, qui n'en peut plus, pouffe de rire en lui conseillant :

— Demande-lui son nom ?

Ge réécrit encore un texte. Un message entre peu de temps après. Elle le lit :

— « Voyons, ma belle Geneviève, c'est Jessy… » Ark ! C'est le « pas-de-classe » d'hier, ça ? Comment a-t-il eu mon numéro ? s'emporte-t-elle en regardant Sacha qui est sur le point d'étouffer tellement elle rit sur le divan.

En réécrivant un Xième message, Ge semble comprendre ce qui se passe.

— MOI, être CONNE, c'est comme TOI que j'aimerais l'être ! Tu lui as donné mon numéro ! Tu vas me le payer, conasse ! menace Ge avec un sourire mesquin.

Sacha se bidonne sur le divan, trop heureuse du succès de son coup pendable.

La règle du balancier?

Après une autre semaine de convalescence, peu mouvementée, je vais faire des courses pour le souper de la consœurie du soir. Je suis en forme. Cette semaine, j'ai vu mon médecin ; il m'a confirmé dans un élan d'enthousiasme que tout semblait bien se passer. Cependant, aucune rémission ne sera officialisée avant dix ans consécutifs sans réapparition de cellules cancéreuses. Je ressens tout de même un sentiment de victoire. Dans mon cœur, j'ai remporté le combat et je détiens la ceinture de championne du monde des poids mi-moyens ! Et par K.-O. au deuxième *round* en plus !

En revenant au *condo*, je reçois un texto avant le dîner. Edward. Oups, j'ai oublié de lui réécrire sur Facebook. Je reste vague dans mon message en répondant tout simplement à son « Allô ». Il m'appelle.

— Salut ! s'exclame-t-il, de bonne humeur.

— Hé, ça va ? que je m'informe, polie.

— Je n'ai pas beaucoup de temps pour te parler, je vais luncher avec des profs, mais je voulais juste te dire que je serai à Montréal dans deux semaines…

— OK, que je réponds sans donner suite à son message.

— J'aimerais ça te voir…

Bon, je dois faire ce que j'ai à faire. Je suis en couple. Fini le harem, la polygamie et toute autre forme de sollicitation affective périphérique.

— Tu sais, Edward, je crois que ça ne sera pas possible…

— Hein ? Tu ne seras pas en ville ?

— Non, ce n'est pas ça… Disons que je suis prise maintenant, de façon officielle, je veux dire.

— Ah oui…

Il semble très surpris. Il ne dit rien.

— Je suis désolée…, que je déclare.

— Tu viens de rencontrer quelqu'un ?

Il paraît curieux, mais je comprends.

— Plutôt une relation de longue date qui a évolué…

— Hum… On peut dire qu'on n'est pas faits pour être ensemble nous deux, hein ! blague-t-il, une intonation faussement joyeuse dans la voix.

Je le sens très déçu et il semble vouloir masquer le tout avec de l'humour. Je comprends ça aussi.

— Bon bien…

Silence, malaise… Je ne sais pas quoi ajouter…

— T'as rien à voir là-dedans…, que j'ajoute sans trop réfléchir.

Beau commentaire qui n'a aucun rapport, Mali ! Continue…

— De quoi ? questionne-t-il en ne saisissant pas mon intelligente analyse.

— Je veux dire, on n'a pas de contrôle là-dessus…

— Je le sais, je t'ai déjà dit ça dans le passé…, soulève-t-il, un peu vexé.

Je suis maladroite. Présentement, j'ai l'air de lui remettre fièrement en plein visage ce qu'il m'avait dit il y a deux ans en me larguant après avoir rencontré une fille. Ce n'est vraiment pas mon objectif du tout.

— Je suis désolée, que j'ajoute, impuissante.

— Y a pas de quoi ! Sois heureuse…

— Prends soin de toi, que j'ose terminer.

— C'est ça, bye.

Il raccroche, un peu insulté. Normal, Edward est un gars fort de caractère, orgueilleux. Voilà une réaction au rejet adéquate selon sa personnalité. En posant mon cellulaire sur le divan près de moi, je réfléchis à cette discussion. La même situation copiée-collée d'il y a deux ans presque jour pour jour. J'avais séjourné à l'hôpital comme maintenant, nous avions passé du bon temps ensemble, sauf que là, ce n'est pas lui qui a repoussé ma présence pour une autre, mais moi…

La règle du balancier de la vie ? Je ne sais pas…

La patiente ressent une certaine culpabilité d'avoir fait du mal à quelqu'un. Cependant, il n'y a pas présence de regret, de tristesse ou de vengeance. Elle semble fière d'assumer son choix d'investissement relationnel et tend à adopter un comportement cohérent par rapport à sa nouvelle idéologie. Je suis satisfaite de l'attitude de Mme Allison de faire converger ses réactions dans une direction affective monogame et responsable.

Je souris en refermant mon livre. Décidément, mon ouvrage analytique devient de plus en plus positif. L'amour se ressent dans mes écrits !

Un gratin d'insatisfaction

Je cuisine un plat de fusillis aux fruits de mer gratinés lorsque Ge revient de sa journée. Elle paraît épuisée.

— Ça va ? que je questionne.

— Je suis fatiguée, grosse journée !

— Comment va votre recherche ?

— Bah… c'est difficile. On dirait qu'on n'est pas capables de trouver une composante chimique pouvant gérer la composante « lactose » dans son ensemble. On en trouve pour le fromage, mais on dirait que, pour le lait tout seul, ça ne marche pas. Les budgets s'amenuisent rapidement et rien ne semble concluant. J'ai peur qu'on s'oriente vers un échec.

— OK.

— J'ai moins de plaisir à faire ce projet que je pensais. Le médecin impliqué dans la recherche n'est pas venu hier ni aujourd'hui au labo, sous prétexte qu'il est trop occupé. Il ne respecte pas le contrat. Je le laisse aller depuis un moment, mais là je devrai réagir. Les deux biologistes se sont chicanés devant tout le monde cette semaine et la technicienne est dépressive, car elle vient de divorcer. Pas trop évident de diriger une équipe, finalement.

— Ouin…, que je fais en ne sachant pas trop quoi dire compte tenu de la situation.

— Mais c'est vendredi et je dois décrocher !

— C'est vendredi, on fait l'amour, tu veux dire ! que je réplique, comme Cori blague souvent.

— Je manque d'options à ce niveau-là, je te le jure, me ressort Ge, maussade.

— Pour te consoler, je concocte un bon plat de *comfort food* !

Elle s'approche de mon chantier culinaire.

— Un gratin ! Mmmm…

— C'est vendredi, mais on fait PAS l'amour, car mon *chum* est encore parti, chiale Coriande en entrant dans le *condo*.

— Je viens de dire le contraire ! que je déclare, découragée.

Visiblement, les filles reviennent à tour de rôle toutes plus démoralisées les unes que les autres.

— Je suis fatiguée, avoue Sacha en s'écrasant lourdement sur le divan.

— Moi, je suis bougonneuse aujourd'hui. Je vais être menstruée, maugrée Cori en se croisant les bras.

— Hé ! hé ! Un peu d'enthousiasme en ce vendredi ! que je suggère.

— Chaque fois que je vois février poindre à l'horizon, je « dépressionne », explique Sacha.

Ge souffle bruyamment en regardant le tapis du salon en guise d'appui non verbal à la confession de Sacha.

Je regarde les filles affalées sur les divans, l'air tristounet.

— J'aurais voulu voir mon *chum* en fin de semaine, pleurniche Cori en fixant aussi le tapis du salon.

— Je vous fais une injection d'antidépresseurs intraveineux et ensuite on passe une belle soirée ! À moins que je vous donne du Prozac..., que je réfléchis, comme si c'était sérieux.

— S'il te reste de la morphine, je suis partante ! taquine Ge en me regardant.

— Franchement ! Pas de fuite dans les paradis artificiels, on a trente ans ! réplique Sacha avant de demander, ironique : « Il nous reste de la tequila ? »

— *Sex, drugs and rock n' roll* ! ajoute Cori avec peu d'entrain.

— Vous voulez sortir danser ? que je propose.

— Non, répondent en chœur les trois dépressives.

Tant mieux, je ne me sens pas encore d'attaque à sortir dans un bar.

— Aller manger quelque part ?

— Non, pleurnichent les filles, encore plus tristes.

— Ben là ! Je ne sais plus, moi ! que je gesticule, les bras en l'air.

— Comme je ne veux pas bouger d'ici..., je voudrais que le plaisir vienne jusqu'à moi, explique Ge, rationnelle.

— Ah bon ! facile, je t'appelle un danseur nu ? Une fanfare ? Non ! Un groupe de mariachis ? que je suggère, enthousiaste.

— Ah oui ! de la musique latine, se dandine Ge.

— On va en mettre ! que je conclus, énergique, en syntonisant le canal de musique latino sur le satellite.

— Toi, Sacha, qu'est-ce que tu veux ?

— Heu... j'aurais le goût de me faire promener dans une carriole tirée par des gros chevaux ardennais avec du poil au bout des pattes ! répond-elle, le regard enfantin.

— Ben là... autre chose de plus réaliste ? que je demande, démunie.

— Je veux avoir un homme et que ce soit l'été !

— Bon, facile, je te règle ça ! que j'assure, convaincante.

Je monte le chauffage du *condo* et je prends mon téléphone cellulaire pour texter Hugo.

— Tu textes qui ? implore Sacha.

— You Go ! que je certifie.

— J'avoue que j'ai un peu délaissé mon ami gai ces derniers temps..., avoue-t-elle, contente.

— Toi, Coriande ? Qu'est-ce que tu souhaites ? que je questionne.

— Heu... je ne sais pas...

— Vas-y ! Trouve ! Je me sens comme un genre de gourou du plaisir aujourd'hui !

— La paix dans le monde ? me niaise Cori avec un petit air innocent.

— Hein ? T'es pas en entrevue pour Miss Canada, quand même, nargue Ge en la poussant amicalement.

Bon, tranquillement, je sens l'ambiance s'égayer peu à peu...

— Non, un souhait que tu veux maintenant ? que je précise, insistante.

— Je sais ! Que tu arrêtes de fumer...

Je lui fais une moue découragée.

— Terminé ! Ton tour est passé ! Je suis comme le génie dans la lampe, mais au lieu de trois vœux, moi c'est deux, donc trouve toute seule le bonheur, Coriande...

Elle rigole et réplique :

— Non, arrête de fumer. C'est ça que je veux...

Je fais des yeux en l'air et change de sujet :

— Bon, prenons un verre au bonheur, là !

— Oui, parce que j'ai le IB assez en déclin, merci ! affirme Sacha.

— Un indice boissonnal déficient, ça rend vraiment dépressif, conclut Ge, sérieuse.

Comme les troupes semblent avoir retrouvé une joie de vivre potable pour un souper agréable entre amies, nous nous dirigeons vers la cuisine. Ge nous parle de son nouveau *prospect* en m'aidant à faire la salade.

— Pas beaucoup de développements encore, on ne s'est pas rencontrés. Je repousse le rendez-vous. J'ai comme peur ! Il m'arrivera quoi encore ?

— Arrête de capoter ! Justement, il t'est arrivé tellement de trucs bizarres que ça ne peut pas encore tourner mal, raisonne Cori.

— En tout cas, j'ai la frousse.

— Prends ton temps, que je l'encourage.

Mon téléphone sur la table m'annonce la réception d'un texto. Sacha se jette sur l'appareil en disant :

— Ah ! c'est qui ? c'est qui ?

Je la laisse faire, je continue à rincer les légumes dans l'évier.

— Bobby ! Il dit : « Bonne soirée, ma puce ! Je t'embrasse très fort et on se voit dimanche. XXX »

Je souris bêtement en manipulant les légumes sous le jet d'eau. Je me retourne pour constater que Sacha réécrit un texto sur mon téléphone.

— Eille ! Qu'est-ce que tu écris ? que j'insiste, peu confiante.

Elle me lit sa réponse :

— « Toi aussi, mon chéri ! Je pense à toi. XXX »

— Non, pas « mon chéri » ! que je rectifie.

— Tu as bien un nom d'amoureux que tu utilises ? réclame Sacha.

— « BB », que j'avoue, gênée.

— Oh ! BB comme dans *big buck* ? spécule Cori.

— Disons BB comme dans « mon bébé », que je précise.

— J'inscris BB alors..., corrige Sacha sur mon cellulaire.

— C'est tellement excitant ce dénouement dans ta vie, Mali ! lâche Ge.

Je lui souris sans répondre en retournant à ma tâche.

— Ce n'est pas des farces, ma vie affective est tellement peu palpitante que je ressens du plaisir à écrire un message texte pour une conversation qui ne s'adresse même pas à moi ! confesse Sacha.

Nous lui lançons un regard compatissant en lui souriant. En l'entendant se plaindre de sa situation affective dépourvue de plaisir, je songe à Hugo qui s'en vient…

La cerise sur le gratin

Hugo arrive finalement lorsque nous terminons le repas.

— Ah non ! j'ai manqué un échec culinaire de Sacha ? dit-il en guise d'introduction en regardant les restes de mon gratin dans la cocotte sur le four.

— Eille ! impoli ! Je cuisine super bien, se défend Sacha, moyennement offensée.

— Ça sent drôle, renifle Hugo en se penchant sur le plat.

— *By the way*, c'est moi qui l'ai fait et c'est super bon ! que je clarifie, l'air indigné.

— Oh ! si c'est Mali, alors ça doit être très bon, rectifie-t-il en se prenant une assiette.

— Téteux ! lui lance Sacha.

— Vous avez l'air de bonne humeur tout le groupe ! J'en ai manqué une ? ironise-t-il en s'approchant du tableau de communication pendant que son assiette réchauffe au four à micro-ondes.

Rien n'y est inscrit. On a un peu laissé notre mode de communication à la dérive depuis un certain temps.

— On est un peu à « *off* », décrit Ge à Hugo.

— Voyons, la vie est belle ! prône-t-il en apportant son assiette à table.

— T'as donc ben l'air heureux, toi, soupçonne Sacha en le regardant attentivement.

Il nous observe tout en souriant avant de dire :

— J'ai peut-être rencontré une fille…

Silence… Hugo plonge énergiquement sa fourchette dans son assiette et ne semble pas remarquer le malaise qui s'installe dans la cuisine. Je jette discrètement un coup d'œil en direction de Sacha, qui fronce les sourcils.

— Où est-ce que t'as rencontré une fille ? demande-t-elle, intéressée.

— Au bar, le week-end dernier ! Une charmante hygiéniste dentaire, explique-t-il vaguement.

— Ah, super ! contente pour toi ! ajoute Sacha en simulant un air désinvolte.

Je la connais : au fond d'elle, elle n'est vraiment pas contente. S'ensuit un autre long silence. J'envoie un regard à Ge, lui signifiant de faire diversion au trouble qui s'élève.

— On joue une partie de Wii ? propose-t-elle.

— Oui ! fait Cori.

— Je vais toutes vous battre ! lance Hugo en regardant Sacha qui lui fait un sourire forcé.

Nous jouons en équipe à toutes sortes de jeux. Sacha participe avec peu d'excitation et nous annonce finalement qu'elle va se coucher.

— Déjà ? Tu veux que je te rejoigne tout à l'heure, ma belle ? s'informe Hugo en lui souriant.

— Non, je dormirai toute seule, précise Sacha avant de se retirer dans sa chambre.

— Elle n'était vraiment pas de bonne humeur ce soir, commente Hugo, qui ne semble pas comprendre qu'elle a réagi à son annonce de tout à l'heure.

— Tu lui as parlé d'une fille…, que je souligne subtilement.

— Une fille, une fille ! Je ne suis pas en couple et loin de là ! Sacha s'en fout de toute façon, affirme Hugo en se concentrant sur l'écran.

— Et un abat ! crie Ge en admiration.

En douce, Cori se rend dans la chambre de Sacha. Elle revient une minute plus tard en me faisant discrètement un « non » de la tête. J'en déduis que Sacha lui a probablement dit vouloir être seule.

La soirée se déroule ainsi. Nous ne faisons pas d'allusions à cette nouvelle du reste de la soirée. Je suis comme déchirée : d'un côté, j'aimerais que You Go me raconte en détail sa rencontre, mais en même temps, je suis triste d'avoir vu mon amie réagir négativement à cette annonce…

Encore le balancier...

Au matin, je navigue sur Internet lorsque Sacha revient de s'entraîner.

— Tu t'es levée tôt ! que je remarque étant donné qu'il est juste huit heures trente.

— Oui, au moins, si je perds du poids, je serai plus heureuse.

— Ça te fait quelque chose, hein ? que je note en sachant très bien qu'elle sait de quoi je parle.

— Tu sais, je pense à ça depuis ce matin et je me trouve conne dans le fond. Hugo, je le prenais comme une valeur sûre : je dormais avec un gars qui me flattait le dos, je l'appellais et c'était facile, c'était le *fun*. Mais là, avec une blonde dans le décor, ça ne marche plus. Je suis une égoïste ! m'annonce-t-elle.

— Ce n'est pas plus que ça pour toi ? Juste une « valeur sûre » ?

— Il ne possède pas les critères que je recherche chez un homme, affirme-t-elle, convaincue.

— Qu'est-ce que tu recherches chez un homme ?

Elle me regarde en réfléchissant.

— Honnêtement, avec mes derniers mecs pas adéquats en tête, je ne sais plus.

— C'est toi qui sais comment tu te sens : si tu as de la peine de le perdre juste une nuit de temps en temps, c'est que tu ne l'aimes pas... Mais si tu éprouves un sentiment plus puissant comme de la jalousie...

Elle m'observe un instant avant de dire :

— Bon, la grosse s'en va prendre sa douche !

J'ouvre mes courriels en laissant mon Facebook ouvert. J'ai un message de Ludovic. C'est vrai, je ne lui ai pas répondu la dernière fois.

« Bonjour, Mali, je n'ai pas eu de nouvelles de toi depuis longtemps. J'espère que tu vas bien. Je suis à Montréal mercredi cette semaine. On devrait souper ensemble. Reviens-moi là-dessus.

P.S. J'ai regardé tes photos sur Facebook et je te trouve vraiment belle…

Ludovic XXX »

Bon ! Et là, c'est quoi ? Les hommes qui m'ont rejetée dans le passé rappliquent énergiquement tous en même temps, au moment où je suis prise. Vous vous souvenez que la consœurie trouvait que c'était toujours comme ça dans la vie : aussitôt qu'on se met en couple, les occasions affluent. Pendant un instant, je songe à souper avec lui juste en ami…

Non, non et non ! Mali, ne tente pas le diable ! Réécris-lui que tu es en couple. Tu dois le faire…

« Salut Ludovic,

J'aurais bien aimé souper avec toi mercredi, mais la vie en décide autrement… Je suis en couple maintenant. J'ai rencontré quelqu'un et je ne crois pas que de passer du temps avec toi serait loyal à son égard.

Je souhaite que le meilleur soit à venir pour ta carrière et que tu sois heureux !

Mali XXX »

Cette offre est : REFUSÉE ! J'arrête d'ouvrir des valises et j'accepte l'offre du banquier : Bobby ! Je trouve ça un peu difficile, car honnêtement, je me sens toujours aussi valorisée par l'intérêt des hommes envers moi…

Finalement, on dirait bien que je ne suis pas toute seule à vivre le phénomène « *Always Ex* » ! Edward et Ludovic en sont aussi victimes. Je devrais suggérer ce sujet de recherche comme thèse en psychologie relationnelle !

La patiente agit concrètement sur sa problématique de recherche d'attention masculine en déclinant de façon claire les avances d'un autre prospect *mâle récidiviste. Elle assume plus ou moins sa démarche en cultivant une arrière-pensée orientée vers les pertes d'attention subies. Le travail s'opère de façon lente, mais Mme Allison chemine dans la bonne direction.*

Le fameux balancier semble aller dans tous les sens. Je rejette des gars avec qui je rêvais de vivre une belle aventure. Sacha se fait rejeter par un gars qu'elle croyait acquis dans sa vie. Décidément, le pendule semble non prévisible et aléatoire dans sa trajectoire.

J'appelle mon homme pour avoir de ses nouvelles (et ainsi valider ma démarche de rejet des autres !).

— Salut BB !

— Eille ! Allô ! Je n'ai pas le temps de te parler. J'entre à l'instant en ondes pour une entrevue à la radio…

— OK. Bonne journée alors !

— On se voit demain soir. Bye-bye !

Bon ! Ce n'est pas avec lui que j'aurai de l'attention aujourd'hui, on dirait…

Ge descend à ce moment-là en parlant au téléphone. Elle me fait signe avec son doigt comme pour me signifier de l'écouter.

— Oui, en effet, c'est une décision à considérer. J'en parlerai aux autres et verrai ce qu'elles en pensent, discute-t-elle avec l'interlocuteur.

Sacha nous rejoint, entourée d'une serviette. Elle esquisse un regard interrogateur pour montrer qu'elle ne comprend pas à qui Ge parle.

— Donc, oui, la semaine prochaine, on vous donnera une réponse sans faute. Parfait ! Merci, dit-elle avant de fermer son téléphone.

Elle va d'un pas décidé cogner doucement à la chambre de Cori, qui dort encore.

— Coriande, lève-toi. On doit discuter d'un truc très important.

Elle revient vers nous sans rien dire. Cori entre dans la pièce en regardant l'heure sur l'horloge de la cuisine.

— *Wow !* J'ai dormi tard, se réjouit-elle en s'étirant.

— Bon, c'étaient les propriétaires du *condo*. Leur contrat se prolonge pour un an en Europe. Ils veulent savoir si on veut signer un autre bail ou s'ils doivent le mettre en vente…

— Ah ouin ? que je me surprends.

Toutes les filles réfléchissent pendant quelque temps.

— Bien moi, je n'ai pas vraiment songé à un plan B dans ma vie, explique Sacha.

— Moi non plus, avoue Ge.

— Toi ? que j'interpelle Coriande.

— Pareil ! Je n'irai pas habiter avec ton frère à l'été, c'est sûr, affirme-t-elle.

— Non ? fait Sacha, surprise.

— Eille ! C'est le frère de l'autre ! Penses-tu qu'il songe à cohabiter après à peine un an de relation ? relate-t-elle en levant son menton dans ma direction.

— Toi, tu aimerais ça ? poursuit Ge.

— Le pire c'est que non, pas tout de suite. On n'est pas prêts, rationnalise Cori.

— Donc, on accepte et on loue pour une autre année ? conclut Ge.

— Moi, je me plais bien ici en tout cas. J'aime ça ! que je confesse.

— Depuis que vous vous laissez moins traîner, c'est vivable ici dedans ! blague Sacha.

— Du moins, on peut prendre quelques jours pour y penser. Je dois la rappeler la semaine prochaine, explique Ge.

— C'est bon, mais je pense que c'est la meilleure option. Sinon, imaginez, il nous faudrait dénicher un appart et déménager.

— Ark ! que je fais, découragée à cette idée.

Il déconne...

— Salut, ma puce, me dit Bobby en m'embrassant lorsque je le rejoins dans l'entrée du *condo*.

— Allô, que je réponds, souriante.

— T'es prête ? demande-t-il.

— Oui, je vais chercher le vin !

— On prend ma voiture ?

— Non, on marche, c'est juste à côté, que je lui crie de la cuisine.

Nous allons manger au thaï ce soir. J'anticipe déjà la réaction hystérique de Jy Hong en me voyant avec un autre homme.

Comme de raison, dès que nous arrivons là, il nous accueille à la porte les mains jointes sous le menton.

— Madame vient avec un autre ami ou avec la banane royale ?

Visiblement confus, Bobby m'envoie un regard stupéfait. Il me fait vraiment rire. Je confirme à Jy Hong en faisant un hochement de tête de haut en bas :

— La banane royale ! que je déclare en montrant Bobby de la main.

— C'est moi, ça, la banane royale ? fait mon pauvre Bobby, ne saisissant rien du tout à cette allusion.

— Je t'expliquerai..., que je dis en me dirigeant vers une table.

En s'assoyant, il insiste, très expressif :

— C'est quoi cette affaire de banane-là ?

Je lui raconte de long en large la soirée avec les filles et l'histoire du dessert original servi par le restaurateur ainsi que les croyances mystiques qui s'y rattachent.

— Ah ! OK ! Je croyais que tu lui avais parlé de ma grosse…

— Banane ? que j'ajoute en riant. Vantard !

Nous rions de bon cœur à table lorsque j'aperçois Suzy Kha sortir sa tête du rideau de la cuisine pour regarder de façon peu subtile vers notre table. Je lui envoie la main. Bobby commente :

— Voyons, ils sont combien là-dedans à vouloir voir « ta banane » ?

— C'est comme ridicule, hein ? que je me tords de rire sur ma chaise.

Durant le succulent repas, je fais part à Bobby de la bonne nouvelle du week-end concernant le *condo*.

— Ils veulent qu'on renouvelle notre bail pour un an…

— Ah oui ? et vous allez signer ?

— On doit en reparler, mais je pense que oui !

Il ne répond pas et me fait une drôle de moue.

— Quoi ? que je demande, pas certaine de bien déchiffrer son expression faciale.

— Tu ne viendras pas habiter avec moi alors…

Hein ? Pfft ! De quoi parle-t-il, lui ?

— Tu déconnes ! que je lui lance en riant.

Il me regarde sans trop d'expression et surtout sans rien dire.

— Tu déconnes ? que je répète sur un ton interrogatif.

Aucune réponse, il me fait un sourire avant de continuer à manger son plat avec ses baguettes. Je le dévisage, un peu perplexe face à sa drôle de réaction. Il enchaîne subtilement en me parlant de ses divers projets de carrière.

Au moment de quitter le restaurant, je ressens un certain malaise face à la facture. Je suis complètement fauchée. Il la prend sans hésiter. En la détaillant, il me taquine :

— Hé *boy* ! Tu me coûtes cher, toi !

Je rigole, gênée. Je déteste ça. Je me sens tellement nulle d'avoir de la difficulté à payer une facture qui doit coûter tout au plus trente dollars. Comme il me reste quelques semaines encore sans travailler, je dois être vraiment vigilante et stratégique dans la gestion de mon mince portefeuille.

Comme nous sommes silencieux sur le chemin du retour, je remets un sujet sur la table sans trop de préambule.

— Tu déconnais, hein ? en sachant très bien qu'il saisit de quoi je parle.

Il m'observe encore avec un air que je ne saisis pas et en ne disant rien. Il me fait marcher !

Le planificateur financier

En début de semaine, après une discussion succincte à propos de la prolongation de la cohabitation, nous rendons notre décision : un an de plus ! Ge annonce fièrement la nouvelle au couple, qui paraît très soulagé de ne pas devoir mettre le *condo* en vente à distance.

Je navigue sur mon compte bancaire virtuel afin de constater les déboires de ma situation financière précaire. Les données inscrites sur le relevé informatique ne correspondent pas à ce que j'avais spéculé. J'ai plus de mille dollars de surplus. Je ne comprends pas. En analysant plus en profondeur, je constate que deux de mes chèques personnels destinés aux loyers des mois de janvier et février n'ont pas été encaissés. Je questionne Ge qui s'occupe de tout l'aspect technique des paiements du *condo*.

— Ge, mes chèques n'ont pas passé dans mon compte ?

— Oui… je le sais…

— J'ai de l'argent pourtant ! C'est une erreur de la banque s'ils ont rebondi…

— Non, non, rien n'a rebondi…

Je la regarde, interrogative.

— J'ai peur de te dire ce qui est arrivé ! Tu vas « badtripper »…, me lance-t-elle.

— Quoi ?

— Ton *chum* a payé trois mois de loyer pour toi…

— Quoi ? que je crie, consternée.

— Je savais…, fait-elle, les bras en l'air.

— C'est quoi ? Tu l'as « encore » appelé pour lui dire que j'étais fauchée. On peut-tu commencer à se mêler de ses affaires ici dedans, s'il vous plaît !

Cori, qui est à la cuisine, se retourne pour me regarder, mais elle ne dit rien.

— Calme-toi ! m'ordonne Ge en haussant le ton. Je n'ai rien dit, je n'ai rien fait. La journée que tu es sortie de l'hôpital, j'ai trouvé une enveloppe de sa part sur mon lit…

— C'est à moi qu'il a parlé. En t'attendant ici, il a demandé qui s'occupait des finances. Je lui ai expliqué un peu notre fonctionnement et il a signé trois chèques pour ta partie du loyer. Je lui ai donné une enveloppe et je l'ai mise dans la chambre de Ge en sachant que tu allais refuser s'il te l'offrait directement, explique Cori sur un ton calme.

Je me ressaisis un peu. Les filles n'ont rien à voir dans ma crise d'orgueilleuse, de « fière-pète ».

— Voyons, lui ! Je me sens donc bien invalide tout d'un coup ! que j'avoue en laissant sortir un long soupir.

— Mali, il veut juste t'aider !

— J'ai pas besoin d'aide ! que je réponds, sans équivoque.

— Bien oui ! Elle doit être super florissante ta situation financière, ironise Ge en sachant très bien qu'elle a raison.

— Non, en effet, mais là, c'est quoi ? Il va me verser une allocation familiale pour mes dépenses ? Il va me donner vingt dollars pour que je puisse aller au cinéma ? que j'exagère en étant dramatique.

— Mali ! Il est plein de *cash*, pour lui ce n'est rien mille cinq cents piastres ! déclare Sacha, qui a capté la conversation de sa chambre.

— Ce n'est pas le montant, c'est le principe ! que je proteste en le textant sur mon téléphone.

(Monsieur paie mon loyer maintenant ??????)

Mon téléphone sonne deux minutes plus tard. Je regarde les filles en affirmant :

— Je vais régler ça !

En gravissant l'escalier menant au deuxième étage, je débute l'appel en disant, un peu bête :

— Je ne suis pas d'accord !

— Est-ce qu'il y a quelqu'un qui t'a demandé ton approbation ? rigole-t-il, fier de son coup.

— Je ne niaise pas, BB, que je réplique, sérieuse.

— Tu vois, c'est pour ça que je ne t'en ai pas parlé. T'es trop orgueilleuse et trop indépendante, je savais que tu capoterais ben raide pour rien !

— Pour rien ? Tu paies mon loyer ! Je me sens comment, tu penses ?

— Tu te sens comme une fille qui est en convalescence d'un cancer et qui doit se reposer et se soucier de rien, sauf guérir…

— Non ! Je me sens dépendante, pauvre, minable… C'est comme ça que je me sens !

— Minable ? Bon, la scène ! Eille ! T'exagères… Tu ne m'as rien demandé et j'ai décidé de le faire parce que ça me fait plaisir. T'es pas normale, toi ! s'insurge-t-il en commençant à s'impatienter.

Je ne réponds pas, un peu en colère. C'est une situation sans issue. Je suis incapable de juste dire : « Merci, mon bébé, c'est gentil ! », mais je ne peux pas lui piquer une crise non plus.

Il rajoute :

— Cibole ! C'est la première fois qu'on me fait des reproches pour avoir tenté de faire plaisir à quelqu'un. Tu me rappelleras quand tu seras plus de bonne humeur. Bye.

— C'est ça…

Il raccroche. Zut ! Le sachant légèrement susceptible, je ne suis pas surprise de la fin de la conversation. Et que dire de ma performance… En revoyant dans ma tête notre échange, je me rends compte que c'est comme si je l'accusais de mon sentiment négatif alors qu'il n'a absolument rien à voir là-dedans. C'est quoi, mon problème ?

La patiente verbalise inadéquatement une émotion négative. Elle semble vivre un sentiment d'infériorité face à son partenaire de vie et elle tente de le culpabiliser face audit sentiment ressenti. Son désir d'autonomie absolue se mute en quelque sorte en orgueil mal placé à cause de la pression de son surmoi tyrannique. La patiente doit garder en tête que l'orgueil est un terreau fertile pour les troubles psychologiques.

Je redescends en bas, mon orgueil dans une main et mon téléphone dans l'autre. En me voyant l'air abattu, les filles émettent des conclusions ironiques :

— Laisse-nous deviner : tu l'as traité d'« écœurant » de vouloir t'aider ? spécule Cori.

— Non, sûrement de « gros chien sale » ? rajoute Ge en regardant Cori.

— Franchement ! Je ne suis pas si conne… quoique…

— À te voir l'air, tu n'as pas été adéquate en tout cas, suppute Sacha.

Je raconte aux filles toute la conversation dans son intégralité. Pas difficile de s'en souvenir, elle contient environ quatre phrases.

— Rappelle-le tout de suite ! ordonne Ge.

— Tu t'excuses et tu lui dis que t'es folle, complète Sacha.

Je remonte dans ma chambre à l'instant même pour m'exécuter. Deux choses : je m'excuse et je suis folle ! C'est facile ! Lorsqu'il répond, je lui récite machinalement ma réplique :

— BB… je m'excuse et je suis une folle !

— Mets-en ! Te rends-tu compte, t'étais presque à la limite de m'accuser d'une faute grave…

— Je le sais, je le sais, je le sais…, que je répète d'une voix douce.

Il y a un silence. Les excuses aussi s'avèrent difficiles dans le jardin fertile des orgueilleux…

— Qu'est-ce que tu fais, là ? demande-t-il sur un ton un peu sévère.

— Rien…

— Amène tes fesses ici. Je vais les taper !

— OK, tout ce que tu veux ! que j'exagère pour le faire rire.

— Gentille fille… Douce, douce…

Je ris nerveusement avant de raccrocher. Je descends en faisant une moue d'enfant repentante.

— Bon, vous sortez encore ensemble..., déconne Ge.

— Niaise pas ! C'était comme notre première chicane ! que j'analyse en exagérant.

— T'es tellement théâtrale ! fait Sacha, les yeux en l'air.

— Mais là, je m'en vais chez lui. Il tient à me donner une correction...

— Toute nue à quatre pattes, oui ! blague Ge sans scrupule.

— Hé ! que je m'insurge.

Trois nuits consécutives...

Je passe presque toute la semaine chez Bobby... Oups ! Les deux indépendants chroniques se sont comme métamorphosés en individus beaucoup moins autosuffisants. Étant donné qu'il travaille surtout les fins de semaine, c'est en semaine qu'il vit ses moments de détente. Nous écoutons des films le matin, nous restons en bobettes jusqu'en fin d'après-midi et nous cuisinons des festins tous les soirs. Je mentirais en décrivant notre relation comme fusionnelle ou passionnelle, car ce n'est pas la réalité. Nous nous connaissons depuis plus de deux ans, nous n'en sommes donc pas à l'étape de se toucher sans arrêt ou de s'embrasser aux trois minutes et demie, mais tout de même, l'affectivité entre nous évolue vers un sentiment amoureux authentique. Je le sens de plus en plus investi comme un *chum* et non comme un amant. Tout se fait tranquillement et graduellement. On n'a même pas discuté encore de l'étape cruciale des présentations sociales de grande envergure du genre : sa famille ! Je ne suis pas prête, je déteste cette étape de toute façon. Lui, il a rencontré ma mère, mais pas mon *groupie* de père ! Ouf… Bobby ne le sait pas encore, mais lui non plus il n'est pas prêt !

Nous n'avons pas rediscuté de l'histoire des loyers. Je crois que notre couple sera un peu porté vers les non-dits. Déjà un beau point à améliorer de part et d'autre dans notre union de fait. Je crois que je commencerai une liste à la fin de mon livre de notes…

Lorsque je reviens au *condo* mercredi soir, les filles me regardent sévèrement en rentrant.

— Voyons, vous autres, avec vos faces du Jugement dernier ! que je décris avec un demi-sourire.

— Trois nuits ? me lance Sacha, les bras croisés, en tapant du pied.

— C'est une règle de trois nuits chez lui au lieu de deux comme ici. Il a un conseil exécutif moins castrant et plus flexible…, que je blague.

— Non, mais là, t'as apporté ta brosse à dents chez lui, ou quoi ?

— Hé ! un instant les grosses étapes, toi ! On n'est pas rendus là pantoute ! Ça fait juste deux ans qu'on se connaît. D'ici cinq ans, on se dira peut-être « Je t'aime » et après on verra pour la brosse à dents, que j'exagère, sérieuse.

— Ouin ! Vous n'êtes pas du genre à brûler des étapes, vous deux. Vous avez couché ensemble neuf mois après votre rencontre, ramène Cori en riant.

— C'est ça ! Tranquillement…, que je dis en balayant doucement l'air devant moi du revers de ma main.

— Hugo t'a écrit une niaiserie, m'annonce Sacha en désignant le tableau.

Playa del sous-sol :

Date :

Message : By the way, Mali, ton « chum » te paie pas un loyer pour que tu habites chez lui ! Comprends le message...

Ne pas oublier : « Offrir l'amitié à qui veut l'amour, c'est donner du pain à qui meurt de soif... » – Hugo

— You Go est venu ici ! que je déclare en croisant mes bras à mon tour tout en regardant Sacha.

— Ouin, je l'ai invité à faire dodo avec moi hier. Ne sois pas choquée pour son message. C'est moi qui lui ai dit pour l'histoire de Bobby et du loyer. Imagine-toi donc qu'Hugo aussi voulait te donner un coup de main financièrement.

— Coudonc ! Est-ce que je m'habille mal ou bien j'ai l'air mal nourri, c'est quoi le *rush* de vouloir me faire des dons ? Lancez une fondation tant qu'à y être. Vendez des stylos ! que je tempête, un peu agacée.

— Justement, on a imprimé des t-shirts avec ta photo, bluffe Cori en me tirant la langue.

Je lui envoie un regard amusé en examinant de nouveau le tableau.

— Et You Go t'envoie un beau message clair, hein ? J'espère que toi aussi tu comprends…, que j'exprime, sérieuse, en regardant Sacha.

— Justement, il était parti quand j'ai vu cette phrase ce matin. On en discutait avant ton arrivée, me met en contexte Sacha.

— Il l'aime, révèle Cori, en me faisant « oui » de la tête.

— Je vois ça !

— Il t'avait rien dit ? me demande Sacha.

Bon là, je vis l'étape un peu délicate de ne pas trop parler, mais de tout de même faire part de mon opinion à Sacha. De toute façon, Hugo ne m'a pas directement dit qu'il l'aimait…

— En soupant avec lui une fois, je lui avais posé la question et il avait mis l'accent sur le fait que *toi*, tu le voyais surtout comme ton ami gai. Et la fille qu'il a rencontrée ? que je questionne.

— Je ne sais pas. On n'a parlé de rien et il a écrit ça avant de se sauver, raconte Sacha.

— Ouin ! que je réfléchis, étonnée de la réaction peu cohérente d'Hugo.

— Rien de spécial ne s'est dit hier ? enquête Ge, sérieuse.

— Rien de spécial ! Outre le fait qu'on a couché ensemble, là..., confie Sacha en baissant la tête.

— OK ! Juste ça ! que je laisse tomber comme si ce n'était rien d'important.

— C'était comment ? se languit Ge, curieuse.

Sacha ne répond pas et fait de gros yeux traumatisés.

— Torride ? présume Cori.

— Torride, tu dis ! Ma meilleure baise *ever* depuis des siècles ! J'ai eu trois orgasmes et j'ai mal partout..., dévoile Sacha.

— *My god* ! que je m'émoustille.

— Mais bref, c'est comme Bobby et toi, ça fait plusieurs mois qu'on dort ensemble et là, paf ! Je t'ai juste imitée dans le fond, raisonne Sacha, le sourire aux lèvres.

— Tu ressens quoi, Sacha ? Pour VRAI ! insiste Cori.

— C'est comme si le fait de savoir qu'il avait rencontré une fille avait créé une urgence chez moi. Dans mon mode de fonctionnement de « fuckée » dans la tête, je ne sais pas si cela a juste servi à me valider que je gardais une place dans son cœur ou si réellement je ressentais quelque chose de vrai pour lui. N'oubliez pas que je tombe amoureuse avec tout le monde, moi ! explique-t-elle.

— Tu sens que t'es en amour avec ? croit comprendre Ge.

— Non, justement. Pas comme avec les derniers gars, c'est pas aussi intense, passionnel, fusionnel…, décrit Sacha.

— Justement, c'est peut-être ça qui est sain plutôt, que je relativise en pensant à Bobby et moi.

— Moi, je trouve que vous allez bien ensemble, atteste Cori.

— Hugo et moi ? songe Sacha à haute voix.

— Pourquoi pas ? la met au défi Ge.

— Je ne sais pas… C'est vrai qu'on est super complices, il me fait vraiment rire, il m'écoute, il fait attention à moi sans être trop fatigant.

— Bon, ce n'est pas ça qu'on cherche dans le fond ? envoie Ge en se levant pour prendre de quoi boire dans le frigo.

— C'est vrai, c'est ça qu'on recherchait en modifiant la consœurie et en s'ouvrant à l'amour ! Des relations saines, simples, complices…, propose Cori.

— Mais je ne prévoyais tellement pas une possible union quand je l'ai rencontré, ajoute Sacha.

— Ne te base pas là-dessus. Moi non plus je ne croyais pas être en couple avec Chad un jour. Jamais je n'y aurais cru.

— Dès ton annonce de votre partie de jambes en l'air ensemble, je voyais une aventure se dessiner, avoue Sacha.

— Menteuse ! Facile de dire ça après coup ! la confronte Cori.

— Je te le dis ! réitère Sacha.

Je suis soudainement frappée d'un éclair de génie !

— Vous vous souvenez des messages laissés dans la bouteille de champagne ? que je rappelle, l'air malicieux.

— Oui, on est censées les ouvrir en quittant le *condo* à l'été, précise Cori.

— Oui, mais là, on a renouvelé notre bail pour une autre année..., que je rappelle en regardant les filles.

— Tu voudrais les ouvrir maintenant ? insinue Ge.

Les filles me regardent en réfléchissant.

— Pourquoi pas ? On est dans un vent de changement de cap. Ça pourrait nous aider à voir clair, que je propose.

— Exactement : pourquoi pas ! Que ce soit dans quelques mois ou maintenant, ça ne change pas grand-chose, souligne Sacha.

— Je vais la chercher ! dit Cori en montant à l'étage où se trouve la trappe du grenier.

Les lettres de prédictions du bonheur

À son retour, nous tapons dans nos mains, excitées de lire enfin le contenu des lettres. À l'époque, la directive était d'écrire ce que nous souhaitions qui arrive durant notre année ainsi que des prédictions concernant chaque consœur.

— Comment on fonctionne ? s'excite Cori qui ouvre avec empressement le bouchon de la bouteille.

— On prend chacune nos lettres et on les lit aux autres ? que je suggère.

— OK, je commence ! insiste Ge. Je ne me souviens plus du tout de ce que j'ai écrit !

Ge commence par la lettre adressée à elle-même. Elle souhaitait naturellement avoir trouvé l'amour chez un gars simple, honnête, et d'avoir laissé tomber ses réflexes amoureux qui n'attirent que des gars superficiels.

— Tu n'as pas encore trouvé, mais ça viendra, l'encourage Cori.

Elle prophétise dans la lettre adressée à Sacha que Thierry sera effectivement l'homme de sa vie. Ils étaient si fusionnés au moment de la rédaction de ces lettres.

Sacha s'insurge :

— Ark, Ge ! Tu me souhaitais de passer ma vie avec un gai !

— Un bisexuel, plutôt ! On s'entend qu'il a quand même couché avec toi plusieurs fois, précise Cori.

Ge poursuit en décrivant qu'elle prédisait un homme pour Coriande : sportif, actif, bien dans sa peau…

— Tu décris bien mon amoureux, s'amuse Cori en montrant un sourire épanoui.

Finalement, elle me souhaitait Bobby !

— Depuis le début, on dirait que je le savais ; toi et lui… un jour. Votre histoire est tellement hors norme et spéciale que ça pouvait juste finir en couple heureux !

Je souris en la regardant.

— Merci pour tout, Ge. C'est probablement parce que tu y as cru justement que j'en suis là aujourd'hui, que je dis en faisant référence à son intervention pour que Bobby vienne me voir à l'hôpital.

Sacha prend le relais. En gros, elle abondait à l'époque dans le même sens que Ge. Elle nous lit la lettre pour elle-même : « Mon Thierry pour la vie », en nous montrant la feuille avec plein de cœurs dessinés dessus.

— *My god* ! J'étais complètement raide dingue de ce gars-là ! On dirait que je ne m'en souviens pas tant que ça ! se surprend-elle.

— Tu t'es détachée de tout ça. Ça fait quand même un bout de temps, explique Cori.

— L'amour-passion est si puissant, mais si éphémère, se rend compte Sacha avant de poursuivre.

Pour moi, elle souhaitait au contraire que Bobby sorte de ma vie pour me permettre de vivre une relation saine.

— Excuse-moi, c'est comme poche mon affaire ! justifie Sacha, déçue du contenu de sa lettre à mon égard.

— Arrête, ce n'est pas grave. À l'époque, la relation était anxiogène pour moi et tu voulais juste que je sois heureuse, que j'ajoute en analysant ses écrits.

Pour Ge, elle souhaitait un homme exactement comme Ge le décrivait dans sa propre lettre.

— On s'entend là-dessus, interprète Ge.

Pour Cori, elle lui souhaitait un homme plein de belles qualités énumérées les unes à la suite des autres. Le fait intéressant reste sa note en bas de page. Elle avait écrit : « Explorer le cas de Chad… »

— Je ne te crois pas ! proteste Cori en lui enlevant la lettre des mains.

En voyant la tête de Coriande qui constate la vérité, Sacha ajoute fièrement :

— Je te l'ai dit tantôt que je croyais qu'il y avait une possibilité depuis le départ. Je ne me souvenais pas de l'avoir inscrit par contre…

— T'es forte ! que j'ajoute, impressionnée de la prédiction de Sacha.

— Donc, je rencontrerai le mec que tu as décrit ! s'amuse Ge, excitée.

Sacha place ses mains au-dessus de la salière et de la poivrière en faisant des mouvements circulaires comme si elle lisait une boule de cristal.

— Oui, madame, et bientôt en plus ! assure Sacha en souriant à Ge.

— *Wow !* j'adore ça ! C'est vraiment *hot* ce qu'on vit ! On devrait ouvrir une bouteille de champagne pour l'occasion.

— On n'en a pas, que je regrette.

— Oui, il en reste une du souper qu'on a eu avec le partenariat externe ! annonce Cori en fouillant dans le fond du frigo bien trop rempli.

— Super !

Après avoir servi tout le monde, nous poursuivons. Coriande se lance.

Elle se souhaitait le bonheur en général. Elle décrivait que si un homme fait partie du projet, tant mieux, mais elle met surtout l'accent sur son bien-être personnel au quotidien.

— Tu vois, tu étais celle qui cherchait le moins et tu es la première qui a trouvé ! analyse Ge.

— C'est vrai, ça ! que j'ajoute.

Elle prédisait à Ge un homme un peu comme son plombier à l'époque. Un gars bon, honnête, aimant. Elle souhaitait aussi Thierry à Sacha…

— Coudonc ! Vous l'aimiez donc ben, vous autres aussi ! constate Sacha en riant.

— Tu étais tellement décollée ! On a embarqué dans ton *trip* ! explique Cori.

Pour ma part, sa lettre décrivait qu'elle envisageait pour moi la stabilité affective. Un amour unique et à mon image. Elle ne précisait pas la nature du gars en question et elle ne parlait pas de Bobby non plus.

— Je me souviens que j'avais trouvé ça difficile de faire l'exercice pour toi, Mali. Tes désirs sont tellement changeants ! termine-t-elle.

— Je te comprends ! que j'approuve.

— Vas-y, Mali, il ne reste que toi !

Contrairement aux filles, je commence par les lettres qui s'adressent à elles. Pour Ge, je lui souhaitais tout d'abord de retrouver un équilibre mental adéquat en faisant référence à son épuisement professionnel.

— Ça t'a fait *rusher* ça, toi, hein ? se souvient Ge en me prenant l'épaule.

— Tu dis ! J'avais tellement de peine de te voir de même, je l'avoue. Je te trouve tellement forte, Ge. Tu t'es remise de cet épuisement, tu as eu une période récente assez poche côté cœur et tu es là, toujours souriante à la vie !

— C'est vrai, Ge ! approuve Sacha. Avoir vécu tout ça, je serais probablement rendue une loque humaine !

— Il paraît que, dans la vie, on subit les épreuves qu'on est capable de surmonter, raisonne Ge.

À la fin de la lettre pour Ge, je lui prédisais un homme qui prendrait soin d'elle à sa juste valeur et pour les bonnes raisons. Pour Cori, naturellement je ne faisais aucune allusion à mon frère, en lui souhaitant plutôt un gars qui découvrirait l'amour en même temps qu'elle. Je faisais référence au fait que Cori a souvent été dans des relations dépourvues de véritable amour pour simplement être en couple.

— Je pense que c'est une bonne prédiction concernant ce que Chad et toi vivez, souligne Sacha.

— Tu dis ! Mon frère n'a jamais été un as dans les relations amoureuses non plus ! que j'approuve.

Je poursuis avec Sacha à qui j'avais précisé, que ce soit Thierry ou non, que je lui souhaitais un amour vrai, pas compliqué, avec plein de moments de petits bonheurs et pas juste des gros *high* et des gros *down*. Je termine ma lettre en blaguant que je lui souhaite aussi un ami gai…

Sacha fixe la table à la fin de ma lecture. Personne ne commente mes écrits face à elle. Tout le monde réfléchit, probablement en pensant à Hugo. C'est quand même une drôle de coïncidence.

En entamant la lecture de ma propre lettre, je constate une certaine frustration présente dans mon cœur à l'époque. Je parle d'un gars prêt à s'engager, qui arrête de perdre son temps, de jouer des *games*, qui est capable de faire face à ses sentiments, etc. Le nom de Bobby n'apparaît nulle part… À cette époque, je comprenais tous les sentiments que je ressentais pour lui et j'avais la trouille de le lui dire. Quelques jours après, je lui avais avoué tout ça chez lui et il était allé acheter du lait…

— Tu ne le nommes même pas dans ta lettre, Mali, fait remarquer Ge.

— Imaginez comment je n'avais pas confiance dans ma démarche. C'est comme si je me mentais à moi-même dans ma propre lettre. Pas capable de mettre sur papier de façon honnête les attentes que j'entretenais à son égard, que je constate, un peu déçue.

Je n'osais même pas y croire… Comment voulez-vous que ma démarche de révélation ait été vraie et surtout claire ?

Je termine ma lettre en prédisant que notre cohabitation allait être formidable. Je spéculais que nous allions toutes évoluer et que chacune allait être présente pour aider les autres dans leur cheminement affectif respectif.

— C'est drôle ! T'es la seule qui parle de notre cohabitation. Moi, je n'avais pas pensé écrire ça à l'époque, avoue Ge.

Après avoir remis les lettres à qui de droit, nous restons un moment figées, les lettres de nos amies dans les mains. Silencieuses.

— Donc on a évolué, vous croyez ? songe Sacha.

— Moi je pense que oui ! s'encourage Cori.

— C'est le travail d'une vie en fait, mais on est sur la bonne voie. On est conscientes, authentiques..., que je formule en prenant une gorgée de champagne.

— « Une chance qu'on s'a » ! murmure Ge en levant son verre, émue.

Enfin ! Un souper de « couples »

Dimanche, une semaine plus tard, pour la première fois depuis notre cohabitation, des hommes soupent officiellement avec nous. Bobby devrait arriver d'une minute à l'autre. Chad s'en vient aussi et je soupçonne Sacha d'avoir invité Hugo.

— C'est drôle... Dans les règles de la consœurie, on devait inviter les candidats pour des soupers de présentation et ce n'est jamais arrivé, souligne Ge.

— C'est vrai, hein ? C'est la première fois qu'on fait un vrai souper avec des gars. Bah ! si on ne compte pas Hugo qui vient tout le temps voler notre bouffe, là, spécifie Sacha.

— Hugo, il fait partie des meubles ! image Cori. Il pourrait vivre ici et ça ne me dérangerait même pas !

— Un instant, là, s'oppose Sacha avec un demi-sourire.

— Il n'y a que moi qui vais être seule ce soir, se plaint Ge.

— Tu n'as pas invité ton nouveau candidat ? insiste Cori.

— Non, on s'est vus juste une fois. Je ne voulais pas avoir l'air trop intense en l'invitant à un souper. Trop tôt ! analyse Ge.

— Prends ton temps, conseille Cori pour la millième fois.

Ge a rencontré le mec en question la semaine dernière, lors d'un souper en ville. Elle a apprécié sa présence. Elle nous l'a décrit comme étant un gars comique et intéressant. Le moment passé avec lui a été fluide, mais elle reste sceptique face à l'avenir à cause de ses échecs en rafale.

— Je prendrai votre modèle de « dodo pendant des mois » et on baisera l'année prochaine ! exagère Ge.

— Toi ? Jamais ! T'es bien trop cochonne ! blague Cori.

— Non ! C'est fini ce temps-là, affirme Ge en regardant le plafond.

— Bien oui, c'est ça ! que je fais, peu convaincue.

Chad arrive le premier. Il y a longtemps que je ne l'ai pas vu. Depuis mon séjour à l'hôpital, en réalité. Je laisse le temps à Coriande d'échanger quelques baisers avec lui avant de lui sauter au cou à mon tour.

En prenant une bière dans la cuisine, il lit le tableau de communication à haute voix :

Playa del sous-sol :

Date :

Message : Hugo, veux-tu sortir avec moi ? (encercle la réponse)

Oui Non

— Sacha

Ne pas oublier : « Offrir l'amitié à qui veut l'amour, c'est donner du pain à qui meurt de soif... »

Il ajoute :

— C'est un peu scolaire ton affaire, Sacha !

Sacha s'approche, les yeux ronds :

— C'est qui la conne qui a écrit ça ? crie-t-elle, hystérique.

— CHAD ! T'as tout gâché ! Elle ne l'avait pas vu ! le chicane Ge.

— OK... Tu m'en devais une pour le coup du numéro de téléphone, c'est ça ! Rancunière..., hurle Sacha en effaçant le message avec vigueur.

— Quel numéro de téléphone ? demande mon frère, curieux.

— Ah ! une vieille histoire..., prétend Sacha en poussant Ge amicalement.

Justement, Hugo arrive peu de temps après.

— Salut ! lance-t-il, de bonne humeur, en s'approchant de Sacha pour lui donner un rapide baiser sur la bouche.

— Hein ? Ce n'est pas des conneries ? Vous êtes ensemble pour vrai ? bafouille Chad, spontané, en ignorant le suivi de l'histoire.

— Non, on est juste des amis nous autres, rectifie ironiquement Hugo en regardant tout le monde.

Sacha lui donne un coup sur l'épaule en roulant des yeux.

Nous prenons un verre tous ensemble lorsque Bobby arrive en retard.

— Bon, la vedette qui se fait attendre ! soupèse Ge en lui donnant des becs sur les joues.

En voyant Bobby m'embrasser en passant devant moi, mon frère se surprend encore :

— Et vous aussi vous êtes ensemble, maintenant ? Voyons, ma blonde ! Peux-tu me mettre au courant des développements de ce genre-là avant que je les constate par moi-même comme un innocent !

Bobby rit en serrant la main de Chad tout en se présentant.

— T'es tout le temps parti, chéri ! C'est ça que ça fait, lui reproche Cori en s'approchant de lui en souriant.

— Ah ! ma blonde ! râle un peu mon frère en saisissant le sous-entendu.

Tout le monde rigole de la scène. Chad poursuit :

— Mais là, ma sœur, toi aussi t'aurais pu me parler peut-être ! Toi qui m'as reproché jadis de pas TOUT te dire… Maman m'avait raconté qu'elle t'avait rencontré à l'hôpital, mais sans plus. J'arrive de Vegas, je suis un peu déconnecté, avoue mon frère en s'adressant à Bobby.

— Moi aussi je t'en devais une ! que je spécifie en regardant mon frère.

Chad nous raconte un peu son voyage avant que nous attaquions avec appétit les deux poulets que nous avons fait cuire. Le souper est agréable, tout le monde discute de façon très fluide.

Durant le dessert, j'en suis à expliquer à mon frère que mon médecin m'a annoncé que ma situation était sous contrôle et que d'autres traitements ne seront pas nécessaires. Je recommencerai à travailler graduellement au centre de crise, possiblement juste dans trois semaines, bla bla bla… Bobby prend alors la parole d'une drôle de façon.

— C'est vrai, j'ai complètement oublié de te dire ça, ma puce ! Je pars en Europe la semaine prochaine pour un mois.

Je le regarde, stupéfaite. Je suis un peu froissée qu'il me l'annonce là, maintenant, devant tout le monde. C'est bizarre, c'est moi qui ai envie d'aller acheter du lait maintenant ! Il se lève pour aller aux toilettes en ajoutant :

— Ça va tellement bien mes affaires là-bas, je « trippe » pas mal !

— Super ! fait Chad, un peu mal à l'aise de constater ma déception.

— Ben oui, c'est *cool* ! que je bredouille en cachant difficilement cette insatisfaction.

Personne ne parle à table. Je focalise mon regard sur Geneviève qui me sourit, compatissante.

Je songe : « Mali, tu le savais que tu t'embarquais avec un gars qui tente de développer une carrière européenne. C'est normal qu'il s'y rende souvent. Il te l'annonce en manquant un peu de délicatesse, mais pour lui, ce n'est pas quelque chose de si important… »

Comme je suis de dos au corridor, j'entends Bobby continuer à nous décrire son projet en revenant de la salle de bain.

— J'ai six spectacles *sold out* ! Je ne pensais jamais que ça irait bien aussi vite !

J'examine maintenant la nappe en me sentant égoïste de ne pas être juste contente pour lui…

Il poursuit :

— Mais j'ai un petit problème…

Il effectue une pause dans son discours.

— …comme je vais trop m'ennuyer de ma blonde, je veux qu'elle m'accompagne, prononce-t-il en déposant une enveloppe devant moi.

Complètement dupe de sa manigance, je braque mes grands yeux sur lui… *I'm flabbergasted* (et rien de moins !). Je l'ouvre rapidement, même si j'ai deviné ce qu'elle contient : un billet d'avion pour Paris à mon nom.

Je reste muette, abasourdie.

— Ta *chum* Ge a fouillé dans tes affaires. J'avais besoin de ton numéro de passeport…

Je ne trouve rien de mieux à faire que de prononcer un « Honnnn… » le nez retroussé, en lui flattant le bras avec un large sourire niais sur le visage. Vous vous souvenez : comportement typiquement « femme en amour » ! Une onomatopée prononcée sur un ton doux et aigu, suivie d'une surexposition des canines supérieures, le tout agrémenté d'une contraction du *procerus* (le muscle pyramidal du nez) !

Playa del sous-sol :

Date :

Message : Dire à ma patronne : je vais recommencer à travailler deux semaines plus tard... Raison motivant l'absence : obligation amoureuse !

Ne pas oublier : « Dans la vie, l'important n'est pas d'où on vient et ce que l'on a fait hier, mais bien où on va et ce qu'on va faire demain... » – Mali XXX

Achevé d'imprimer au Canada
sur les presses de Imprimerie Lebonfon Inc.